D0319144

GOLDMANN
Lesen erleben

Buch

In den ersten 14 Monaten macht ein Baby acht große Sprünge in seiner geistigen Entwicklung. Diese aufregenden, von den Eltern allerdings oft als Krisenzeiten erlebten Wachstumsphasen erfolgen bei einem Kind zu einer bestimmten Zeit. Sie sind, so fanden die Autoren heraus, vorhersehbar. Inzwischen wurde dieses Ergebnis von Wissenschaftlern international bestätigt. Dieser Ratgeber erklärt, wie sich die besonderen Entwicklungssprünge am Verhalten zeigen und wie Eltern ihrem Baby in dieser schwierigen Zeit helfen können.

Autoren

Dr. Hetty van de Rijt studierte Psychologie und Anthropologie und war einige Zeit an einem Institut für geistig behinderte Kinder tätig. *Prof. Dr. Frans X. Plooij* spezialisierte sich nach seinem Studium der Psychologie und Biologie auf Entwicklungspsychologie. Seit 30 Jahren erfor-schen sie die Beziehung zwischen Eltern und Baby.

Von den Autoren außerdem im Programm:
Oje, ich wachse! Erweiterte und aktualisierte Ausgabe (39075)
Oje, ich wachse! Das Praxisbuch (39126)
Oje, ich wachse! Eltern-Sprechstunde (39196)
Oje, ich wachse! Schwangerschaft (39203)

Hetty van de Rijt
Frans X. Plooij

Oje, ich wachse!

Von den acht »Sprüngen« in der mentalen Entwicklung Ihres Kindes während der ersten 14 Monate und wie Sie damit umgehen können

Aus dem Niederländischen
von Regine Brams

GOLDMANN

Verlagsgruppe Random House FSC® N001967
Das für dieses Buch verwendete FSC®-zertifizierte Papier *Classic 95*
liefert Stora Enso, Finnland.

42. Auflage
Vollständige Taschenbuchausgabe Juli 1998
Wilhelm Goldmann Verlag, München,
in der Verlagsgruppe Random House GmbH
© 1994 der deutschsprachigen Ausgabe
Mosaik Verlag, München,
in der Verlagsgruppe Random House GmbH
© 1992 Hetty van de Rijt / Frans X. Plooij
Originalverlag: Zooner & Keuning, Boeken B. V., Ede
Originaltitel: Oje, ik groeil
De acht sprongen in de mentale entwikkeling van je baby
Umschlaggestaltung: Design Team München
Umschlagfoto: Bavaria/FPG Mike Malyszko
Zeichnungen: Jan Jutte
Satz: Filmsatz Schröter, München
Druck und Bindung: GGP Media GmbH, Pößneck
Kö · Herstellung: Sebastian Strohmaier
Printed in Germany
ISBN: 978-3-442-16144-7
www.goldmann-verlag.de

Für unsere Tochter Xaviera Femke,
von der wir viel gelernt haben,
und für unseren Enkel Thomas,
von dem wir vielleicht
noch mehr lernen werden.

Inhalt

Freud' und Leid um die 8. Woche

Freud' und Leid um die 12. Woche

Freud' und Leid um die 19. Woche

Freud' und Leid um die 26. Woche

Freud' und Leid um die 37. Woche

Freud' und Leid um die 46. Woche

Freud' und Leid um die 55. Woche

Vorwort

Wenn ein Baby schreit, ist das eine Qual für den, der dieses kleine Wesen gesund und glücklich sehen will. Fast jede Mutter [1]) macht sich immer wieder Sorgen um ihr Baby. Und denkt dann oft, sie sei die einzige, die nicht den ganzen Tag froh und glücklich ist. Die einzige, die sich unsicher, ängstlich, verzweifelt oder zornig fühlt, wenn ihr Baby anstrengend und untröstbar ist. Die einzige, die weiß ist wie die Wand und erschöpft von zu wenig Schlaf. Sorgen, Müdigkeit, Ärger, Schuldgefühle und gelegentlich auch Aggression wechseln einander ab. Das Schreien des Babys kann auch zu Spannungen zwischen den Eltern führen. Besonders wenn sie sich nicht einig sind, wie damit umzugehen ist. Und kostenlose, gutgemeinte Ratschläge von Freunden, Familie, Nachbarn und sogar Fremden machen alles nur noch schlimmer. »Ruhig brüllen lassen, das stärkt die Lungen«, ist nicht gerade die Lösung, die die Mutter hören will. Und das Problem herunterzuspielen hilft genausowenig.

Mütter finden erstaunlich wenig Unterstützung bei anderen Müttern. Wenn eine Mutter plötzlich mit einem quengeligen Kind dasitzt, will sie darüber reden können. Sie sucht Schicksalsgenossinnen, die dasselbe durchmachen oder durchgemacht haben. Das scheint nicht schwierig. Schließlich ist die Welt voller Mütter. Und doch ist es nicht so leicht, wie es aussieht. Warum?

[1]) In diesem Buch wird der Einfachheit halber das Wort »Mutter« benutzt. Eigentlich müßte es immer heißen: »Mutter/Vater/Hauptbetreuungsperson«.

Ganz einfach: Wenn eine schwierige Phase überstanden ist, vergessen Mütter sofort, wie entsetzlich lästig sie ihr Baby fanden und wie verzweifelt sie oft selbst waren. Und das ist wohl auch gut so. Doch für die Mutter, die mitten in den Problemen steckt und fragt: »Hat Ihr Kind das etwa auch?«, ist das furchtbar. Sie wird dreimal überlegen, bevor sie ihre Probleme nach außen trägt, und sich – in der Überzeugung, daß sie die einzige ist, die so ein schwieriges Kind hat – zurückziehen. Aber sie ist nicht die einzige!

Wir haben 25 Jahre lang untersucht, wie Babys sich entwickeln und wie derjenige, der für das Baby sorgt – meist ist das die Mutter –, darauf reagiert. All unsere Untersuchungen haben wir bei Eltern daheim gemacht. Wir haben ihren Alltag beobachtet. Wir haben viele Fragen gestellt, sind in Gesprächen näher darauf eingegangen. Und wir stellten fest: Von Zeit zu Zeit erleben alle Eltern dieses heulende Elend. Mehr noch: Zu unserer Überraschung waren normale, gesunde Babys jeweils im selben Alter weinerlicher, empfindlicher, fordernder und anstrengender als sonst. Kurzum, sie brachten ihre Mütter zeitweise zur Verzweiflung. Wir können inzwischen fast auf die Woche genau vorhersagen, wann eine Mutter mit so einer schwierigen Zeit zu rechnen hat. Zu den gleichen Resultaten kamen übrigens auch Wissenschaftler aus Schweden und Spanien. Die schwedischen Forscher beobachteten dazu siebzehn Mütter und ihre Babys über einen Zeitraum von fünfzehn Monaten, ihre spanischen Kollegen achtzehn.

Babys schreien nicht ohne Grund. Sie schreien, weil sie verunsichert sind. Ihre Entwicklung nimmt plötzlich eine drastische Wendung. Das hat auch Vorteile. Das Baby bekommt dadurch nämlich die Möglichkeit, neue Dinge zu lernen. Diese Lernprozesse werden in diesem Buch durch Erfahrungen und Erlebnisse von Müttern veranschaulicht. Wir haben die Mütter von 15 gesunden Babys – acht Mädchen und sieben Jungen – aufgefordert, nicht nur die Fortschritte ihrer Babys festzuhalten, sondern auch zu berichten, ob alles reibungslos verlief oder nicht. Die Beispiele, die wir in diesem Buch geben, basieren auf den wöchentlichen Berichten dieser Mütter.

Dieses Buch bietet:

- *Unterstützung in Tagen der Verunsicherung.*
  Es steht Ihnen zur Seite, sobald Sie mit einem Schreiproblem zu kämpfen haben. Schließlich ist es gut zu wissen, daß Sie nicht die einzige sind. Und daß eine schwierige Zeit nicht länger als ein paar Wochen, manchmal sogar nur ein paar Tage anhält.
  Dieses Buch zeigt Ihnen, was andere Mütter, die ein Baby haben, das im gleichen Alter ist wie das Ihre, fühlen, sehen und tun. Sie werden dabei feststellen, daß sich alle Mütter im Widerstreit der Gefühle Besorgnis, Ärger und Freude befinden.

- *Selbstvertrauen.*
  Sie werden verstehen, daß Gefühle wie Besorgnis, Ärger und Freude wichtig sind. Daß sie der Motor sind, der die Entwicklung Ihres Babys vorantreibt. Sie werden zu der Überzeugung kommen, daß Sie als Mutter mehr als irgend jemand sonst ein Gefühl dafür haben, was Ihr Baby zu einer bestimmten Zeit braucht. Kein anderer kann Ihnen das sagen. Sie sind die Fachfrau, Sie können sich mit Recht als Expertin in Sachen »eigenes Baby« bezeichnen. Sie kennen Ihr Baby am besten. Sie haben mehr als jeder andere Mensch das Gefühl dafür, was Ihr Baby braucht.

- *Verständnis für Ihr Baby.*
  Es erklärt, was Ihr Baby in jeder dieser schwierigen Phasen durchmacht. Es legt dar, daß Ihr Baby dann schwierig wird, wenn es einen Punkt erreicht hat, von dem aus es in der Lage ist, neue Dinge zu lernen. Es ist dann verunsichert. Wenn Sie das verstehen, werden Sie sich weniger Sorgen machen. Sie werden sich weniger ärgern. Und Sie werden mehr »innere

Ruhe« haben, um Ihr Baby durch eine solche Schreiphase hindurchzulotsen.

– *Vorschläge, wie Sie Ihrem Baby beim Lernen helfen können.* Nach jeder schwierigen Phase kann Ihr Baby neue Dinge lernen. Und das tut es besser, schneller und leichter mit Ihrer Hilfe. Wir schlagen Spiele vor; Sie wählen aus, was den Interessen Ihres Babys am besten entspricht.

– *Eine einzigartige Dokumentation der Entwicklung Ihres Babys.* Dieses Buch wächst mit Ihrem Baby mit. Sie können in diesem Buch die schwierigen Phasen und die Fortschritte Ihres Babys verfolgen und sie mit Ihren eigenen Anmerkungen anreichern. So verwandelt sich dieses Buch über die ersten sechzig Wochen in das ganz persönliche, einzigartige Entwicklungsbuch Ihres Babys.

Achtung

Denken Sie immer daran, daß Ihr Kind sich nach einem Sprung nicht alles auf einmal aneignen kann. Viele Fertigkeiten entwickelt das Baby erst Monate später.

GRÖSSER WERDEN: WIE MACHT IHR BABY DAS?

EIN KLEINER SCHRITT ZURÜCK UND EIN SPRUNG NACH VORN

Kinder wachsen von einem Tag zum anderen aus ihren Kleidern heraus.« Diese Volksweisheit wurde lange Zeit als Unsinn abgetan. Doch es verbirgt sich ein Funke Wahrheit dahinter. Kinder wachsen in Schüben. Längere Zeit geschieht wenig bis gar nichts. Und dann auf einmal wachsen sie viele Millimeter in einer Nacht.

Auch die geistige Entwicklung von Kindern verläuft in Sprüngen. Untersuchungen an Kindern von eineinhalb bis 16 Jahren haben gezeigt, daß solche Sprünge mit Hirnstromveränderungen einhergehen, die man in einem EEG feststellen kann. Auch bei Babys unter eineinhalb Jahren hat man bis jetzt sieben Altersstufen entdeckt, in denen Gehirnveränderungen stattfinden. In jeder dieser Stufen ist festzustellen, daß die Entwicklung des Babys einen deutlichen Sprung macht. Aber in der geistigen Entwicklung von Babys gibt es noch mehr Sprünge. Diesen Sprüngen ist man bis heute jedoch noch nicht mit Hirnuntersuchungen nachgegangen. Sprünge in der geistigen Entwicklung gehen nicht immer einher mit Wachstumsschüben. Letztere sind zahlreicher. Auch Zähne kommen zu anderen Zeiten durch als in denen, in denen Babys einen Sprung in ihrer geistigen Entwicklung machen.

Was geschieht, wenn die geistige Entwicklung Ihres Babys einen Sprung macht?

Bei jedem Sprung entwickelt sich im Baby plötzlich und sehr schnell etwas Neues. Fast immer geschieht das in seinem Nervensystem und beschert dem Baby eine neue Fähigkeit. Wie etwa die Fähigkeit, gewisse »Muster« wahrzunehmen. Die bricht etwa um die achte Woche herum durch. Solch eine neue Fähigkeit beeinflußt das gesamte Verhalten des Babys. Sie verändert und verbessert alles, was es bis dahin konnte, und versetzt das Baby in die Lage, neue Dinge zu lernen. Das kommt beispielsweise zum Ausdruck in einer plötzlichen Aufmerksamkeit für erkennbare »Muster«, wie etwa Dosen im Supermarktregal oder die Zweige kahler Bäume, die sich im Winter gegen den Himmel abheben. Ein ganz anderes Beispiel ist, daß Ihr Baby von diesem Alter an seine Körperhaltung kontrollieren kann. Auch das ist eine Art von »Muster«, nur daß es in diesem Fall nicht außerhalb, sondern innerhalb des Körpers wahrgenommen wird.

Woran Sie erkennen, daß die Entwicklung einen Sprung macht

Mühevolle, weinerliche Perioden sind die »Visitenkarte« eines solchen Sprungs. Ihr Baby ist anstrengender und schwieriger, als Sie es gewohnt sind. Viele Mütter machen sich dann Sorgen. Sie fragen sich, ob ihr Baby krank sein könnte. Oder sie ärgern sich, weil sie nicht verstehen, warum es so garstig ist.

In welchem Alter die schwierigen Phasen beginnen

Die schwierigen Phasen werden bei allen Babys im selben Alter beobachtet. Es sind acht in den ersten vierzehn Monaten. Anfangs sind sie kürzer und folgen schneller aufeinander.

Dieser Grafik können Sie entnehmen, wann die schwierigen und wann die unkomplizierten Phasen beginnen

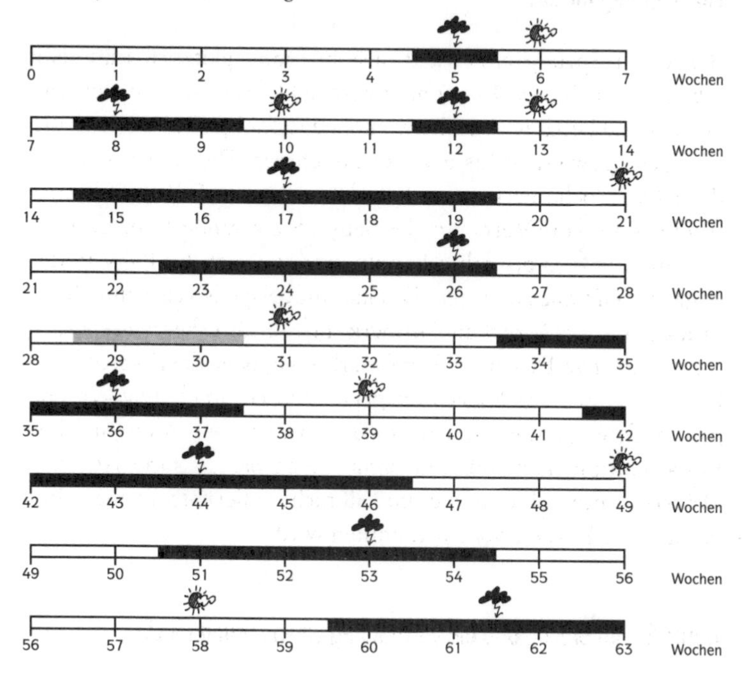

Sie erleben jetzt sehr wahrscheinlich eine Phase, in der Ihr Baby relativ pflegeleicht ist.

Ihr Baby klammert nun möglicherweise mehr.

Ungefähr in dieser Woche ist sehr wahscheinlich eine »stürmische Zeit« zu erwarten.

Um diese Woche herum ist Ihr Baby sehr wahrscheinlich »der Sonnenschein im Haus«.

Wenn Ihr Baby mit etwa 29 bis 30 Wochen besonders klammert und sich weinerlich und launisch zeigt, muss dies kein Anzeichen für einen weiteren Sprung sein. Es hat lediglich entdeckt, dass seine Mutter weggehen und es allein zurücklassen kann. So seltsam es auch klingen mag: Das ist ein Fortschritt! Das Kind lernt nun etwas über Entfernungen und eignet sich damit eine neue Fertigkeit an.

Ist Ihr Baby zwei Wochen zu spät geboren, dann beginnen sie zwei Wochen früher. Kam es vier Wochen zu früh auf die Welt, fangen sie vier Wochen später an. Auch dieser Unterschied weist darauf hin, daß jeder Sprung stark mit dem Hirnwachstum des Babys verbunden ist.

Kein einziges Baby entkommt dem Tanz

Alle Babys machen diese schwierigen Phasen durch. Ein unkompliziertes, ruhiges Baby genauso wie ein schwieriges, temperamentvolles. Ein temperamentvolles Baby hat sogar deutlich mehr Schwierigkeiten als ein ruhiges. Und seine Mutter daher auch. Ein solches Baby verlangt ohnehin nach mehr Aufmerksamkeit, fordert aber noch eine Extraportion, wenn sich so ein Sprung ankündigt. Es zeigt das größte »Bedürfnis nach Mama«, die meiste Lernbegier, und es hat die heftigsten Konflikte mit seiner Mutter.

Es ist nicht angenehm, haben Sie Mitleid!

Ihr Baby erschrickt vor so einem Sprung. Er stellt seine vertraute Welt auf den Kopf. Das ist eigentlich ganz verständlich: Stellen Sie sich einmal vor, Sie würden auf einem fremden Planeten erwachen. Auf einmal ist alles ganz anders. Was würden Sie tun?
Würden Sie ruhig weiterschlafen? Nein.
Hätten Sie großen Appetit? Nein.
Würden Sie sich an eine vertraute Person klammern wollen? Ja.
Und genau das ist es, was Ihr Baby tut.

Ihr Baby kehrt zurück zu seiner sicheren Basis

Sie kennt es am besten. Mit Ihnen ist es am längsten und am intimsten vertraut. Seine Welt steht auf dem Kopf, und es versteht nicht, was los ist. Es schreit und liegt am liebsten den ganzen Tag lang in Ihren Armen. Wenn es älter ist, tut es alles, um in Ihrer

Nähe bleiben zu können. Es hält Sie manchmal fest, um nicht mehr loszulassen. Es will wieder wie ein kleineres Baby behandelt werden. Kurzum, es sucht nach dem Altvertrauten. Für Ihr Baby verkörpert dieser Platz bei Ihnen Sicherheit. Man könnte sagen: Es kehrt dorthin zurück, wo sein Leben begann.

Sie stellen fest, daß es mehr kann als früher

Weil Ihr Baby plötzlich so schwierig ist, sind Sie besorgt. Oder Sie sind irritiert durch das Gequengel. Sie wollen wissen, was los ist. Automatisch beobachten Sie Ihr Baby intensiver. Sie wollen, daß es sich wieder normal benimmt. Und dann entdecken Sie, daß es eigentlich viel mehr weiß, als Sie dachten. Daß es probiert, Dinge zu tun, die Sie noch nie bei ihm gesehen haben. Sie sehen, daß Ihr Baby einen Sprung in seiner Entwicklung gemacht hat.

Eine neue Fähigkeit: eine neue Welt

Jede neue Fähigkeit ermöglicht es Ihrem Baby, Neues zu lernen. Es erwirbt Fertigkeiten, die es vor diesem Alter nicht lernen konnte, so oft Sie es mit ihm vielleicht auch schon geübt haben. Sie könnten jede neue Fähigkeit vergleichen mit einer neuen Welt, die sich ihm eröffnet. In dieser Welt gibt es viel zu entdecken. Einiges ist neu, einiges bekannt, aber deutlich verbessert. Jedes Baby setzt seine eigenen Schwerpunkte – entsprechend seiner Veranlagung, seinen Vorlieben und seinem Temperament. Das eine schaut sich alles mal an und probiert es dann aus. Das andere ist von einer einzigen Sache ganz hingerissen. Jedes Baby ist anders.

Helfen Sie Ihrem Baby beim Lernen

Sie sind in der Lage, Ihrem Baby das nahezubringen, was in seiner Reichweite ist und was zu seiner Persönlichkeit paßt. Sie kennen Ihr Kind am besten. Deshalb können Sie, besser als irgend jemand sonst, aus ihm herausholen, was in ihm steckt. Nicht nur Ihr Baby setzt Schwerpunkte. Auch Sie gehen mit auf Entdeckungsreise. Einiges wird Sie weniger interessieren. Anderes ganz besonders. Denn auch jede Mutter ist anders. Gleichzeitig können Sie als Erwachsene Dinge anbieten, die Ihr Baby übersieht. Und Sie können ihm helfen, etwas zu entdecken, das es selbst übersehen hat. Mit Ihrer Hilfe lernt es müheloser, besser und vielseitiger.

Konflikte mit Ihrem Baby

Wenn Ihr Baby etwas Neues lernt, bedeutet das oft, daß es eine alte Gewohnheit ablegen muß. Wenn es laufen kann, darf es nicht erwarten, daß seine Mutter es noch so oft trägt. Wenn es erst mal krabbeln kann, kann es seine eigenen Spielsachen heranholen. Nach jedem Sprung kann ein Baby mehr. Und es wird selbständiger.

Wenn Baby und Mutter das klar wird, macht das beiden gelegentlich zu schaffen. Darum kommt es in dieser Phase auch oft zu Verärgerung und Streit. Die Wünsche von Mutter und Baby stimmen nicht überein.

Die unbeschwerte Phase: kurze Ruhe nach dem Sprung

Die schwierige Phase ist so plötzlich vorbei, wie sie begonnen hat. Für die meisten Mütter beginnt dann eine Zeit der Entspannung. Das Baby ist selbständiger geworden. Es ist schwer damit be-

schäftigt, das, was es neu gelernt hat, auch anzuwenden. Und es ist fröhlicher. Doch: Die Ruhe ist nur von kurzer Dauer.
Schon bald kündigt sich der nächste Sprung an. Ihr Baby ist ein Schwerstarbeiter.

Geplante Spielstunden sind unnatürlich

Wenn Ihr Baby selbst entscheiden darf, wann es welche Aufmerksamkeit will, werden Sie schnell feststellen, daß das von Woche zu Woche variieren kann. Bei jedem Sprung macht das Baby die folgenden Phasen durch:

- Das Bedürfnis nach der Nähe seiner Mutter.
- Das Bedürfnis, mit seiner Mutter neue Dinge zu lernen.
- Das Bedürfnis, selbständig zu sein.

Deshalb sind »geplante« Spielstunden unnatürlich. Im hektischen Amerika wurde der Begriff »quality time« geprägt. Dabei handelt es sich um Zeiten, die sich eine schwerbeschäftigte Person im Terminkalender freihält, um sich mit ihrem Kind/ihren Kindern zu beschäftigen. Aber die Freude mit und an einem Baby läßt sich nicht planen. Es kann durchaus sein, daß es die Aufmerksamkeit nicht zu der Zeit haben will, die als »quality time« vorgesehen ist. Die zauberhaften, komischen und angstvollen Erfahrungen mit Babys sind nicht vorauszusehen. Ein Baby ist kein Video, daß Sie einschalten können, wenn Ihre Zeit es erlaubt. Ein Baby ist nicht erwachsen.

Wenn das Baby zu einem selbständigen Menschen herangewachsen ist, schwelgen viele Mütter in den Erinnerungen an die wichtigen ersten Jahre. Und an diesen Erinnerungen wollen sie ihr Kind teilhaben lassen. Manche Mütter führen ein Tagebuch. Eine schöne Erinnerung. Aber die meisten Mütter schreiben nicht gerne, oder ihre Zeit läßt es einfach nicht zu. Diese Mütter denken: Ich habe ein gutes Gedächtnis. Und sie finden es dann hinterher jammerschade, daß die Erinnerung schneller verblaßt, als sie es für möglich gehalten hätten. Dieses Buch wächst mit Ihrem Baby

mit. In jedem Alter können Sie Ihre Erfahrungen mit denen anderer Mütter vergleichen.
Gleichzeitig ist dieses Buch mehr als ein Lesebuch. In jedem Kapitel können Sie auch Ihre eigene Geschichte, was die Entwicklung Ihres Babys angeht, festhalten. Oft reichen schon ein paar Stichworte, um die Erinnerung später wieder wachzurufen. Auf diese Weise können Sie aus diesem Buch das ganz persönliche Entwicklungsbuch Ihres eigenen Babys machen.

Wie dieses Buch funktioniert und wie Sie es benutzen

Im folgenden Kapitel »Wie Ihr Neugeborenes seine Welt erlebt« werden Sie sehen, wie wunderbar Ihr Baby an sein neues Leben angepaßt ist. Und wie wichtig der Körperkontakt in diesem neuen Dasein ist. Es ist wichtig, daß Sie das wissen, weil Sie dann besser verstehen können, was Ihr Baby durchmacht, wenn sich der erste Sprung ankündigt. In den darauffolgenden Kapiteln wächst das Buch mit, bis Ihr Baby 60 Wochen alt ist. Dann hat Ihr Baby acht Sprünge hinter sich. Jeder dieser Sprünge wird in einem separaten Kapitel behandelt, das wiederum in vier Abschnitte aufgeteilt ist: Jedes Kapitel beginnt mit dem Abschnitt »Der Sprung kündigt sich an: zurück zu Mama«. Er beschreibt die Veränderungen, die zu erwarten sind, wenn Ihr Baby schwierig wird. Im Kasten »Das Baby steht kopf« können Sie festhalten, wie Sie es gemerkt haben, daß Ihr Baby zu einem neuen Sprung ansetzte.
Im Abschnitt »Der Sprung: ...« erfahren Sie, welche neue Fähigkeit Ihr Baby erwirbt, wenn es diesen Sprung macht. Darüber hinaus finden Sie im Kasten *Die Welt ...* eine umfangreiche Liste all der neuen Verhaltensweisen, die der Sprung zur Folge haben kann. Ihr Baby wird allerdings Schwerpunkte setzen – es kann nicht alles auf einmal entdecken. Ihr Baby findet in der neuen Welt vielleicht andere Dinge interessant als das Baby der Nachbarin – jedes Baby ist einzigartig. Sie können im Kasten *Die Welt ...* jeweils ankreuzen, welche Wahl Ihr Baby getroffen hat. Was seine Vorlieben sind. Was das Einzigartige an Ihrem Baby ist. Und es ist Platz gelassen, damit Sie Ihre ganz persönlichen Erfahrungen, Gedanken und Gefühle festhalten können.

Im dritten Abschnitt »Die Auswirkungen des Sprungs: Helfen Sie Ihrem Baby beim Lernen« erfahren Sie, wie Sie Ihr Baby – mehr oder weniger leicht – fit machen können. Sie tun das, indem Sie auf den Schwerpunkt eingehen, den Ihr Baby auf seiner Entdeckungsreise setzt. Oder indem Sie Ihrem Baby etwas vorschlagen, von dem Sie annehmen, daß es ihm gefällt.
Zum Schluß, wenn es heißt, »Der Sprung ist geschafft«, erfahren Sie, wann Ihr Baby wieder unkomplizierter, selbständiger und fröhlicher ist.
Sie müssen dieses Buch nicht auf einmal durchlesen. »Springen« Sie einfach zu dem Kapitel, das dem Alter Ihres Babys entspricht!

Foto

Ich heiße

geboren am ______________ um ______________

in ______________________________

Gewicht ______________ Größe ______________

Besondere Eigenschaften ______________

Wie Ihr Neugeborenes seine Welt erlebt

Bevor Sie verstehen können, wie Ihr Baby sich verändert, wenn es fünf Wochen alt ist und seinen ersten Sprung macht, müssen Sie wissen, wie Ihr Neugeborenes seine Welt erlebt und welche Rolle der Körperkontakt in dieser Erlebniswelt spielt.

Ihr Baby nimmt bereits vieles wahr

Das kann Ihr Baby alles schon

Babys sind schon gleich nach der Geburt interessiert an der Welt um sie herum. Das eine mehr als das andere. Sie lauschen und schauen. Sie lassen die Umgebung auf sich einwirken. Sie tun wirklich ihr Bestes, um alles so gut wie möglich erkennen zu können. Man kann regelmäßig beobachten, wie Babys aufgrund dieser Anstrengung schielen. Oder wie sie vor Erschöpfung zittern oder schlucksen. Manche Mütter sagen: »Es ›greift‹ mit den Augen.« Und genau das ist es, was sie tun.
Babys haben ein gutes Gedächtnis. Schon recht früh erkennen sie Stimmen, Menschen und Spielsachen wieder. Und sie wissen genau, was sie von einer bestimmten Situation zu erwarten haben. »Es ist Bade-, Schmuse- oder Essenszeit!« Oder: »Ausgehen ist angesagt!«
Babys machen alle Gesichtsbewegungen nach. Strecken Sie Ihrem Baby einfach mal die Zunge raus, wenn Sie sich mit ihm entspannt zu einer Unterhaltung hingesetzt haben. Oder öffnen Sie weit den Mund, als würden Sie etwas rufen. Lassen Sie Ihrem Baby genügend Zeit zum Reagieren, und achten Sie darauf, daß es Sie direkt anschaut. 
Babys können ihren Müttern »erzählen«, wie sie sich fühlen: fröhlich, böse, erstaunt. Wie sie das tun? Sie legen eine etwas andere Betonung auf ein und denselben Schrei- oder Heullaut. Und

sie gebrauchen eine Körpersprache. Ihre Mutter versteht sie. Übrigens läßt das Baby klar erkennen, daß es das von ihr erwartet. Nach kurzer Wartezeit fängt es an, »böse« oder »verdrießlich« zu weinen.
Babys haben auch schon sehr früh Vorlieben. Die meisten schauen lieber nach Menschen als nach Spielzeug. Bewegt man zwei Spielzeuge vor ihren Augen hin und her, können sie eines auswählen, indem sie mit den Augen danach »greifen«.
Babys sind sehr empfänglich für Ermunterungen. Ihr Baby genießt es, wenn Sie es für seinen angenehmen Geruch, seine Schönheit oder seine Taten loben. Es ist dann deutlich länger an Ihnen interessiert.

Babys Sinnesorgane arbeiten schon recht gut

Babys sehen, hören, riechen, schmecken und fühlen schon eine ganze Menge. Und was sie dadurch wahrnehmen, merken sie sich. Doch ein Baby kann das, was seine Sinne ihm übermitteln, noch nicht so erleben, wie es das später als Erwachsener tun wird.

Was nehmen Babys Sinnesorgane wahr?

Was sieht Ihr Baby?
Bis vor kurzem dachten Wissenschaftler und Ärzte, ein neugeborenes Baby könne noch nicht sehen. Und man hört diese Meinung immer noch. Doch das ist ein echtes Märchen. Und Mütter haben sich in der Vergangenheit auch immer dagegen ausgesprochen. Inzwischen hat sich herausgestellt, daß sie recht hatten. Ihr Baby kann perfekt sehen. Allerdings nur auf eine Entfernung von 20 Zentimetern. Was weiter entfernt ist, sieht es vermutlich verschwommen. Es hat auch manchmal Mühe, beide Augen auf das zu richten, was es sehen will. Aber wenn es das erst einmal geschafft hat, kann es das, was es anschaut, ungeheuer intensiv anstarren. Es hört dann auf, sich zu bewegen. All seine

Aufmerksamkeit ist auf den einen Gegenstand gerichtet. Wenn das Baby richtig wach ist, kann es manchmal auch etwas mit den Augen und/oder dem Kopf verfolgen. Und zwar von links nach rechts und von oben nach unten. Sie müssen den Gegenstand nur langsam genug bewegen.

Das, was ein Baby am weitesten verfolgen kann, ist ein schematisch gezeichnetes Gesicht: zwei große Punkte oben und einer darunter. Das gelingt schon eine Stunde nach der Geburt – dann haben viele Babys ihre Augen weit offen und sind sehr aufmerksam. Als Vater oder Mutter versinken Sie fast in diesen wunderschönen großen Augen. Es ist gut möglich, daß Babys »geprägt« sind auf alles, was auch nur im entferntesten einem menschlichen Gesicht ähnelt.

Ihr Baby schaut sich lieber bunte Dinge an als langweilige, glatte Flächen. Die Farbe Rot gefällt ihm am besten. Aber am meisten erwecken starke Kontraste seine Aufmerksamkeit. Je deutlicher die Farben voneinander abstechen, desto interessanter. Klare Streifen und Ecken sieht es lieber an als runde Formen.

Was hört Ihr Baby?

Ihr Neugeborenes kann schon gut zwischen verschiedenen Geräuschen unterscheiden. Ihre Stimme erkennt es gleich nach der Geburt. Es mag Musik, Motorengebrumm und sanftes, rhythmisches Trommeln. Verständlich, denn derlei Geräusche sind ihm vertraut. In der Gebärmutter war das Baby umgeben von den schlagenden, rauschenden, grummelnden, donnernden und pfeifenden Geräuschen von Blutgefäßen, Herz, Lungen, Magen und Darm. Auch die meisten menschlichen Stimmen gefallen ihm. Sie beruhigen es.

Ihr Baby hört und unterscheidet tiefe und hohe (weibliche) Stimmen. Hohe Geräusche wecken schneller seine Aufmerksamkeit. Jeder merkt das und spricht das Baby in einer höheren Stimmlage an. Für »Gutzigutzigutzi« oder ähnliches aus der Babysprache müssen Sie sich also auf keinen Fall schämen.

Ihr Baby kann auch schon laut und leise unterscheiden. Plötzliche, laute Geräusche findet es nicht schön. Manche Babys sind schreckhaft. Nehmen Sie also Rücksicht.

Was riecht es gern?
Ihr Baby kann Gerüche unterscheiden. Gerüche, die wir brenzlig oder scharf nennen, gefallen ihm nicht. Die machen es richtig aktiv. Es versucht dann, sich von der Quelle des Gestanks wegzudrehen, und fängt an zu schreien. Ihr Baby riecht den Unterschied zwischen Ihrem Körpergeruch und dem anderer Mütter. Wenn man ihm zur Probe verschiedene getragene Kleidungsstücke vorlegt, wird es sich dem Kleidungsstück zuwenden, das Sie angehabt haben.

Was schmeckt es gern?
Ihr Baby kann schon verschiedene Geschmacksrichtungen auseinanderhalten. Es hat eine deutliche Vorliebe für Süßes, mag Saures nicht und spuckt Bitteres so schnell wie möglich aus.

Was fühlt es?
Ihr Baby kann Temperaturveränderungen wahrnehmen. Es kann Wärme fühlen. Das ist ihm sehr von Nutzen, wenn es auf der Suche nach der Brustwarze ist. Die Warze ist deutlich wärmer als die übrige Brust. Indem es sich auf direktem Weg zur wärmsten Stelle hin bewegt, findet Ihr Baby die Brustwarze. Sein Gesichtchen muß sich natürlich schon in der Nähe der Brust befinden.
Ihr Baby kann auch Kälte fühlen. Aber wenn es ihm zu kalt wird, kann es sich nicht selbst wärmen. Zittern, damit ihm wärmer wird, kann es ebenfalls nicht. Es kann seine Körpertemperatur noch nicht so gut regulieren. Dafür muß seine Mutter sorgen. Es ist zum Beispiel nicht vernünftig, lange mit einem Baby in Schnee und Eis spazierenzugehen. So gut es auch eingepackt ist, es kühlt zu sehr ab. Ehe Sie sich's versehen, ist es unterkühlt. Wenn Ihr Baby in einer solchen Situation anfängt zu weinen: gehen Sie sofort nach drinnen, in die Wärme.
Ihr Baby ist ausgesprochen empfänglich für Berührungen. Gewöhnlich findet es Hautkontakt herrlich. Das kann sanftes Streicheln oder festes Zupacken sein – gerade, was es in dem Moment schön findet. Eine ausgedehnte Körpermassage in einem angenehm warmen Zimmer gefällt ihm fast immer. Alle Arten von Körperkontakt sind für das Baby normalerweise der beste Trost und das schönste Spiel. Probieren Sie aus, was Ihr Baby anregt und was es müde macht – wenn Sie das wissen, können Sie es einsetzen, wann immer Sie es brauchen.

Ihr Baby erlebt sich und seine Welt als Einheit

Die Informationen aller Sinnesorgane bilden ein Ganzes

Das Baby kann die Eindrücke, die die Sinnesorgane an sein Gehirn schicken, noch nicht so verarbeiten, wie wir Erwachsenen das tun. Es erlebt seine Welt auf seine eigene Baby-Art. Wir riechen einen Duft, sehen die Blume, die ihn verbreitet und fühlen die samtigen Blätter. Wir können alle Einzelheiten unabhängig voneinander verstehen. Ihr Baby erlebt diese ganze Vorstellung als eine Art »Suppe«, die einen völlig anderen Geschmack bekommt, wenn Sie auch nur eine Zutat verändern. Wie ein Radar fängt es alle Eindrücke auf und erlebt sie als einen Eindruck, als ein Ganzes. Es merkt noch nicht, daß jede Suppe aus vielen verschiedenen Zutaten besteht. Und daß diese Zutaten ihm durch seine Sinnesorgane übermittelt worden sind. Mehr noch, es nimmt sich selbst als Zutat in dieser »Suppe« wahr. Es erfährt sich noch nicht als ein »eigenes Ich«.

Selbst die Welt und Babys Körper sind ein Ganzes

Es kann noch nicht unterscheiden zwischen dem, was seine Sinnesorgane ihm über seine Umgebung mitteilen, und was es durch sie über seinen Körper erfährt. Für das Baby sind die Außenwelt und sein Körper eins. Was draußen geschieht, geschieht in seinem Körper. Und was sein Körper fühlt, fühlt alles und jeder. Die Welt langweilt sich, sie ist hungrig, warm, naß oder müde. Alles ist ein einziger Geruch-Farbe-Geräusch-Gefühl-Eindruck.

WAS REFLEXE FÜR IHR BABY BEDEUTEN

Wenn Sie die Welt so wahrnehmen würden wie Ihr Baby, könnten Sie auch nichts aus eigenem freiem Willen tun. Um das zu können, müssen Sie weiter entwickelt sein. Sie müssen wissen, daß Sie Hände haben, um etwas festzuhalten. Daß Ihre Mutter eine Brustwarze hat und Sie einen Mund haben, um daran zu saugen. Sobald Sie das wissen, können Sie auch aus eigenem Antrieb Gebrauch davon machen.
Das soll aber nicht heißen, daß das Baby überhaupt nicht auf das, was es wahrnimmt, reagieren kann. Mutter Natur hat ihm ein paar spezielle Eigenschaften mitgegeben, um diese Phase zu überbrücken und ihre »Versäumnisse« wettzumachen.

Seine Reflexe bestimmen seine Bewegungen

In Bauchlage dreht das Baby automatisch den Kopf zur Seite, damit es gut atmen kann. Es wird durch einen Reflex gelenkt wie eine Marionette durch ihre Fäden. Das Baby denkt nicht: »Mal eben den Kopf drehen.« Es passiert einfach. Und wenn das Baby einmal soweit ist, dies richtig zu denken und zu tun, verschwindet der Reflex. Beeindruckend, nicht wahr?
Ein neugeborenes Baby dreht den Kopf in die Richtung eines Geräusches. Diese Bewegung sorgt dafür, daß die Aufmerksamkeit des Babys auf die Stellen in seiner Umgebung gelenkt wird, die interessant sein könnten. Diese Reaktion wurde lange Zeit nicht beachtet. Der Grund: Sie läuft mit Verzögerung ab. Es

dauert gut fünf bis sieben Sekunden, bis das Baby beginnt, seinen Kopf zu bewegen. Und um die Bewegung auszuführen, braucht es noch einmal drei bis vier Sekunden. Diese Reaktion verschwindet, wenn das Baby ein bis zwei Monate alt ist. Es hat den Saugreflex. Sobald etwas den Mund eines hungrigen Babys berührt, schließt es seine Lippen darum und beginnt zu saugen. Der Saugreflex sorgt dafür, daß das Baby enorm kräftig ziehen kann. Auch der Saugreflex verschwindet, wenn das Baby ihn nicht mehr braucht. Wir Erwachsenen haben ihn nicht mehr. Das bedeutet: Wir würden verhungern, wenn wir uns ausschließlich von Muttermilch ernähren müßten. Wir würden so gut wie keinen Tropfen aus der Brust herausbekommen.

Es hat den Greifreflex. Wenn Sie wollen, daß Ihr Baby nach Ihrem Finger greift, streicheln Sie über die Ober- und Unterseite seiner Hand. Es zieht dann den ganzen Arm leicht zurück, öffnet seine Faust und packt den Finger. Dasselbe können Sie mit den Füßchen tun. Seine Zehen werden dann versuchen, Ihren Finger festzuhalten. Man nimmt an, daß dieser Reflex aus der Vorzeit stammt, als Mütter noch eine kräftige Körperbehaarung hatten. Das kleine Baby konnte sich durch den Greifreflex schon gleich nach der Geburt an seiner Mutter festklammern. In den ersten beiden Lebensmonaten können Sie beobachten, daß Ihr Baby von diesem Reflex noch Gebrauch macht. Besonders wenn es merkt, daß Sie es hinlegen wollen.

Das Baby zeigt den sogenannten Moro-Reflex, wenn es erschrickt. Es macht den Rücken hohl, wirft seinen Kopf nach hinten und schlenkert mit Armen und Beinen erst nach außen, dann nach innen, und schließt sie über Bauch und Brust. Das sieht so aus, als würde sich das Baby bei einem Fall selbst festhalten. Dieser Reflex wird auch »Umklammerungsreflex« genannt.

Ihr Baby hat noch viel mehr typische Baby-Reflexe. Diese verschwinden mit der Zeit. Sie werden ersetzt durch Bewegungen, die das Baby aus freiem Willen macht. Andere Reflexe bleiben, wie das Luftholen. Erwachsene haben ebenfalls Reflexe, wie etwa

Niesen, Husten, Lidschlag, das Zurückziehen der Hand, wenn etwas Heißes berührt wird, und den »Patellarsehnenreflex«, der eintritt, wenn der Arzt mit dem Hammer aufs Knie schlägt.

Auch ein Baby langweilt sich gelegentlich

Ihr Baby kann sich noch nicht selbst unterhalten. Vor allem ein (temperamentvolles) lebhaftes Baby läßt deutlich erkennen, daß es Action will, wenn es ausgeschlafen hat. Probieren Sie aus, was Ihrem Baby gefällt.

- Besichtigen Sie mit ihm Ihre Wohnung. Lassen Sie es das betrachten, von dem Sie merken, daß es seine Aufmerksamkeit auf sich zieht. Erklären Sie ihm, was ihm begegnet. Was Sie sagen, ist ziemlich egal. Ihr Baby genießt Ihre Stimme.
- Lassen Sie es alles sehen, hören, riechen und fühlen. Es wird nicht lange dauern, und Sie werden merken, daß es etwas wiedererkennt.
- Das Baby lauscht gern Ihrer Stimme, wenn Sie reden. Aber wenn im Hintergrund auch noch das Radio läuft, kann es sich nicht so gut auf Ihre Stimme konzentrieren. Denn die geht im Gedudel unter. Das Baby kann verschiedene Stimmen noch nicht voneinander trennen. Und wird dann unruhig.
- Sorgen Sie dafür, daß immer interessante Sachen im Blickfeld Ihres Babys liegen, wenn es wach ist. In diesem Alter kann es noch nicht selbst danach suchen. Für das Baby gilt: aus den Augen, aus dem Sinn.
- Das Baby hört gern Musik. Schalten Sie Musik ein, die ihm gefällt. Versuchen Sie, seinen Geschmack herauszufinden. Sanfte Hintergrundmusik kann überdies beruhigend wirken.

Lassen Sie sich getrost von den Reaktionen Ihres Babys leiten!

Schreien heißt: Ich brauche Hilfe!

Die oben genannten Reflexe sorgen dafür, daß Ihr Baby selbst den Normalzustand herstellt. Manchmal ist das nicht so einfach. Etwa wenn es ihm gerade zu warm oder zu kalt ist, wenn es sich nicht wohl fühlt oder wenn es sich langweilt. Jetzt muß das Baby als Reaktion eine andere Strategie verfolgen, und das tut es auch. Es fängt automatisch an zu brüllen, damit jemand anders dafür sorgt, daß alles wieder in Ordnung kommt. Ohne die Hilfe eines Erwachsenen kann es das noch nicht bewerkstelligen. Wenn diese Hilfe ausbleibt, wird es ohne Ende weiterschreien, bis es völlig erschöpft ist.

***

»In der zweiten Woche ging es mit seinen Schreianfällen los. Er brüllte Tag und Nacht, trank aber gut und gedieh. Als ich beim Kinderarzt war, meinte ich zu ihm, ich dächte, daß er sich langweilt. Aber der Arzt wies das als unmöglich von sich, weil die Augen in den ersten zehn Tagen noch geschlossen seien. Und er deshalb vorläufig auch nichts sehen könnte. Seit voriger Woche habe ich ihm doch eine Rassel in die Wiege gelegt. Das hilft – er weint wirklich weniger!« (Peter, 4. Woche)

***

Um überleben zu können, muß sich das Baby von Anfang an darauf verlassen können, daß Tag und Nacht jemand bereit steht, es auf sein Zeichen hin zu bedienen. Und auch dafür hat die Natur gesorgt. Sie hat ihm eine Geheimwaffe mitgegeben, die es laufend einsetzt: sein Aussehen.

Es sieht »niedlich« aus

Es hat ein jungtierähnliches Aussehen. Es ist stolzer Besitzer eines außerordentlich großen Kopfes. Dieser Kopf macht nahezu ein Drittel seiner Gesamtlänge aus. Darüber hinaus sind seine Augen und seine Stirn »zu groß« und seine Wangen zu »mollig«. Außerdem sind seine Beine und Arme »zu kurz und zu dick«, verglichen mit seinem restlichen Körper. So ein drolliges Aussehen ist rührend. Die Designer von Puppen, Stofftieren und Comics machen von diesen Kennzeichen denn auch dankbar Gebrauch. Sie steigern den Umsatz! Ganz genauso verkauft das Baby sich selbst. Es ist lieb, klein und hilflos. So ein niedliches Wesen erweckt Ihre Aufmerksamkeit. Es lädt dazu ein, es hochzunehmen, zu knuddeln und für es zu sorgen.

Sein allererstes Lächeln: zum Dahinschmelzen

Bei Babys auf der ganzen Welt kann man schon vor der sechsten Woche ein Lächeln beobachten, sogar vor der Geburt ist es schon gefilmt worden. Und doch ist es in dieser Phase recht selten. Das schließt nicht aus, daß Sie als Mutter zu den Glücklichen gehören, die es erleben. Neugeborene Babys können lächeln, wenn sie berührt werden, wenn ihnen ein Luftzug übers Gesicht streicht, wenn sie Menschenstimmen oder andere Laute hören, wenn sie ein Gesicht über ihrer Wiege sehen, ein Gemälde anschauen oder wenn sie einfach satt und zufrieden sind. Manchmal lächeln sie sogar im Schlaf.
Mütter sind meist ganz aus dem Häuschen, wenn sie das sehen. Sie halten es für ein »richtiges« Lächeln. Und so sieht es auch aus. Später aber, wenn das Baby sein Lächeln nur im sozialen Kontext gebraucht, erkennt man doch, daß es anders ist. Dieses erste Lächeln hat etwas Mechanisches, etwas Roboterhaftes. Trotzdem: Es ist hinreißend.

Körperkontakt: ein vertrautes Gefühl für Ihr Baby

Auch vor seiner Geburt erlebte Ihr Baby seine Welt als ein Ganzes, eine Einheit. Bei der Geburt hat Ihr Baby seinen vertrauten Ort verlassen und erlebt allerlei unbekannte, völlig verschiedene »Suppen«. Es sind immer wieder neue Zutaten drin. Dinge, die es im Bauch nicht erleben konnte. Es kann sich auf einmal frei bewegen. Es fühlt Wärme und Kälte. Es hört andere und lautere Geräusche. Es sieht mehr Helligkeit, fühlt alle möglichen Kleidungsstücke auf seiner Haut. Und es muß selbständig atmen und saugen. Außerdem müssen seine Verdauungsorgane erst noch in Gang kommen.
All das ist neu für das Baby. Man kann sich vorstellen, daß es bei diesen Veränderungen ein Verlangen nach dem Bekannten und Vertrauten hat: nach Körperkontakt.

Sagen Sie's mit Schmusen!

Körperkontakt wird Ihr Baby am meisten an seine alte Umgebung erinnern. Er wird ihm ein Gefühl von Geborgenheit geben. Ihr Bauch »umarmte« seinen Körper, und Ihre Bewegungen massierten es, solange es sich erinnern kann. Ihr Bauch war sein Zuhause. Das Baby war eins mit allem, was sich darin abspielte. Dem rhythmischen Hämmern Ihres Herzens, dem Rauschen Ihres Blutes und dem Gegrummel Ihres Magens. Es ist also nur logisch, daß Ihr Baby es gern hat, den alten, vertrauten Körperkontakt zu spüren und die bekannten Geräusche wieder zu hören. Und daß es aus diesem vertrauten Gefühl heraus von der neuen Umgebung profitiert.

Körperkontakt: Schönstes Spielzeug und bester Trost

Nach Essen und Wärme ist die Nähe der Mutter in den ersten vier Monaten das Allerwichtigste für das Kleine. Wenn das Baby ausreichend davon bekommt, kann eigentlich nicht mehr viel schiefgehen. Auch wenn – aus welchem Grund auch immer – weniger mit ihm gespielt wird.

- Ein Baby findet es meist herrlich, sich behaglich an Sie zu kuscheln und herumgetragen zu werden. Und es lernt dabei auf angenehme Weise, seine vielen Körperhaltungen zu beherrschen. Wenn Sie lieber öfter die Hände frei haben wollen, nehmen Sie es in einem Tragetuch mit. So ein Tuch kann schon kurz nach der Geburt eingesetzt werden. In einem Tragetuch kann ein Baby nämlich liegen.
- Schenken Sie ihm eine entspannende Massage. Sorgen Sie für ein warmes Zimmer. Geben Sie etwas Babyöl auf Ihre Hände und massieren Sie sanft alle Teile seines bloßen Körpers. So lernt es auf behagliche Weise seinen Körper kennen – und wird herrlich rosig.
- Babys in diesem Alter sind dazu da, hochgenommen, geknuddelt, gestreichelt und gewiegt zu werden. Sie können nicht genug davon kriegen. Auch sanfte Klapse finden sie außerordentlich angenehm. Jedes Baby läßt erkennen, was ihm am besten gefällt und was es am meisten beruhigt. Es lernt, daß es eine gute, sichere Zufluchtsstätte hat. Und die braucht es immer dann, wenn seine Entwicklung einen Sprung macht.

So macht man ein Tragetuch

Sie brauchen ein Stück festen Stoff, ca. 90 mal 210 Zentimeter. Hängen Sie dieses Tuch über Ihre linke Schulter und verknoten Sie es in Höhe Ihrer rechten Hüfte (oder umgekehrt). Schieben Sie den Knoten dann nach hinten. Überprüfen Sie noch einmal die Länge. Fertig.

Woran Sie denken sollten

Knuddeln, wiegen, streicheln und massieren Sie das Baby, wenn es gut gelaunt ist. Wenn Sie das zu dieser Zeit tun, werden Sie merken, was ihm am besten gefällt und wobei es sich am meisten entspannt. Und dieses Wissen können Sie dann mit bester Aussicht auf Erfolg einsetzen, um Ihr Baby zu trösten, wenn es durcheinander ist. Wenn Sie Ihr Baby immer nur dann knuddeln, wiegen, streicheln und massieren, wenn es schlecht gelaunt ist, wird es nur noch mehr und noch lauter schreien und sich nicht trösten lassen.

Was passiert, wenn Sie Ihr Baby zum ersten Mal sehen?

Jedes Baby sieht anders aus und fühlt sich anders an. Nehmen Sie mal ein anderes Baby auf den Arm. Sie werden feststellen, daß es sich zunächst sehr fremd anfühlt. Sie sind mit Ihrem eigenen Baby so vertraut geworden, daß Sie fast vergessen haben, daß nicht ein Baby wie das andere ist. Sie brauchen eine Weile, bis Sie sich an das andere Kind gewöhnt haben.

Wenn eine Mutter genug Ruhe hat, um in ihrem eigenen Tempo ihr nacktes, neugeborenes Baby kennenzulernen, tut sie das meist in einer bestimmten Reihenfolge. Erst streicht sie ihm mit den Fingerspitzen durch die Haare. Wie weich sie sind! Dann zieht sie mit einem Finger die Kontur seines Kopfes nach. Dann sein Profil. Anschließend sind Nägel, Finger, Zehen dran. Dann wagt sie sich langsam zum Rumpf vor, die Arme entlang, die Beine, den Hals.

Auch die Art und Weise, wie eine Mutter jeden Körperteil ihres Babys befühlt, unterliegt einer bestimmten Reihenfolge. Erst berührt sie ihn ganz sacht mit den Fingerspitzen und streichelt ihn. Allmählich wird sie immer wagemutiger und drückt auch einmal etwas fester zu. Zum Schluß umschließt sie jeden Körperteil mit ihrer ganzen Hand. Wenn sie sich zuletzt traut, den Rumpf mit beiden Händen zu umfassen, ist sie richtig aufgewühlt. Das erste Kennenlernen ist damit abgeschlossen. Jetzt wagt sie es, das Baby hochzunehmen, umzudrehen und neben sich zu legen. Sie weiß jetzt, wie sich ihr Baby anfühlt.

Gut zu wissen

Die meisten Mütter haben superfeine Antennen für ihr Baby, wenn sie es in den ersten Stunden nach der Geburt bei sich haben.
Die meisten Babys sind zur selben Zeit hellwach, sie sind sich ihrer Umgebung bewußt, wenden sich leisen Geräuschen zu und fixieren mit den Augen das Gesicht über ihnen.
Die meisten Mütter bewundern ihr Baby am liebsten gemeinsam mit dem Vater.

»Herr« übers eigene Wochenbett

Machen Sie aus Ihrem Herzen keine Mördergrube. Wenn Sie Ihr Baby bei sich haben oder mit ihm allein sein wollen, sagen Sie es. Sie bestimmen, wie oft Sie es hochnehmen, um mit ihm zu schmusen. Es ist Ihr Kind.
Fast alle Mütter sagen später, daß sie ihr Baby eigentlich lieber länger für sich alleine gehabt hätten. Hinterher tut es vielen von ihnen leid, daß ihr Wochenbett nicht ganz so war, wie sie sich das vorgestellt hatten. Statt die Ruhe, die sie hatten, ausgiebig zu genießen, fühlten sie sich gehetzt. Sie wollten das Baby bei sich haben. Besonders, wenn sie es weinen hörten. Und wenn sie es dann nicht bekamen, weil es angeblich noch nicht Zeit dafür war, waren sie traurig und wütend. Sie fühlten sich behandelt wie ein unmündiges, hilfsbedürftiges Kind, das nicht weiß, was für sich und das Baby das Beste ist. Auch Väter machen gelegentlich diese Erfahrung. Auch sie fühlen sich oft überfahren von den Regeln und dem Geregeltwerden durch Außenstehende.

***

»Alles wurde für mich geregelt. Wie ich beim Stillen zu sitzen hatte. Wann ich stillen mußte. Wann er genug Zeit zum Trinken hatte. Daß er schreien mußte, weil es noch nicht ›seine Zeit‹ war ... Andauernd ärgerte ich mich, aber man will sich ja nicht unbeliebt machen. Also nahm ich ihn und stillte ihn heimlich. Ich konnte das Schreien nicht aushalten, wollte ihn trösten. Als es dann auch noch losging mit BH an, BH aus, Eisbeutel drauf, Eisbeutel runter, weil meine Brüste tagsüber

mal größer, mal kleiner wurden, hielt ich es nicht mehr aus. Ich hatte ein Baby, und ich wollte es haben. Ich heulte vor Wut. Aber dafür war schnell ein Name bei der Hand: Wochenbett-Depressionen. Ich fühlte mich, als hätte man mir den Stuhl unterm Hintern weggezogen. Das einzige, was ich wollte, waren mein Baby und meine Ruhe.« (Peter)

⁂

»Im Krankenhaus gab man mir mein Baby nur tagsüber. Zu den Fütterungszeiten. Nichts war so, wie ich es mir vorgestellt hatte. Ich wollte stillen, aber die Schwestern gaben ihm manchmal heimlich ein Fläschchen. Aus Bequemlichkeit. Nachts gaben sie immer Fläschchen. Ich wollte es so oft wie möglich bei mir haben, aber das war nicht erlaubt. Ich fühlte mich hilflos und war sauer. Als ich dann nach zehn Tagen nach Hause durfte, dachte ich: Jetzt könnt ihr sie behalten. Es war, als wäre sie eine Fremde, als wäre sie nicht mein Kind.« (Stefanie)

⁂

»Meine Entbindung hat lange gedauert. Mein Baby wurde mir sofort weggenommen, und wir waren stundenlang in dem Glauben, daß wir einen Sohn hätten. Als man mir später mein Baby zurückgab, stellte sich heraus, daß es ein Mädchen war. Nicht, daß wir kein Mädchen haben wollten, aber wir waren inzwischen ganz auf einen Sohn eingestellt. Wenn es dann auf einmal ein Mädchen ist, ist das ein ganz merkwürdiges Gefühl.« (Julia)

⁂

»Beim Stillen habe ich immer gern mit ihr geschmust. Damit ich mich ihr so richtig nahe fühlte. Aber die Schwestern erlaubten das nicht. Ich mußte aufrecht sitzen, mit Kissen im Rücken, wie auf dem Sofa. Ich fand das unnatürlich. Das schaffte einen solchen Abstand.« (Nina)

⁂

»Ich wurde richtig besitzergreifend, wenn sie von einem zum anderen weitergereicht wurde. Aber ich habe es mir nicht anmerken lassen.« (Laura)

***

»Die Schwester hatte einen Putzfimmel, war herrschsüchtig, blieb im Zimmer, wenn Besuch da war, und hatte in allem das letzte Wort. Außerdem war sie furchtbar aufgeregt, weil sie meinte, mein Baby könnte Gelbsucht kriegen. Jede Stunde, manchmal alle 15 Minuten, guckte sie nach und meinte, Anzeichen dafür zu entdecken. Das machte mich ganz verrückt. Ich wollte stillen. Aber immer, wenn ich gerade beim Stillen war, kam sie, um das Baby zum Wiegen zu holen. Auch das nervte mich. Dem Baby gefiel das auch nicht. Es strampelte auf der Waage, und es dauerte ewig, bis sich feststellen ließ, ob es nun 40 oder 45 Gramm mehr waren. Das Schreien meines Babys machte mich noch nervöser, und ich beschloß, das Stillen aufzugeben. Jetzt finde ich es schade, weil ich denke, daß es nicht nötig war. Ich hätte sie so gern gestillt.« (Anna)

***

»Ich entwickelte einen richtigen Besitzanspruch, ärgerte mich, wenn andere ihn zu oft und zu lange hielten. Und ich war auf eine gewisse Art zufrieden, wenn er bei anderen schrie und bei mir dann aufhörte damit.« (Rudolf)

***

»Wenn er dann schrie, ärgerte ich mich über die ›guten Ratschläge‹ von Besuchern, die meinten, Schreien lassen wäre die Grundregel einer strengen Erziehung. Genau das wollte ich nicht. Wenn er brüllte, saß ich also zwischen zwei Stühlen.« (Timo)

***

»Diesmal hatten wir uns vorgenommen, alles ganz so zu machen, wie wir es wollten. Wenn das Baby schrie, gab ich ihm normalerweise ein extra Fläschchen. Das Mal zuvor hatte unser Ältestes fast zwei Wochen lang ohne Grund geschrien und Hunger gehabt. Das vergißt man nicht. Beim ersten Mal hört man auf jeden. Diesmal hörte ich nur auf mich selbst.« (Eva)

***

Wenn Mütter gleich nach dem Wochenbett Schwierigkeiten mit dem Baby haben, sagen sie, sie wären noch nicht richtig vertraut mit ihm. Sie müssen sich erst an ihr Kind gewöhnen. Sie haben Angst, sie könnten es aus Versehen fallen lassen oder zu fest anfassen. Sie verstehen nicht, was es will, wenn es sich so oder so verhält. Sie haben das Gefühl, als Mutter zu versagen.
Einige denken, es komme daher, daß sie ihr Baby im Wochenbett so wenig zu sehen bekamen. Da hätten sie es so gerne gehabt, jetzt sind sie froh, wenn sie nichts mit ihm zu tun haben. Sie sind verängstigt. Und dieses Gefühl von Angst kannten sie anfangs nicht.

Lernen Sie Ihr Baby kennen und erfahren Sie, wie es sich anfühlt

Als Mutter sind Sie sehr neugierig. In gewissem Sinne sind Sie mit Ihrem Baby schon bekannt. Sie kennen es schließlich schon seit neun Monaten. Und doch ist es jetzt anders. Eigentlich liegen Welten dazwischen. Sie können Ihr Baby jetzt zum ersten Mal betrachten, und Ihr Baby befindet sich in einer ganz neuen Umgebung. Sie fragen sich: Wie benimmt es sich jetzt? Erkenne ich etwas wieder?
Ihr Baby in den ersten Lebenstagen zu sehen, zu hören, zu riechen und zu fühlen – dieser Kontakt hat einen enormen Einfluß auf die

Mutter-Kind-Beziehung. Die meisten Mütter haben ein untrügliches Gespür dafür. Sie wollen normalerweise an allem teilhaben, was ihr Baby tut. Sie können nicht genug davon bekommen, es immer wieder anzuschauen. Sie wollen sehen, hören, fühlen und riechen, wie ihr Baby auf seine Umgebung reagiert. Sie wollen es betrachten, wenn es schläft, und hören, wie es atmet. Sie wollen dabei sein, wenn es wach wird. Sie wollen es streicheln, knuddeln und beschnuppern, wann immer sie Lust darauf haben.

»Ich merke, daß sich seine Atmung verändert, wenn er plötzlich ein Geräusch hört oder Licht sieht. Ich war fast ein bißchen ängstlich, weil sie so unregelmäßig war. Aber jetzt, wo ich weiß, daß das seine Reaktion auf Geräusche oder Licht ist, bin ich wieder ganz beruhigt. Ich finde es nun richtig putzig.« (Daniel)

Darüber hinaus suchen die meisten Mütter nach dem, was ihnen in den ersten neun Monaten vertraut war. Ist dies das ruhige Baby, das ich erwartet habe? Strampelt es zu denselben Zeiten? Hat es ein besonderes Verhältnis zu seinem Vater, erkennt es seine Stimme?

Die meisten Mütter wollen mit dem Verhalten ihres Babys »spielen«. Sie wollen ausprobieren, ob sie etwas so oder anders besser machen. Sie wollen die Eigenschaften ihres Babys selbst erkunden, darauf reagieren und dann herausfinden, wie die Reaktionen ihres Babys beschaffen sind. Sie wollen selbst dahinterkommen, was für ihr Baby das beste ist. Mütter möchten zwar Ratschläge, aber keine Vorschriften. Und wenn sie eine Reaktion ihres Babys richtig vorausgesagt haben, freuen sie sich unbändig. Es ist für sie das Zeichen, daß sie es inzwischen gut kennengelernt haben. Das stärkt ihr Selbstvertrauen. Sie fühlen, daß sie damit fertig werden können, nach dem Wochenbett mit ihm allein zu sein.

Freud' und Leid um die 5. Woche

Um die fünfte Woche herum, manchmal auch schon um die vierte, macht die Entwicklung Ihres Babys den ersten Sprung. Seine Sinnesorgane machen einen raschen Reifungsprozeß durch. Ihr Baby merkt, daß etwas Neues und Fremdes in seiner Welt geschieht. Es ist verstört, schreit und will zu dem zurück, was ihm am vertrautesten ist: zu seiner Mutter.

In diesem Alter suchen alle Babys mehr Körperkontakt und Aufmerksamkeit als sonst. Es ist also normal, wenn Sie merken, daß auch Ihr Baby das von Ihnen »fordert«. Dieses größere Verlangen nach der Mutter kann einen Tag, manchmal auch bis zu einer Woche dauern.

Der Sprung kündigt sich an: Zurück zu Mama

Das Baby fühlt, daß etwas los ist. Es kann Ihnen das noch nicht sagen, sich Ihnen noch nicht zuwenden, noch nicht seine Ärmchen nach Ihnen ausstrecken. Es kann aber sehr wohl aus vollem Halse brüllen und schwieriger und unruhiger sein, als es das normalerweise ist. Für so ein kleines Baby ist das noch die einzige Art, deutlich zu machen, daß es aus der Fassung ist. Mit seinem Gequengel, Gebrüll und Gekreisch macht es meist das ganze Haus wahnsinnig. Schreien gibt dem Baby jedoch die Chance, daß seine Mutter zu ihm kommt und es bei ihr bleiben kann.
Das Baby schläft schlechter. Zumindest wenn es allein in seinem Bettchen liegt. Manchmal will das Baby unbedingt auf dem Bauch liegen – etwas, das es vorher nicht mochte. Doch vermutlich gibt ihm dies ein Gefühl von Bauch-an-Bauch-Kontakt und damit die Geborgenheit, die es jetzt braucht.

Das Schreien verunsichert die Mutter

Alle Mütter suchen emsig nach einer Begründung für diese Schreianfälle. Sie probieren aus, ob das Baby Hunger hat. Sie sehen nach, ob etwas kneift oder drückt, sie machen es sauber, weil es unter einer kalten, nassen Windel leiden könnte. Sie versuchen, ihr Kind zu trösten, und merken schnell, daß das in so einer Schreiphase kein Kinderspiel ist.
Darüber hinaus merken sie, daß das Baby, einmal getröstet, ganz schnell aufs neue mit dem »nervenden« Gebrüll beginnt. Für die

meisten Mütter ist die plötzliche Veränderung im Benehmen ihres Babys neu und unangenehm. Sie sorgt dafür, daß sie sich unsicher fühlen, und viele ängstigen sich richtig.

***

»Er war enorm anhänglich. Ich habe ihn oft und lange auf den Schoß genommen. Auch wenn Besuch da war. Ich war äußerst besorgt. Eine Nacht lang habe ich kaum geschlafen und ihn ständig gestreichelt und im Arm gehalten. Dann kam meine Schwester und erklärte sich dazu bereit, eine Nacht bei dem Baby zu bleiben. So konnte ich in einem anderen Zimmer schlafen. Ich habe tief und fest geschlafen. Am nächsten Tag war ich wie neugeboren.« (Daniel, 5. Woche)

***

»Sie ist eigentlich sehr pflegeleicht, aber dann brüllte sie zwei Tage lang beinahe rund um die Uhr. Erst dachte ich, das wären die berüchtigten Koliken. Aber dann merkte ich, daß sie aufhörte, wenn sie auf dem Schoß oder zwischen uns lag. Dann schlief sie auch ein. Ich habe mich natürlich wieder gefragt, ob ich sie damit nicht zu sehr verwöhne. Aber das Geschrei ging vorbei, und nun ist sie wieder so pflegeleicht wie früher.« (Eva, 5. Woche)

Oft befürchten Mütter auch, daß dem Baby etwas fehlt. Daß es Schmerzen hat oder daß in dem kleinen Körper irgend etwas nicht in Ordnung ist, was erst jetzt zum Tragen kommt. Andere haben Angst, daß sie nicht genug Milch für ihr Baby haben. Das Baby scheint ständig an die Brust zu wollen und unstillbaren Hunger zu haben. Einige der Mütter, die wir befragten, ließen ihr Kind vom Arzt untersuchen [1]). Doch auch diese Babys waren gesund.

***

»Sie hat so geweint. Ich hatte Angst, daß irgend etwas nicht in Ordnung war. Ständig wollte sie an die Brust. Ich also zum Kinderarzt. Aber der konnte nichts feststellen. Er sagte nur, daß sie sich erst an das Stillen gewöhnen müßte und daß viele Kinder solche Schreiphasen hätten, wenn sie fünf Wochen alt sind. Ich fand das sehr merkwürdig. Mit meiner Brust hatte sie in den ersten vier Wochen keine Probleme. Und ihr Vetter, der auch so alt ist wie sie, brüllte genauso. Und der bekam Fläschchen. Als ich das sagte, beachtete der Doktor meinen Einwand nicht. Ich bin dann auch nicht mehr darauf eingegangen, ich war nur froh, daß er nichts gefunden hatte.« (Stefanie, 5. Woche)

Mamas Nähe verringert die Spannung

Weil das Baby fühlt, daß etwas los ist, hat es ein größeres Bedürfnis nach Sicherheit. Gehen Sie darauf so gut ein, wie Sie können. Alles braucht seine Zeit. Ihr Geruch, Ihre Wärme, Stimme und Ihre Art, das Baby zu halten, sind ihm vertraut. Es kann bei Ihnen ein wenig zu sich selbst kommen. Und Sie geben Ihrem Baby in dieser schwierigen Zeit ein Gefühl von Sicherheit, Wärme und Geborgenheit.

***

[1]) Wenden Sie sich im Zweifel immer an einen Arzt oder eine Beratungsstelle.

»Manchmal trinkt sie eine gute halbe Stunde und will nicht von der Brust genommen werden. Man hat mir schon folgenden guten Rat gegeben: ›Nach 20 Minuten ablegen und brüllen lassen, dann gewöhnt sie sich das schnell ab.‹ Aber ich denke: Redet ihr nur.« (Nina, 5. Woche)

Was Sie wissen sollten

Es ist ganz normal, daß Ihr Baby häufiger an die Brust will, wenn seine Entwicklung einen Sprung macht. Mit Ihrem Stillen ist dann alles in Ordnung. Ihr Baby ist einfach verstört und sucht Körperkontakt und Trost. Die meisten Mütter wissen das nicht. Viele wenden sich an eine Stillgruppe, wenn die schwierige Phase etwas länger dauert. Die Mütter würden gerne weiter stillen, fragen sich aber, ob sie genug Milch haben. Der Rat der Stillgruppen: in diesen Tagen unbedingt mit dem Stillen fortfahren. Außer um die sechste Woche herum wenden sich Mütter auffallend oft um den dritten und den sechsten Monat herum an die Gruppen. Es ist augenfällig, daß Babys genau in diesem Alter eine schwierige Phase durchmachen.

Tragen Sie Ihr Baby viel herum

Fast jede Mutter merkt, daß das Schreien nachläßt, solange das Baby Körperkontakt hat. Es ist auch besser und schneller zu trösten, wenn es bei ihr ist.

***

»Wenn sie so richtig brüllte, hatte man kaum Zugang zu ihr. Ich mußte sie lange massieren, bis sie ruhiger wurde. Ich fühlte mich hinterher zwar todmüde, aber auch äußerst zufrieden. Danach hat sich eine Veränderung eingestellt. Es hat den Anschein, als ob sie nun schneller zufriedenzustellen ist. Und wenn sie schreit, fühle ich mich mehr aufgefordert, es ihr wieder angenehm zu machen.« (Nina, 4. Woche)

Tips zum Trösten

Wenn Sie das Baby beruhigen wollen, sind Rhythmus und Wärme wichtig. Halten Sie das Baby aufrecht gegen sich gelehnt, seinen Po auf einem Arm, mit dem anderen Arm stützen Sie seinen Kopf, der an Ihrer Schulter ruht. So kann Ihr Baby das beruhigende Klopfen Ihres Herzens hören. Dann:

- Streicheln und liebkosen Sie es.
- Wiegen Sie es hin und her.
- Laufen Sie ruhig mit ihm herum.
- Summen Sie ein Lied.
- Klopfen Sie ihm sacht auf den Po.

Denken Sie stets daran, daß sich Ihr Baby meist am besten durch etwas trösten läßt, das Sie auch mit ihm tun, wenn es guter Laune ist.

Mütter, die ihr Baby umhertragen, wann immer es irgendwie durcheinander ist, bezeichnen ihr Baby als enorm anhänglich. Am liebsten hat es das Baby, wenn es ganz eng an die Mutter gekuschelt liegt und gestreichelt und geknuddelt wird. Diese Mütter stellen auch fest, daß ihr Baby zwar oft auf ihrem Schoß einschläft, aber sofort mit dem Brüllen beginnt, sobald man es heimlich ins Bett befördern will.
Mütter, die sich an einen festen Essens- und Schlafensplan halten, stellen immer wieder fest, daß ihr Baby beim Trinken einschläft. Einige fragen sich, ob ihr Baby vielleicht durch die ganze Schreierei und das schlechte Schlafen zu müde ist, um in der dafür vorgesehenen Zeit zu trinken. Und diese Vermutung scheint auch ganz logisch. Denn: Hat das Baby endlich erreicht, was es wollte, beruhigt es sich und schläft ein.

***

»Als er so viel schrie, probierte ich in den ersten zwei Tagen noch, den Schlafensplan einzuhalten, aber das war ein totaler Reinfall. Es machte uns beide verrückt. Jetzt behalte ich ihn ohne Gewissensbisse so lange auf dem Schoß, wie er das will. Ich habe ein gutes Gefühl dabei. Es ist so schön warm und gemütlich. Und es gefällt ihm offensichtlich. Den festen Essens-Rhythmus habe ich auch aufgegeben. Jetzt kommt er von selbst. Mal trinkt er länger, mal kürzer. Er ist jetzt viel ruhiger, und ich bin viel zufriedener.« (Stefan, 5. Woche)

Tips zum Einschlafen

Ein schlecht schlafendes Baby macht oft eher ein Nickerchen, wenn es bei Ihnen ist. Wärme, Bewegung und leise Geräusche wirken beruhigend. Es schläft leichter ein, wenn

- es an der Brust oder Flasche liegt;
- es im Tragetuch herumgetragen wird;
- es im Kinderwagen herumgefahren wird.

Und auch eine kurze Autofahrt wirkt oft wahre Wunder!

EIN SPRUNG IN DER REIFE

Vieles deutet darauf hin, daß Babys um die vierte, fünfte Woche herum einen schnellen Reifungsprozeß durchmachen, der vom Stoffwechsel über die inneren Organe bis hin zu den Sinnesorganen reicht. So überwinden Babys in diesem Alter oft Verdauungsstörungen, unter denen sie vorher gelitten haben. Andererseits kann nun eine »Funktionsstörung«, die schon immer vorhanden war, jetzt deutlicher zutage treten. Bei einer Pylorusstenose etwa wird die Verbindung zwischen Magen und Darm, die von Anfang an verengt war, vollständig abgeklemmt. Dadurch kann das Baby keine Nahrung mehr bei sich behalten. Es spuckt sie jedesmal in hohem Bogen wieder aus. Mit einem kleinen Eingriff kann diesem Problem glücklicherweise abgeholfen werden.

Auch der Stoffwechsel des Babys verändert sich in diesem Alter. Die Tränen fließen deutlich öfter, manchmal zum ersten Mal. Außerdem bemerken Mütter, daß ihr Baby nun länger wach ist. Schließlich weist alles darauf hin, daß auch die Sinnesorgane eine schnelle Entwicklung durchmachen. Das Baby ist deutlich mehr an seiner Umwelt interessiert. Kein Wunder: Es kann jetzt seine Augen auf eine größere Entfernung hin scharfstellen. Unmittelbar nach der Geburt konnte es nur die Dinge ganz deutlich sehen, die nicht mehr als 20 Zentimeter von ihm entfernt waren. Es ist nun offen für neue Erfahrungen. Es will etwas erleben. Das Baby ist auf einmal viel empfänglicher für Anregungen von außen.

Fünf bis sechs Wochen alte Babys sind sogar bereit, für ein wenig Abwechslung zu »arbeiten«. In einem Laborversuch bekamen Babys die Gelegenheit, einen Farbfilm über eine Mutter, die mit ihrem Baby spielt, scharfzustellen, indem sie an einem Schnuller saugten. Sobald sie mit dem Saugen aufhörten, verschwamm das Bild wieder. Weil Babys in diesem Alter nur mit Mühe gleichzeitig saugen und schauen können, konnten sie den Film jeweils nur ganz kurz klar sehen. Als man die Sache umkehrte und die Babys mit dem Saugen aufhören mußten, wenn sie das Bild scharf bekommen wollten, konnten sie das auch.

Kopfarbeit

Um die dritte bis vierte Woche herum nimmt der Kopfumfang Ihres Babys drastisch zu und sein Glukose-Stoffwechsel verändert sich.

Eine schnelle Entwicklung der Sinnesorgane bedeutet nicht, daß Ihr Baby eine neue Fähigkeit erworben hätte. Es kann die Eindrücke, die seine – allerdings verbesserten – Sinnesorgane an sein Gehirn übermitteln, immer noch nicht so verarbeiten, wie wir Erwachsenen das tun. Mehr noch: Es verliert sogar gewisse Fertigkeiten. Die angeborene Vorliebe etwa, ein schematisch gemaltes Gesicht mit Augen und/oder Kopf zu verfolgen, verschwindet plötzlich. Das Drehen des Kopfes in Richtung eines Geräusches und das Nachahmen von Gesichtsbewegungen verschwinden ebenfalls. Es gibt Anzeichen dafür, daß diese primitiven Fertigkeiten von untergeordneten Gehirnbereichen gesteuert werden und nun langsam durch das Neuwachstum in den übergeordneten Großhirnbereichen unterdrückt werden.

Was Sie an Ihrem Baby jetzt häufiger bemerken können

Das Baby zeigt mehr Interesse an seiner Umgebung:

- Es schaut sich häufiger und länger etwas an. ☐
- Es horcht häufiger und aufmerksamer etwas zu. ☐
- Es reagiert deutlicher auf Berührungen. ☐
- Es reagiert deutlicher auf Gerüche. ☐
- Es lächelt zum ersten Mal – oder viel öfter als vorher. ☐

- Es produziert häufiger Freudenlaute. ☐
- Es läßt häufiger merken, was es schön oder langweilig findet. ☐
- Es läßt häufiger merken, daß es weiß, was passieren wird. ☐
- Es ist länger wach und aktiv. ☐
- Was Ihnen sonst noch auffällt: ______________________

____

Körperliche Veränderungen:

- Es atmet regelmäßiger. ☐
- Es erschrickt und zittert weniger. ☐
- Es zeigt zum ersten Mal (oder viel häufiger als vorher) Tränen beim Weinen. ☐
- Es überwindet die meisten Verdauungsstörungen:
  - verschluckt sich weniger, ☐
  - spuckt weniger, ☐
  - hat weniger Probleme mit dem Bäuerchen. ☐
- Was Ihnen sonst noch auffällt: ______________________

____

Hat Ihr Baby einen »Lieblings-Sinn«?

Alle Babys machen diese schnelle Entwicklung der Sinnesorgane durch. Sie alle sind nun aufmerksamer für das, was um sie herum geschieht. Doch zeigt dies jedes Baby auf unterschiedliche Weise. Es gibt Babys, die besonders begeistert sind von allem, was sie sehen. Andere sind richtige Horcher. Wieder andere werden am liebsten den ganzen Tag geknuddelt und gestreichelt. Einige Babys finden alles gleich schön. Kein Baby ist wie das andere.

***

»Ich bin am Konservatorium und nehme sie jeden Tag dorthin mit. In den ersten Wochen reagierte sie recht wenig auf Geräusche – das hat mir echt Sorgen gemacht. Nun beschäftigt sie sich auf einmal furchtbar viel mit Geräuschen. Wenn sie wach wird und schreit, verstummt sie sofort, wenn sie mich singen hört. Den anderen gelingt das nicht.« (Susanne, 6. Woche)

Wie Sie auf den Sprung eingehen

Vor allem braucht Ihr Baby Unterstützung und Geborgenheit. Dieser Sprung betrifft noch nicht die Verstandesebene, sondern ist überwiegend körperlicher Natur. In diesem Alter können Sie Ihr Baby noch nicht verwöhnen. Trösten Sie es immer, wenn es schreit.

Wenn der Streß zuviel wird

Ein Sprung ist sowohl für das Baby als auch für die Mutter ein einschneidendes, streßreiches Ereignis. Für beide kann die Anspannung zu groß werden. Beide können erschöpft sein, wenn die Sorgen zu groß und der Schlaf infolgedessen zu kurz wird.

- Das Baby ist verwirrt und schreit.
- Und dieses Schreien verunsichert jede Mutter, erschreckt sie oft. Die Spannung kann schließlich so groß werden, daß die Mutter nicht mehr damit fertig wird.
- Das Baby fühlt die Extra-Anspannung, wird noch schwieriger und schreit noch lauter als zuvor.

Baby und Mutter können von dieser Extra-Anspannung erlöst werden. Und zwar durch Unterstützung und Mitgefühl.

- Das Baby läßt sich durch Körperkontakt und Aufmerksamkeit trösten. Es kann dadurch besser und schneller die Veränderungen, die vor sich gehen, verarbeiten. Eine solche Unterstützung gibt Selbstvertrauen. Das Baby weiß, daß immer jemand für es da ist, wenn es das braucht.

- Die Mutter muß statt mit Kritik mit der Unterstützung ihrer Umwelt rechnen können. Das gibt ihr das so ungeheuer wichtige Selbstvertrauen. Dann kann sie auch mit den folgenden schwierigen Phasen fertig werden.

Die Entwicklung der Sinnesorgane bietet einen Anknüpfungspunkt, Ihr Baby Neues entdecken zu lassen. Geben Sie Ihrem Baby Gelegenheit, seine Sinne zu genießen. Schauen Sie zunächst, was Ihrem Baby am besten gefällt, und gehen Sie dann darauf ein.

Woran Sie merken, was Ihrem Baby gefällt

Ihr Baby lächelt, wenn es auf die eine oder andere Weise angenehm stimuliert wird. Das kann durch Dinge geschehen, die es sieht, hört, riecht, schmeckt oder fühlt. Und weil seine Sinnesorgane nun empfindsamer sind, lächelt es auch öfter. Als Mutter können Sie das ausnutzen. Sie können genau das mit Ihrem Baby tun, was ihm ein Lächeln entlockt.

***

»Wir tanzen immer zusammen im Kreis, und wenn ich dann stehenbleibe, lächelt er.« (Jan, 6. Woche)

***

»Wenn ich mit meinem Gesicht ganz nah an sie herangehe und sie lächelnd anspreche, nimmt sie richtig Blickkontakt auf und grinst übers ganze Gesicht. Herrlich!« (Laura, 5. Woche)

Wonach schaut Ihr Baby? – Wie Sie ihm helfen können

Ihr Baby schaut häufiger in die Richtung von etwas, von dem es gefesselt ist. Meist sind das farbige Dinge. Je deutlicher die Farben voneinander abstechen, desto besser gefällt es ihm. Auch Streifen und Ecken erwecken seine Aufmerksamkeit. Und Ihr Gesicht.

Wenn Sie Ihr Baby herumtragen, werden Sie von selbst merken, was es am liebsten sieht. Geben Sie ihm Gelegenheit und Zeit, das, was es sehen will, eingehend zu betrachten. Bedenken Sie, daß Ihr Baby nur jene Dinge deutlich sehen kann, die sich nicht weiter als 30 Zentimeter von ihm entfernt befinden. Manche Babys mögen es, sich etwas Bekanntes immer wieder anzusehen. Andere wiederum verlieren schnell das Interesse. Wenn Sie merken, daß Ihr Baby sich langweilt, zeigen Sie ihm Dinge, die mit dem Ähnlichkeit haben, was es gerade betrachtet, aber doch etwas anders sind.

***

»Er schaut einem direkt ins Gesicht und hält das eine Weile durch. Aber er findet es merkwürdig, wenn ich esse. Er beobachtet dann ganz aufmerksam meinen Mund und wie ich kaue.« (Rudolf, 6. Woche)

»Sie ist viel aufnahmebereiter für alles, was sie sieht. Besonders gern hat sie die Gitterstäbe von ihrem Bett, die sich gegen die weiße Wand abheben, Bücher im Regal, unseren Fußboden mit den langen weißen Dielen und den schmalen schwarzen Streifen dazwischen und eine schwarzweiße Federzeichnung, die an der Wand hängt. Abends haben eingeschaltete Lampen die größte Anziehungskraft.« (Anna, 5. Woche)

***

»Wenn ich einen Ball langsam von links nach rechts rollen lasse, geht ihr Kopf mit. Es ist ein richtig schönes Spiel. Wahrscheinlich macht es der stolzen Mutter sogar noch mehr Spaß als dem Baby selbst.« (Astrid, 5. Woche)

Worauf hört Ihr Baby? – Wie Sie es unterstützen können

Alle Babys nehmen Geräusche nun aufmerksamer wahr. Egal, ob es sich um Brummen, Pfeifen, Klirren, Rauschen oder Schnurren handelt. Auch menschliche Stimmen werden jetzt interessanter. Hohe (weibliche) Stimmen kommen am besten an. Und die Stimme der Mutter ist der absolute Favorit.
Wenn Ihr Baby fünf Wochen alt ist, können Sie schon nette Gespräche mit ihm führen. Setzen Sie sich dazu bequem hin und gehen Sie mit Ihrem Gesicht nah an das Ihres Babys heran. Erzählen Sie von Haus-, Garten- und Küchenarbeiten oder was Ihnen sonst gerade so einfällt. Und halten Sie ab und zu inne, wenn das Baby »antworten« will.

***

»Es kommt mir so vor, als würde er jetzt richtig auf meine Stimme lauschen. Es fällt richtig auf.« (Timo, 5. Woche)

***

»Sie antwortet manchmal, wenn ich mit ihr klöne. Die Laute, die sie von sich gibt, sind länger geworden. Es ist wirklich so, als würde sie etwas erzählen. Richtig süß! Gestern ›redete‹ sie im Bett auch mit ihrem Kaninchen und mit ihrer Rassel.« (Susanne, 5. Woche)

»Lautsprache«: Zeigen Sie Ihrem Baby, daß Sie es verstehen

Ihr Baby gebraucht seine verschiedenen Wein- und Freudenlaute jetzt viel öfter als früher. Jeder Laut gehört zu einer bestimmten Situation. Mit einem Weinen, das nach »Selbstmitleid« klingt, schläft es gewöhnlich ein. Bei einem anderen Weinen ist das Gegenteil der Fall. Dann ist etwas nicht in Ordnung. Das Baby produziert auch Freudenlaute. Die läßt es hören, wenn es etwas betrachtet oder anhört. Viele Mütter verstehen Ihr Baby auf einmal besser. Wenn es Ihnen auch so geht, zeigen Sie Ihrem Baby das. Ihr Baby ist für ein Kompliment sehr empfänglich.

***

»Ich höre deutlich Freudenlaute, wenn sie etwas schön findet, und Wutlaute, wenn ihr etwas gegen den Strich geht. Sie kräht ab und zu vor Freude, wenn sie ihr Mobile sieht, und genießt es offensichtlich, wenn ich das nachmache.« (Susanne, 6. Woche)

Was fühlt Ihr Baby? – Wie Sie darauf reagieren

Alle Babys nehmen Berührungen nun aufmerksamer wahr. Gelegentlich hört man ein Baby in diesem Alter das erste Mal laut auflachen, wenn es gekitzelt wird. Aber die meisten Babys spricht Kitzeln noch nicht so sehr an. Es ist fast immer zuviel des Guten.

***

»Sie hat laut aufgelacht, ein richtig donnerndes Lachen, als ihr Bruder sie gekitzelt hat. Alle erschraken, und es wurde totenstill.« (Anna, 5. Woche)

Denken Sie daran: Ihrem Baby wird es jetzt noch schnell zuviel

Lassen Sie stets Ihr Baby die Führung übernehmen. Hören Sie auf, wenn Sie merken, daß es ihm zuviel wird.

- Die Sinnesorgane Ihres Babys sind nun empfindlicher. Darum kann jede Stimulation rasch zuviel des Guten werden. Wenn Sie mit Ihrem Baby spielen, schmusen, es Dinge sehen oder hören lassen, sollten Sie das immer im Hinterkopf haben. Sie müssen sich Ihrem Baby anpassen, nicht umgekehrt.
- Ihr Baby kann sich noch nicht lange konzentrieren. Es braucht immer wieder eine kurze Pause, um auszuruhen. Es macht vielleicht den Eindruck, als ob es keine Lust mehr hat. Aber warten Sie ab: Es ist nach einer kurzen Erholungspause meist schnell wieder dazu bereit, weiterzumachen.

Der Sprung ist geschafft

Mit sechs Wochen beginnt wieder eine unkomplizierte Phase. Die Babys sind nun fröhlicher, wacher, mehr damit beschäftigt, zu schauen und zu horchen. Die Augen sind »klarer«, wie viele Mütter finden. Und die Babys zeigen deutlich, was sie wollen und was nicht. Kurzum, alles ist jetzt eindeutiger als vorher.

***

»Ich habe nun mehr Kontakt zu ihm. Die Stunden, in denen er wach ist, sind auf einmal interessanter.« (Dirk, 6. Woche)

***

»Ich habe mehr und mehr das Gefühl, daß er mein eigen ist, mir immer vertrauter wird.« (Daniel, 6. Woche)

Foto

Nach dem Sprung

Alter: ____

Was auffällt: ____________________________________

Freud' und Leid um die 8. Woche

Um die achte (siebte bis neunte) Woche herum kündigt sich der folgende Sprung an. In diesem Alter erwirbt Ihr Baby eine neue Fähigkeit. Mit der kann es neue Dinge erlernen. Fertigkeiten, die es vor diesem Alter noch nicht entwickeln konnte, so oft Sie mit ihm vielleicht auch schon geübt haben.
Aber die neue Fähigkeit bringt nicht nur Schönes mit sich. Sie stellt auch die vertraute Erlebniswelt Ihres Babys auf den Kopf. Es sieht, hört, riecht, schmeckt und fühlt Dinge, die total neu für es sind. Seine alte Welt ist nicht mehr so, wie sie einmal war. Es ist erstaunt, verwirrt, perplex. Es muß alles in Ruhe auf sich einwirken lassen, alles verarbeiten. Und das tut es am liebsten von einem vertrauten, sicheren Platz aus. Es will zurück zu Mama. Diese schwierige Phase dauert ein paar Tage bis zwei Wochen.

Zur Erinnerung

Wenn Ihr Baby »schwierig« ist: Achten Sie einmal darauf, ob es etwas Neues kann oder übt.

Der Sprung kündigt sich an: Zurück zu Mama

Alle Babys schreien nun mehr. Mit diesem Schreien läßt ein Baby die Anspannung hören, die es fühlt, wenn seine Entwicklung den Sprung macht. Und Weinen ist vorläufig noch die deutlichste Art, auf die es das kann. Weinen erregt Mamas Aufmerksamkeit. Schreibabys schreien jetzt noch mehr als sonst. Mütter macht das wahnsinnig. Väter auch. Die Babys sind nur schwer zu trösten, selbst wenn ihre Mütter sie Tag und Nacht umherschleppen. Alle Babys werden jedoch ruhiger, wenn sie Körperkontakt haben. Einige können davon gar nicht genug kriegen. Sie würden am liebsten in die Mutter hineinkriechen. Sie wollen ganz von Körper, Armen und Beinen umgeben sein. Ihre Mutter soll all ihre Aufmerksamkeit auf sie richten. Und sie protestieren, wenn ihnen Aufmerksamkeit und Körperkontakt entzogen werden.

Woran Sie merken, daß Ihr Baby »bei Mama bleiben« will

Will es (öfter) beschäftigt werden? Das Baby will häufiger etwas gemeinsam mit seiner Mutter tun. Es will ihre ganze Aufmerksamkeit. Es will nicht mehr im Bettchen oder auf dem Boden liegen, was es vorher ohne Protest getan hat. Es will aber eventuell in der Wippe sitzen. Wenn nur seine Mutter bei ihm bleibt. Es will am liebsten, daß seine Mutter sich den ganzen Tag um es kümmert, mit ihm redet und spielt.

***

»Auf einmal will sie abends nicht mehr ins Bett, brüllt furchtbar und ist unruhig. Aber wir wollen dann unsere Ruhe. Deshalb holen wir sie zu uns aufs Sofa und trösten sie. Dann ist sie ganz schnell still. Eigentlich ist sie ziemlich pflegeleicht.« (Eva, 8. Woche)

* * *

Fremdelt es? Das Baby lächelt nicht mehr so oft Menschen an, die es nicht den ganzen Tag sieht. Oder es dauert etwas länger, bis der Bann gebrochen ist. Recht häufig schreit es, wenn diese Menschen näherkommen, auch wenn es behaglich bei seiner Mutter auf dem Schoß sitzt. Einige Mütter bedauern das: »Es war sonst immer so fröhlich.« Andere finden es schön: »Schließlich bin ich ja auch die einzige, die Tag und Nacht für es da ist!«

* * *

»Uns kommt es so vor, als würde sie mich sehr viel bereitwilliger anlachen als andere. Bei denen braucht sie eben mehr Zeit.« (Astrid, 9. Woche)

* * *

Ißt es schlechter? Das Baby will am liebsten den ganzen Tag an die Brust. Wenn es angelegt ist, trinkt es kaum. Alles ist in Ordnung, solange es die Brustwarze in oder an seinem Mund spürt. Aber kaum wird es abgelegt, protestiert es unverzüglich – so lange, bis es die Brust zurückbekommt.
Natürlich werden Sie dieses Verhalten nur bei Babys beobachten können, die selbst entscheiden dürfen, wann sie an die Brust wollen. Einige Mütter denken dann, daß mit dem Stillen etwas nicht in Ordnung ist. Andere fragen sich, ob sie die richtige Entscheidung getroffen haben, als sie ihrem Baby die Führung überließen. Aber die Brust dient jetzt nicht als Nahrungs-, sondern als Trostquelle. In dieser Phase nuckeln einige Babys dann auch öfter am Daumen oder sabbern auf ihren Fingern herum.

»Ich fühle mich manchmal wie eine wandelnde Milchflasche, ein Objekt, das allzeit bereit zu sein hat. Dann ärgere ich mich. Ob es anderen stillenden Müttern genauso geht?« (Timo, 9. Woche)

***

Klammert es sich stärker an Sie? Ihr Baby klammert sich an Sie. Besonders, wenn es merkt, daß eine »Rumschlepp-Phase« zu Ende ist. Es tut das nicht nur mit seinen Fingern, sondern manchmal auch mit seinen Zehen. Es ist dann nur schwer abzulegen. Buchstäblich und bildlich. Manche Mütter finden das ausgesprochen rührend. Einen Augenblick fühlen sie sich begehrt.

***

»Wie von der Tarantel gestochen, packt sie meine Haare oder Kleider, wenn ich mich vorbeuge, um sie hinzulegen. Eigentlich finde ich das sehr lieb, aber wohler wäre mir, wenn sie es nicht täte. Wenn ich sie dann doch hinlege, fühle ich mich richtig ein bißchen ›schuldig‹.« (Laura, 9. Woche)

Schläft es schlechter? In dieser schwierigen Phase schlafen viele Babys schlechter. Einige brüllen schon, wenn sie nur ins Schlafzimmer kommen. Deshalb denken die meisten Mütter dann, daß das Baby Angst vor der Wiege hat. Babys, die schlechter schlafen, tun das jeweils auf ihre Art. Einige Babys haben vor allem mit dem Einschlafen Mühe. Andere werden schneller und häufiger wach. Das Resultat ist dasselbe: Sie schlafen weniger. Und dadurch haben sie auch mehr Gelegenheit zum Schreien.

Woran Sie merken, daß Ihr Baby kopfsteht

- Es schreit mehr. ☐
- Es will häufiger beschäftigt werden. ☐
- Es ißt schlechter. ☐
- Es fremdelt (öfter). ☐
- Es klammert sich stärker an Sie. ☐
- Es schläft schlechter. ☐
- Es lutscht (öfter) am Daumen. ☐
- Was Ihnen sonst noch auffällt: ________________ ☐

  ____

Sorgen[1] und Irritationen

Die Mutter macht sich Sorgen. Jede Mutter macht sich Sorgen, wenn ihr Baby plötzlich mehr schreit und so schwierig ist. Die eine mehr, die andere weniger. Meist läßt sich beobachten, daß eine Mutter, die sich weniger Sorgen macht, ein pflegeleichtes oder ruhiges Baby hat. Es schreit kaum mehr als gewöhnlich und ist auch schneller zu trösten. Aber bei den meisten Babys ist es anders. Sie schreien deutlich öfter, und es ist viel schwieriger, sie zu trösten. Ganz besonders gilt das für weinerliche, reizbare Babys. Sie schreien, wenn das überhaupt noch möglich ist, noch dreimal so

1) Wenden Sie sich im Zweifel immer an einen Arzt oder eine Beratungsstelle.

viel und so oft wie vorher. Sie krümmen, drehen und winden sich, sie kämpfen geradezu. Während einer solch schwierigen Phase befürchten viele Mütter, daß die ganze Familie daran zerbricht.

»Furchtbar, so ein Schreibaby. Sie heult nun pausenlos und schläft kaum noch. Unsere ganze Familie ist davon in Mitleidenschaft gezogen. Mein Mann trödelt abends auf dem Heimweg, weil er befürchtet, daß schon wieder den ganzen Abend Theater ist.« (Julia, 9. Woche)

***

»Wenn er durchbrüllt, hole ich ihn immer zu mir. Ich merke, daß ich mit Sprüchen wie ›Kinder haben Schreistunden‹ nicht so recht etwas anfangen kann. Es gibt Momente, da will ich ihn nur noch brüllen lassen, weil ich fix und fertig bin. Aber dann denke ich daran, wie hellhörig die Wohnungen sind, und dadurch lasse ich mich dann wieder beeinflussen.« (Stefan, 9. Woche)

***

»Manchmal, wenn sie brüllt und nicht zu trösten ist, kann ich auch nicht mehr. Gelegentlich muß ich dann selbst kurz heulen, dann geht's wieder.« (Anna, 10. Woche)

***

»Es gibt Tage, da bezweifle ich, ob ich es richtig mache. Ob ich ihm genug Aufmerksamkeit schenke und all das. Besonders mit seinem Gebrüll umzugehen fällt mir manchmal ziemlich schwer. Gerade an so einem Tag las ich, daß etwa sechs Wochen alte Babys ihre Mütter anlachen. Meines lachte mich nie an. Höchstens in sich hinein. Das verstärkte meine Zweifel noch mehr. Und heute schenkte er mir auf einmal so ein strahlendes Lachen. Die Tränen liefen mir übers Gesicht. Es war so rührend. Es klingt vielleicht komisch, aber ich habe das Gefühl, daß er mich trösten wollte.« (Daniel, 9. Woche)

Jede Mutter möchte gern dahinterkommen, warum ihr Baby mehr schreit. Sie fragt sich: Habe ich nicht mehr genug Milch? Ist es krank? Ist es naß? Wenn ich es auf den Schoß nehme und dann alles gut ist, ist es dann verwöhnt? Die meisten Mütter kommen zu dem Ergebnis, daß ihr Baby »Koliken« hat. Schließlich ist das Baby so unruhig. Manche Mütter kommen zu keiner Lösung und bleiben unsicher. Einige heulen mit. Manche Mütter gehen zum Arzt. Oder sie schütten in einer Mütterberatungsstelle ihr Herz aus.

***

»Eigentlich schreit er überhaupt nicht, er ist so pflegeleicht, schöner kann es gar nicht sein. Aber diese Woche wurde er regelmäßig von Koliken gequält.« (Jan, 9. Woche)

***

Die Mutter ärgert sich. Jede Mutter ärgert sich, wenn sie überzeugt davon ist, daß das Baby eigentlich gar keinen richtigen Grund hat, so zu schreien und wie eine Klette an ihr zu hängen. Solch eine Mutter findet ihr Baby verwöhnt und undankbar. Das Gebrüll treibt sie zum Wahnsinn. Sie ist müde, erschöpft und hat noch soviel Arbeit vor sich liegen. Oft fürchtet sie, Vater, Freunde, Familie oder Nachbarn könnten ihr Baby als lästig empfinden. Oder könnten sagen, daß sie es härter anpacken muß. Ob sie es nun für richtig hält oder nicht – meist kann sie gar nicht anders, als es immer wieder zu trösten.

***

»Dafür habe ich nun meinen Beruf aufgegeben ... bald acht Wochen Geflenne. Ich bin echt ratlos. Ich weiß nicht mehr, was ich noch tun soll.« (Julia, 8. Woche)

***

»Ich ärgere mich wahnsinnig, wenn ich sie endlich nach einer Stunde Trösten zum Schlafen gekriegt habe und sie auf einmal wieder anfängt, herumzuquengeln – genau in dem Moment, wo ich sie hinlege. Nur in meinen Armen ist es gut. Das irritiert mich enorm. Ich komme zu nichts mehr.« (Laura, 8. Woche)

***

»Ich muß ihn die ganze Zeit beschäftigen. Nichts hilft richtig, Rumlaufen nicht, Streicheln nicht, Singen nicht. Erst fühlte ich mich machtlos und wie gelähmt. Dann auf einmal sehr aggressiv. Ich habe geheult wie ein Schloßhund ... Ich habe mich erkundigt, ob er zweimal einen halben Tag in die Krippe kann, damit ich mehr Raum für mich selbst habe. Manchmal macht mich das Geschrei entsetzlich leer und müde. Ständig versuche ich herauszufinden, wo meine Grenzen liegen und wo die seinen.« (Daniel, 9. Woche)

***

Die Mutter ärgert sich und findet: »Jetzt reicht's«. Nur sehr selten gibt es eine Mutter einmal zu, daß sie richtig böse auf ihr Baby geworden ist. Und es eher unsanft hingelegt hat. Sie erschrickt dann immer ein bißchen vor sich selbst. Es ist einfach mit ihr »durchgegangen«.

***

»In dieser Woche brüllte sie noch mehr als in der vorigen. Das machte mich wahnsinnig. Ich hab' so viel zu tun. Einmal habe ich sie auf das Wickelkissen auf der Kommode geworfen. Ich erschrak selbst, nachdem ich es getan hatte. Und mir wurde klar, daß ich dadurch die Sache auch nicht besser machte. Sie kreischte noch mehr. Ich kann mir jetzt vorstellen, daß Kinder an solchen ›Krampftagen‹ mißhandelt werden. Aber ich hätte nie gedacht, daß ich zu so etwas auch fähig wäre.« (Stefanie, 9. Woche)

Körperkontakt verringert die Spannung

Um die achte Woche herum ist das »Zurück zu Mama wollen« normal. Schließlich will das jedes Kind. Das eine zeigt diesen Wunsch deutlicher als das andere. Weinerlich und schwierig zu sein ist jetzt das Normalste auf der Welt. Es bedeutet, daß das Baby Fortschritte macht. Daß seine Entwicklung einen Sprung macht. Daß es verstört ist, weil seine Welt so fremd aussieht. Deshalb will es seine Mutter als vertraute und sichere Basis benutzen – es kann dann besser entspannen. Von ihr aus kann es seine »neue Welt« entdecken.

Stellen Sie sich vor, Sie sind verstört, und niemand tröstet Sie. Sie leiden länger und stärker unter der Anspannung. All Ihre Energie geht dabei drauf. Sie können Ihre Probleme gar nicht mehr klar erkennen.

So geht es auch Ihrem Baby. Wenn seine Entwicklung einen Sprung macht, hat es ein Gefühl, als wäre es in einer »neuen Welt«. Es fühlt eine schwerere Last, als es tragen kann. Es schreit. Und es wird weiter schreien, bis sein Problem gelöst ist. All seine Energie geht also in das Schreien. Und das Schreien verschlingt all seine Zeit. Zeit, die es besser darauf verwenden sollte, seine »neue Welt« kennenzulernen.

Woran Sie denken sollten

Babys in diesem Alter sind dazu da, hochgenommen, gestreichelt und geknuddelt zu werden. Davon kriegen sie nie genug.

Wenn Ihr Baby schwierig ist, werden Sie feststellen, daß es mehr kann

Wenn sich eine Mutter Sorgen macht oder ärgert, weil ihr Baby so schwierig ist, beobachtet sie es besonders intensiv. Was ist verkehrt? Warum ist es so lästig? Was kann ich tun? Ist meine

Fürsorge übertrieben? Langweilt es sich? Kann es sich nicht selbst beschäftigen? Muß ich ihm etwas beibringen? Und dann entdeckt sie, welche Laus ihrem Baby über die Leber gelaufen ist. Sie sieht, daß es viele neue Dinge kann oder zu tun versucht. Tatsächlich entdeckt sie die ersten Zeichen seiner neuen Fähigkeit. Diese neue Fähigkeit versetzt es in die Lage, neue Dinge zu erlernen. Dinge, die es vor diesem Alter noch nicht lernen konnte. Selbst wenn sie es Tag für Tag mit ihm geprobt hat. Um die achte Woche ist es das Wahrnehmen und Anwenden von »Mustern«. Diese Fähigkeit kann man vergleichen mit einer neuen Welt, die Ihrem Kind nun offensteht.

Der Sprung: Die Welt der »Muster«

Das Baby erlebt sich selbst und seine Umgebung nicht länger als eine Einheit, als eine »Suppe«. Es beginnt, feste »Muster« in dieser Suppe zu unterscheiden. Ein Beispiel: Es entdeckt seine Hände. Es schaut sie erstaunt an, dreht und wendet sie. Und nun, da es weiß, daß es sie hat, kann es sie auch einsetzen. Es wird sie benutzen, um nach etwas zu greifen.

Das Baby kann »Muster« nicht nur sehen. Es kann sie auch hören, riechen, schmecken und fühlen. Es nimmt »Muster« mit all seinen Sinnen wahr. Es nimmt sie außer- und auch innerhalb seines Körpers wahr. Beispielsweise kann es jetzt spüren, daß es sich anders anfühlt, wenn es sein Ärmchen nach oben streckt, als wenn es nach unten hängt.

Gleichzeitig kann das Baby nun auch »Muster« innerhalb seines Körpers wahrnehmen. Es kann Körperhaltungen »festhalten«. Es kann nicht nur seinen Kopf, den Rumpf, die Beine oder Arme besser beherrschen, sondern auch kleinere Körperbereiche. Es kann allerlei Grimassen schneiden, weil es seine Gesichtsmuskeln beherrscht. Es kann seine Stimmbänder in einer bestimmten Stellung halten. Und es kann seine Augen auf etwas scharf stellen. Es kann jetzt seine Augenmuskeln besser einsetzen.

Viele automatische Reaktionen (Reflexe), die das Baby bei seiner Geburt hatte, legt es nun ab. Sie werden ersetzt durch etwas, das an eine bewußte Bewegung erinnert. Das Baby kann jetzt lernen, seine Händchen »bewußt« um ein Spielzeug zu schließen. Es kann lernen, in einer Bewegung an die Brust zu gehen, statt nach vielen Bewegungen zufällig darauf zu stoßen. Es ist nicht länger völlig abhängig von seinen Reflexen. Nur wenn das Baby hungrig oder verstimmt ist, fällt es zurück in seine alte Art, sich zu bewegen. Allerdings sehen die ersten »bewußten« Bewegungen des Babys noch nicht »erwachsen« aus. Sie sind noch hölzern. Das Baby ruckt gleichsam von einer Haltung in die andere. Und das bleibt auch so, bis sich der darauffolgende Sprung ankündigt.

Kopfarbeit

Um die siebte bis achte Woche herum nimmt der Kopfumfang Ihres Babys drastisch zu, seine Hirnstromkurven weisen in der sechsten bis achten Woche erkennbare Veränderungen auf.

Was entdeckt Ihr Baby in der Welt der »Muster«?

Alle Babys haben dieselbe Fähigkeit mitbekommen. Die neue Welt steht ihnen für immer offen. In ihr gibt es unendlich viel zu entdecken. Jedes Baby trifft seine eigene Auswahl. Es wendet sich dem zu, was es am meisten anspricht. Einige interessieren sich für alles. Andere sind besonders an »Guck-Sachen« interessiert. Wieder andere an Brabbel- und Horch-Dingen. Noch andere sind eher Macher. Und so weiter. Das bedeutet also, daß die neuen Fertigkeiten, die eine Freundin an ihrem Baby feststellt, ganz andere sein können, als die, die Sie an dem Ihren entdecken. Denn das, was ein Baby tut oder schön findet, hängt zu einem großen Teil von seinem Körperbau, seinem Gewicht, seinen Anlagen und Interessen ab.

Die Welt der »Muster«

Der Bereich »Selbermachen«:

- Es kann den Kopf selbst hoch halten, wenn es richtig wach ist. ☐
- Es dreht deutlich den Kopf in Richtung eines Geräusches oder Gegenstandes. ☐

- Es wirft sich aus der Seitenlage auf den Bauch. ☐
- Es wirft sich von der Seitenlage auf den Rücken. ☐
- Es zappelt mit Armen und Beinen. ☐
- Es läßt sich zum Sitzen hochziehen. ☐
- Es läßt sich zum Stehen hochziehen. ☐
- Es stützt sich in Bauchlage auf. ☐
- Es will auffallend oft sitzen, sitzt vornübergebeugt auf dem Schoß. ☐
- Es kann in Bauchlage nach rechts und links schauen. ☐
- Es schneidet allerlei Grimassen, »spielt« mit seinem Gesicht. ☐
- Was Ihnen sonst noch auffällt: ____________________

____

Der Bereich »Greifen, tasten und fühlen«:

- Es will nach Spielzeug greifen, das etwas weiter entfernt liegt, was aber noch nicht gelingt. ☐
- Es schlägt gegen Spielzeug, was die Vorstufe des Greifens ist. ☐
- Es trappelt mit den Füßchen gegen ein Spielzeug (stockend). ☐
- Es schließt seine Hand um ein Spielzeug, wenn man es ihm hinhält. ☐
- Es greift nach einem Spielzeug (etwa einem Schlüsselbund) und bewegt es (etwas hölzern) hin und her. ☐
- Es befühlt Spielzeug, ohne es zu greifen. ☐
- Was Ihnen sonst noch auffällt: ____________________

____

Der Bereich »Sehen«:

- Es entdeckt seine Hände, Füße oder Knie. ☐
- Es schaut Menschen an, die durchs Zimmer laufen oder sonst irgendwie beschäftigt sind. ☐
- Es ist fasziniert von Kindern, die im Zimmer spielen. ☐
- Es schaut gern auf schnell bewegliche Fernsehbilder. ☐
- Es betrachtet den Hund/die Katze, wenn der/die etwas tut, wie laufen, essen, springen. ☐
- Es entdeckt den Vogel, wenn er im Käfig flattert. ☐
- Es ist fasziniert von wehenden Gardinen. ☐

- Es entdeckt Lichtquellen: z. B. eine flackernde Kerze. ☐
- Es betrachtet Baumkronen, die vorbeiziehen, wenn es getragen wird oder auf dem Rücken im Kinderwagen liegt. Vor allem, wenn Licht durch die Zweige fällt und die Blätter rauschen. ☐
- Es betrachtet im Supermarkt die vollen Regale, an denen es »vorbeikommt«. ☐
- Es betrachtet moderne Malerei mit vielen Formen (gebogene Linien) und Farben. Besonders gerne, während es gewiegt wird. ☐
- Es ist begeistert von glitzernder Kleidung oder Schmuck. ☐
- Es schaut gern auf einen essenden Mund. ☐
- Es lauscht und schaut auf einen sprechenden Mund. ☐
- Es studiert die Mimik eines Gesichts. ☐
- Was Ihnen sonst noch auffällt: ______________________________

____

Der Bereich »Hören«:

- Es hört gern Stimmen, Reden, Singen, hohe Töne. ☐
- Es macht kurze Stoßlaute: aaah, uuuh, eeeh, mmm, und hört sich selbst zu. ☐
- Es macht eine Reihe dieser Laute, brabbelt und murmelt, als würde es erzählen. ☐
- Es macht dieselben Laute nach, wenn man es dazu ermuntert. ☐
- Es singt auf eigene Art mit, wenn man mit ihm tanzt und singt. ☐
- Es »redet« und lacht mit Schmusetieren. ☐
- Es erregt bewußt Aufmerksamkeit mit Eeeh-Lauten. ☐
- Es geht dazwischen, wenn andere reden. ☐
- Was Ihnen sonst noch auffällt: ______________________________

____

Denken Sie immer daran, daß Ihr Baby in der neuen Welt nicht alles auf einmal entdecken kann. Mit acht Wochen bekommt es zum ersten Mal Zugang zu dieser Welt. Aber wann es sich etwas aneignet, hängt vom Interesse des Babys ab und davon, wieviel Gelegenheit es dazu erhält. Die meisten Fertigkeiten entwickelt das Baby erst Monate später!

Wofür entscheidet sich Ihr Baby: ein Schlüssel zu seiner Persönlichkeit

Beobachten Sie Ihr Baby genau. Finden Sie heraus, was es gern hat. Wo seine Interessen liegen. Im Kasten »Die Welt der ›Muster‹« ist Platz gelassen, damit Sie angeben können, für was sich Ihr Baby entschieden hat. Zwischen der achten und zwölften Woche wird es die Fertigkeiten auswählen, die es in dieser Welt am meisten ansprechen. Respektieren Sie seine Entscheidungen. Sie werden herausfinden, was es ist, das es einzigartig macht! Wenn Sie auf seine Interessen eingehen, helfen Sie ihm am besten beim Spielen und Lernen.

Die Auswirkungen des Sprungs: Helfen Sie Ihrem Baby beim Lernen

Nun beginnt der zweite Teil Ihrer »Aufgabe«. Sie können Ihrem Baby dabei helfen, Fertigkeiten, für die es eine Begabung hat, weiterzuentwickeln. Wie tun Sie das?

- Begrüßen Sie jeden Versuch Ihres Babys, etwas auszuprobieren, und zeigen Sie Ihre Begeisterung. Wenn es gelobt wird, hat es mehr Lust, bei der Stange zu bleiben.
- Achten Sie darauf, daß Sie Ihr Baby zwar heraus-, aber nicht überfordern. Probieren Sie aus, was Ihrem Baby gefällt.
- Hören Sie auf, wenn Ihr Baby Ihnen zeigt, daß es genug hat.

Wie Sie merken, daß Ihr Baby seine Ruhe haben will

- Es schaut von Ihnen weg.
- Wenn es sehr kräftig ist, wendet es seinen ganzen Körper von Ihnen ab.

Hören Sie mit dem Spielen auf, wenn Sie Ihrem Baby anmerken, daß es genug hat. Manchmal sind die Verschnaufpausen, die es einlegt, zwar kurz, aber es braucht sie. Es muß eben alles erst einmal verdauen.

Vertrauen Sie auf die Reaktionen Ihres Babys. Lassen Sie sich von ihnen leiten.

Manche Dinge muß Ihr Baby selbst üben. Aber ein wenig Begeisterung von Ihrer Seite wird es davon überzeugen, daß es auf dem richtigen Weg ist.

So sind Babys nun mal

Alles, was neu ist, findet Ihr Baby am schönsten. Reagieren Sie darum immer und besonders auf neue Fertigkeiten und Interessen, die Ihr Baby zeigt. Es lernt dann besser, leichter, schneller und mehr.

Helfen Sie Ihrem Baby, die Dinge scharf zu sehen

Im vorigen Kapitel haben wir gehört, daß Babys in einem Laborversuch dazu bereit waren, hart zu »arbeiten«, um einen Film scharf zu sehen. Sie erreichten das, indem sie an einem Schnuller saugten. Sobald sie mit dem Saugen aufhörten, wurde der Filmprojektor wieder auf »unscharf« gestellt. Auf diese Weise hatten die Babys nur sehr kurz etwas von ihrer Arbeit. Sie konnten noch nicht gleichzeitig saugen und schauen. Von diesem Sprung an können sie es. Das kann unangenehme Folgen haben.

***

»Er biß auf einmal so kräftig in meine Brustwarze, daß ich automatisch ausholte und ihm beinahe einen Klaps gegeben hätte. Ich habe mich über meine Reaktion furchtbar erschreckt. Er wollte auch erst gar nicht loslassen. Ich kapiere nicht, warum er das getan hat.« (Stefan, 10. Woche)

***

Denken Sie daran: Das Baby tut das nicht, weil es keinen Hunger hat oder weil es gemein zu Ihnen sein will. Es geht gewöhnlich ganz in seiner »Arbeit« auf. Ganz wie ein Erwachsener, der sich viel Mühe gibt, ordentlich zu schreiben, und dabei seine Zungenspitze rausstreckt.
Sie können Ihrem Baby beim Üben helfen, wenn Sie ihm buntes

Spielzeug aus verschiedenen Abständen heraus zeigen. Sorgen Sie dafür, daß Sie das, was Sie ihm zeigen, leicht bewegen, dann erlangen Sie eher die Aufmerksamkeit Ihres Babys und halten sie auch länger. Bewegen Sie die Gegenstände auch einmal langsam vor und zurück und beobachten Sie, bis zu welchem Abstand Ihr Baby sie noch mit Interesse verfolgt.

Zeigen Sie Ihrem Baby »echte« Dinge

Haben Sie schon gemerkt, daß Ihr Baby lieber »echte Dinge« anschaut als die Bilder von diesen Gegenständen? Es braucht dabei aber immer noch Ihre Hilfe. Es kann noch nicht nahe genug an alles herankommen. Will Ihr Baby etwas aus geringerer Distanz betrachten, braucht es Ihre Hände, um es heranzuholen. Geben Sie ihm diese Chance.

***

»Alles findet sie schön: Bilder, Bücher, Regale, den Inhalt der Vorratskammer. Überall muß ich mit ihr hin. Ich nehme sie auch auf dem Arm mit nach draußen und in die Läden.« (Susanne, 11. Woche)

Variieren Sie die Umgebung Ihres Babys

Mit acht Wochen kann es Ihrem Baby langweilig werden, wenn es immer dasselbe sieht, hört, fühlt, riecht oder schmeckt. Es kann jetzt »Muster« wahrnehmen und merkt daher auch, daß dasselbe »Muster« immer wiederkehrt: dasselbe Spiel, dieselbe Aussicht, dasselbe Geräusch, dasselbe Gefühl und derselbe Geschmack. Zum ersten Mal in seinem Leben will es das nicht mehr hinnehmen. Es will Abwechslung, und die sollten Sie ihm dann auch geben. Tragen Sie Ihr Baby herum oder nehmen Sie es in seiner Wippe überall mit dorthin, wo Sie zu tun haben.

Helfen Sie Ihrem Baby, seine Hände und Füße zu entdecken

Ihr Baby ist nun in der Lage, zu erkennen, daß ab und zu Gegenstände durch sein Gesichtsfeld flattern, die eine Untersuchung wert sind: seine Hände und seine Füße. Es kann sie erstaunt betrachten. Es kann sie ernsthaft studieren. Jedes Baby untersucht sie auf seine eigene Art. Das eine verwendet viel Zeit darauf, das andere weniger. Bei den meisten Babys sind vor allem die Hände besonders begehrt. Vielleicht, weil es ihnen häufiger »begegnet«.

»Er betrachtet detailliert, wie seine Hand sich bewegt. Dabei spielt er ganz subtil mit den Fingern. Er hält eine Hand mit gespreizten Fingern über seinen Kopf, wenn er liegt. Manchmal macht er die Finger einzeln auf und zu. Oder er legt die Hände ineinander oder aufeinander. Seine Hände sind wirklich ständig in Bewegung.« (Daniel, 9. Woche)

***

Geben Sie Ihrem Baby die Chance, seine Hände so viel und so lange zu betrachten, wie es das für nötig hält. Das Baby muß wissen, was Hände alles können, bevor es sie richtig gebrauchen kann. Es ist also außerordentlich wichtig, daß es mit seinen Greifwerkzeugen vertraut wird.

Bringen Sie Ihrem Baby bei, seine Hände um ein Spielzeug zu schließen

Probiert es, seine Hände zu gebrauchen? Etwa, indem es sie um eine Rassel schließt? Es sieht ja jetzt so viel mehr Dinge und will sie auch haben. Doch das gelingt meist nicht sofort. Die Begeisterung der Mutter und ihre Ermunterung bei jedem ernsthaften Versuch kann das Baby daher gut gebrauchen. Wenn es gelobt wird, hat es Lust, weiterzumachen.

***

»Er probiert zu greifen! Er schwingt mit der Hand in die Richtung der Rassel. Oder schlägt dagegen. Etwas später versucht er dann, mit einer richtigen Greifbewegung die Rassel zu holen. Denkt, daß er am Ziel ist, und schließt seine Hand. Aber die Rassel ist ein paar Zentimeter weiter weg. Er erkennt seinen Fehlgriff, wird wütend und fängt an zu schreien.« (Peter, 11. Woche)

***

Führen Sie sich stets vor Augen, daß sich Babys in diesem Alter noch nichts heranholen können. Sie können gerade mal ihre Hand um etwas schließen. Das bedeutet: Spielzeug muß »angeweht« kommen. Stellen oder hängen Sie es deshalb immer in Reichweite. Dann kann Ihr Baby jederzeit das »Festhalten« üben.

Lassen Sie Ihr Baby merken, daß seine Stimme wichtig ist

Seine neusten Laute findet Ihr Baby am interessantesten. Reagieren Sie darum immer prompt darauf. Lassen Sie das Baby hören, wie es klingt, wenn sie ein anderer macht.
Reagieren Sie darauf, wenn es mit Lauten Ihre Aufmerksamkeit erregt. Erregen Sie seine Aufmerksamkeit mit Ihrer Stimme. Da-

durch lernt es, daß seine Stimme wichtig ist. Daß es sie benutzen kann, genau wie seine Hände.

***

»Den ganzen Tag brabbelt sie und fordert Aufmerksamkeit. Horcht auch auf meine Stimme. Richtig schön ist das.« (Susanne, 11. Woche)

Fordern Sie Ihr Baby zu einer Unterhaltung auf

Das Baby zu einer Unterhaltung auffordern – das ist etwas, das jede Mutter tut. Aber die eine tut es automatisch den lieben langen Tag, solange das Baby wach ist. Die andere legt dafür eine bestimmte Zeit fest. Das hat allerdings den Nachteil, daß das Baby nicht immer dazu aufgelegt sein wird. Es versteht nicht, was das Ganze soll. Und seine Mutter gibt schneller auf, denn: »Es reagiert noch nicht.«

Ein Hochziehspiel kann schön sein für die ganz Kräftigen

Die meisten Babys finden es herrlich, sich aus einer halb sitzenden Position zum Sitzen hochziehen zu lassen. Oder vom Sitzen zum Stehen. Die Kräftigen unter ihnen arbeiten selbst mit. Durch dieses Spiel lernen sie, wie es sich anfühlt, wenn man unterschiedliche Körperhaltungen einnimmt, und sie lernen, sie zu beherrschen. Wenn ein Baby selbst mitarbeitet, schießt es noch ruckartig von einer Haltung in die andere. Und wenn es die folgende Haltung eingenommen hat, verharrt es gern darin. Die Haltungsveränderung klappt also noch nicht reibungslos, aber das Baby findet es herrlich, die neue Haltung einen Augenblick beizubehalten. Einige Babys können richtig böse werden, wenn das Spiel beendet wird.

***

»Ich finde, daß er sich auf einmal so hölzern bewegt, wenn er steht. Er macht auch immer so spastische Bewegungen, wenn er ausgezogen auf der Kommode liegt. Ich frage mich, ob das normal ist.« (Rudolf, 11. Woche)

»Sie will den ganzen Tag stehen und dann andauernd gelobt werden. Meckert, wenn das Kompliment ausbleibt.« (Astrid, 10. Woche)

***

Daß Babys dieses Spiel schön finden, entdecken meist zuerst die Väter. Mütter spielen es dann auch – und zwar mit Jungen ausgiebiger als mit Mädchen!

Ein anspruchsvolles Baby kann hoch begabt sein

Manche Babys haben etwas Neues schnell satt und fühlen sich mit dem täglichen Einerlei nicht ausgelastet. Sie wollen mehr, sie wollen Action. Sie wollen die Spiele verzwickter, und sie wollen andauernd Abwechslung. Die Mutter von so einem »Wirbelwind« oder »D-Zug« hat es nicht einfach. Oft fühlt sie sich total ausgelaugt. Sie weiß zum Schluß nicht mehr, was sie noch tun soll.

Und ihr Baby fängt an zu brüllen, wenn es nichts Neues mehr geboten bekommt.

Was Sie wissen sollten

- Daß Ihr Baby lernbegieriger ist, wenn seine Entwicklung einen Sprung macht. Daß es schneller, besser und leichter lernt, je mehr Sie auf seine Interessen und Wünsche eingehen.
- Daß ein Schreibaby (oder ein anspruchsvolles Baby) automatisch mehr Aufmerksamkeit bekommt, weil es so viel brüllt. Als Mutter müssen sie immer noch etwas im Hut haben, um es zufriedenzustellen und bei Laune zu halten. Dabei hilft Ihnen Ihr Baby.
- Daß ein Schreibaby (oder ein anspruchsvolles Baby) später mehr Chancen hat, zu den intelligenteren Schülern zu gehören. Zumindest, wenn Sie in der Babyzeit richtig auf es eingehen.
- Daß ein pflegeleichtes Baby leicht »in Vergessenheit gerät«, weil es Sie nicht so oft dazu zwingt, etwas mit ihm gemeinsam zu tun. Geben Sie ihm also extra Anregungen.

Es hat sich herausgestellt, daß hochbegabte Kinder als Babys oft weinerlicher und fordernder gewesen sind. Solange sie interessante Dinge erfahren oder neue Fertigkeiten erlernen können, ist alles gut. Eine neue Fähigkeit gibt ihnen die Chance, Neues zu lernen. Sie tun das mit Enthusiasmus und verlangen stets lautstark nach Aufmerksamkeit und Hilfe beim Lernen. Ihr Hunger, Neues zu lernen, ist nicht zu stillen. Also machen sie einen Sprung in Windeseile durch. Sie probieren und lernen beinahe alles, was die neue Welt ihnen zu bieten hat, variieren es und langweilen sich dann wieder. Der Mutter bleibt kaum etwas anderes übrig, als auf den nächsten Sprung zu warten.

Allein spielen gehört auch dazu

Fast alle Mütter finden, daß ihr Baby nun eigentlich in der Lage sein sollte, sich auch einmal allein zu amüsieren. Es ist so interessiert an seinen Händen und Füßen, seinem Spielzeug und seiner Umgebung. Es liegt auch gerne der Länge nach auf dem Boden. Viele Mütter versuchen jetzt, die Zeit, in der ihr Baby allein spielt, so lange wie möglich auszudehnen. Und immer, wenn sie denken, daß die Begeisterung nachläßt, schleppen sie neues Spielzeug heran. Die meisten Babys halten mit Hilfe ihrer Mutter ungefähr 15 Minuten durch.

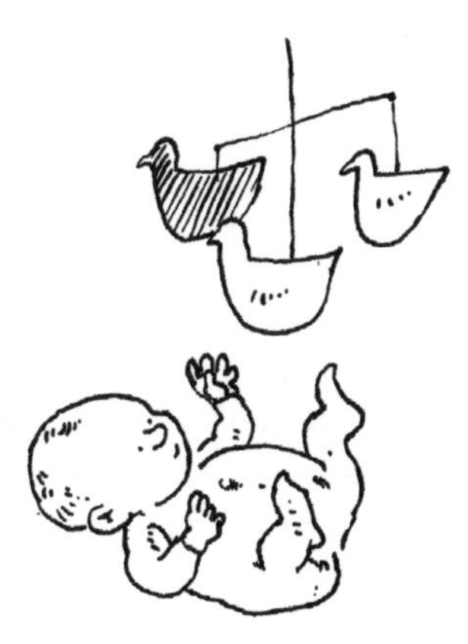

»Nach dem Füttern setze ich ihn immer in die Wippe. Mal hänge ich ein Mobile drüber, das er dann anschaut. Das andere Mal ein Trapez mit Spielzeug, gegen das er manchmal schlägt. Das funktioniert ganz gut.« (Dirk, 11. Woche)

»Muster«: Die Spitzenreiter unter den Spielen

Dies sind Spiele und Übungen, die auf die neue Fähigkeit eingehen und die bei fast allen neun bis zwölf Wochen alten Babys hoch im Kurs stehen.

Seine Hände, Füße und Knie faszinieren das Baby. Geben Sie ihm soviel Gelegenheit wie möglich, sie zu studieren. Um sich gut bewegen und alles gut sehen zu können, braucht das Baby Platz. Den hat es zum Beispiel auf einem großen Badelaken oder einer Decke. Wenn es schön warm ist, lassen Sie Ihr Baby doch auch mal nackt strampeln. Das findet es am allertollsten. Wenn Sie seine Aufmerksamkeit länger auf seine Hände oder Füße lenken wollen, können Sie ein buntes Band um sie herum binden, an dem Sie auch noch ein Glöckchen festmachen können.

Gespräche unter vier Augen. Setzen Sie sich dafür bequem hin. Sorgen Sie für eine Stütze im Rücken. Ziehen Sie die Knie an und legen Sie das Baby auf Ihre Oberschenkel. In dieser Haltung kann es Sie gut anschauen. Gleichzeitig können Sie all seine Reaktionen gut sehen. Erzählen Sie, was Ihnen den Tag über passiert ist. Oder was Sie gleich tun wollen. Was Ihnen so einfällt. Es ist egal, worüber Sie sprechen – wichtig sind der Rhythmus Ihrer Stimme und Ihre Mimik. Achten Sie auf die Reaktionen Ihres Babys. Daran merken Sie, was es am meisten fesselt. Denken Sie daran, daß ein sprechender Mund und ein Gesicht, dessen Ausdruck häufig wechselt, fast immer hervorragend bei ihm ankommen! Hören Sie auf, wenn das Baby Ihnen zeigt, daß es genug hat.

Zusammen Dinge anschauen. Ein Baby in diesem Alter kann Dinge noch nicht greifen, um sie zu betrachten. Es beginnt gerade, das zu lernen. Betrachten Sie darum alle Dinge, von denen es fasziniert ist, gemeinsam. Ihr Baby genießt es, Ihre Stimme zu hören, und lernt viel dadurch. Lassen Sie sich immer durch seine Reaktionen leiten.

Hochziehspiel. Das dürfen Sie erst dann spielen, wenn Ihr Baby seinen Kopf alleine hochheben kann. Setzen Sie sich dazu bequem hin. Sorgen Sie für eine Rückenstütze. Ziehen Sie die Knie an und legen Sie das Baby auf Ihre Oberschenkel. Es sitzt dann halb aufrecht. Packen Sie es nun an seinen Armen, und ziehen Sie es langsam in Sitzposition. Ermuntern Sie Ihr Baby, selbst mitzuhelfen. Und loben Sie es. Achten Sie auf die Reaktionen Ihres Babys. Machen Sie nur weiter, wenn Sie merken, daß es richtig mitmacht und es Ihnen zeigt, daß es ihm gefällt.

Gemeinsam baden. Besonders schön findet es das Baby, das Wasser anzuschauen, wenn es in Bewegung ist. Und es genießt die kleinen Wellen, die über seinen Körper rollen. Legen Sie das Baby auf Ihren Bauch und zeigen Sie ihm die Wassertröpfchen und -rinnsale, die herunterlaufen. Oder legen Sie es mit seinem Rücken auf Ihren Bauch und singen Sie ein Lied. Dabei schaukeln Sie im Takt langsam hin und her und machen kleine Wellen.

Denken Sie daran: Das Baby mag jetzt alles, was sich bewegt, sehen, hören, fühlen und selbst tun.

Spielzeug, das Ihr Baby jetzt am meisten fasziniert

Das sind Spielsachen, die auf die neue Fähigkeit eingehen und die bei fast allen neun bis zwölf Wochen alten Babys gut ankommen.

- Zum Anschauen: Spielsachen, die über seinem Kopf baumeln.
- Zum Anschauen: ein Mobile, das sich aber bewegen muß.
- Zum Anschauen und Zuhören: eine Spieluhr.
- Zum Anschauen und Zuhören: ein Mobile, das sich bewegt und Geräusche macht.
- Zum Tasten und Greifen: Spielsachen, gegen die es schlagen oder die es anfassen kann.
- Zum Anbrabbeln und Anlachen: ein Schmusetier.

Eines ist klar: Die Mutter ist immer noch das schönste Spielzeug!

Der Sprung ist geschafft

Um die zehnte Woche herum beginnt wieder eine unkomplizierte Phase. Fast alle Mütter haben dann auf einmal die Sorgen der vergangenen Zeit wieder vergessen. Sie vergöttern ihr Baby geradezu. Sie finden, daß es sich großartig entwickelt, und meinen, daß ihnen erst jetzt so richtig auffällt, wie »pflegeleicht und fröhlich« es immer ist!

Was fällt auf? Um die zehnte Woche verlangt das Baby nicht mehr Tag und Nacht nach Mutters Aufmerksamkeit. Es ist selbständiger geworden. Sein Interesse richtet sich auf seine Umgebung. Auf Menschen, Tiere, Gegenstände. Es fällt auf, daß es auf einmal viel mehr Dinge weiß und erkennt. Das Baby macht nun auch deutlich, daß es nicht mehr die ganze Zeit auf dem Schoß liegen will. Es ist wuselig, unruhig und versucht immer, sich aufzusetzen. Es will nur noch bei seiner Mutter sein, wenn sie ihm etwas zeigt, was ihm gefällt.

Die meisten Babys sind jetzt so fröhlich und so beschäftigt, daß für ihre Mutter alles viel leichter wird. Sie hat das Gefühl, wieder mehr Energie zu haben.

⁂

»Sie wirkt auf einmal ›klüger‹ als früher. Anderen fällt das auch auf. Jeder spricht nun richtig mit ihr, statt alberne Geräusche zu machen.« (Anna, 10. Woche)

⁂

»Sie benimmt sich ›klüger‹. Sie ist freundlicher, fröhlicher und lacht ab und zu laut. Die Probleme mit der Schreierei sind wohl vorbei. Das ist eine totale Veränderung von ›nichts mit sich anzufangen wissen‹ hin zu ›genießen‹. Ihr Vater kann es jetzt gar nicht erwarten, sie abends zu sehen. Bis jetzt kam er immer widerstrebend (›Was ist wohl heute abend wieder los?‹) nach Hause. Jetzt genießt er die Zeit mit ihr, füttert sie und bringt sie abends ins Bett.« (Julia, 10. Woche)

***

»Das Empfindliche ist weg. Ich kann eine Veränderung feststellen: Auf meinem Schoß liegen ist nicht mehr so interessant wie selbständig sein und spielen.« (Stefan, 10. Woche)

***

»Sie wird jetzt ein richtiger lebendiger kleiner Mensch, finde ich. Früher hat sie eben nur geschlafen und gegessen. Jetzt streckt sie sich, wenn ich sie aus dem Bett hole. Wie eine Erwachsene.« (Nina, 10. Woche)

***

»Ich weiß nicht, ob das damit zu tun hat, aber ich finde es doch sehr auffallend. Ich fühle mich seit letzter Woche viel energiegeladener. Und ungefähr gleichzeitig begann auch das Baby, selbständiger zu werden. Ich finde es übrigens wunderschön zu sehen, wie seine Selbständigkeit erwacht. Das Lachen, Genießen, Spielen. Es gibt jetzt mehr Kommunikation zwischen uns. Ich kann meiner Phantasie mit den Spielzeugtieren freien Lauf lassen und mir Lieder oder Spiele ausdenken. Er ist jetzt mehr wie ein kleiner Kamerad, weil er anfängt zu reagieren. Damit komme ich besser klar als mit dem anfänglichen Essen, Heulen, Wiegen, Schlafen.« (Daniel, 10. Woche)

Foto

Nach dem Sprung

Alter: ____________________

Was auffällt: ____________________

FREUD' UND LEID UM DIE 12. WOCHE

Um die zwölfte Woche herum kündigt sich der folgende Sprung an. Manchmal auch schon um die elfte. Ihr Baby erwirbt eine neue Fähigkeit. Mit dieser Fähigkeit kann es völlig neue Dinge erlernen. Dinge, die es vor diesem Alter noch nicht erlernen konnte. Das Baby spürt, daß etwas mit ihm geschieht. Es merkt, daß es seine Welt anders erlebt. Daß es Dinge sieht, hört, riecht, schmeckt und fühlt, die total neu sind.

Es merkt auch, daß das Bekannte aus seiner alten Welt nicht mehr da ist. Es ist verstört. Man könnte auch sagen: ihm ist der Boden unter den Füßen weggezogen worden. Ihr Baby muß die neue Erfahrung in aller Ruhe verarbeiten, und es kennt einen vertrauten, sicheren Ort, von dem aus es das kann. Es will zurück zu seiner Basis, zurück zu Mama. Von der vertrauten Sicherheit aus kann es sich an seine neue Welt gewöhnen. Die schwierige Phase dauert jetzt weniger lang als die vorangegangene. Einige Babys berappeln sich nach einem Tag, andere brauchen dafür eine Woche.

Zur Erinnerung

Wenn Ihr Baby »schwierig« ist: Achten Sie einmal darauf, ob es etwas Neues kann oder übt.

Der Sprung kündigt sich an: Zurück zu Mama

Alle Babys schreien nun häufiger und länger. Das eine natürlich wieder mehr als das andere. Einige sind untröstlich. Andere sind quengelig, mißmutig, launisch oder lustlos. Das eine wird überwiegend nachts zur Plage. Das andere ist besonders tagsüber aus dem Gleis. Alle Babys schreien weniger, wenn man sie herumträgt, mit ihnen durchs Zimmer tanzt oder ihnen Aufmerksamkeit schenkt. Und doch merkt man auch dann, daß sie nicht ganz sie selbst sind und bei der kleinsten Kleinigkeit wieder anfangen, zu quengeln oder zu schreien.

Woran Sie merken, daß Ihr Baby »bei Mama bleiben« will

Verlangt Ihr Baby nach mehr Aufmerksamkeit? Es ist auffallend, daß das Baby sich nicht mehr so gut alleine beschäftigen kann. Es will Aufmerksamkeit. Seine Mutter muß bei ihm bleiben, ständig nach ihm sehen und mit ihm reden. So etwas fällt besonders auf, wenn Ihr Baby nach dem vorangegangenen Sprung gerade etwas selbständiger geworden ist. Man könnte meinen, das Baby hätte einen Rückfall erlitten.

***

»Er war außerordentlich anhänglich. Zufrieden war er nur, wenn er oben, über meiner Schulter, hing. Und am liebsten wollte er dazu noch ein Tänzchen.« (Daniel, 12. Woche)

Fremdelt es? Eins von drei Babys fremdelt. Es ist auffallend schwierig, wenn Besuch da ist. Es beginnt zu weinen, wenn ein »Fremder« es anspricht oder ansieht. Manchmal will so ein kleiner Wicht absolut nicht vom Besuch auf den Schoß genommen werden. Aber wenn er bei seiner Mutter in Sicherheit ist, wagt er doch einmal ein Lächeln. Andere Babys vergraben sich auch dann noch an der Schulter ihrer Mutter. Als wären sie verlegen.

Klammert es sich stärker an Sie? Einige Babys krallen sich kräftig an ihrer Mutter fest, wenn sie herumgetragen werden. Als hätten sie Angst, losgelassen zu werden. Sie können dabei ganz schön kneifen.

Ißt es schlechter? Viele Babys essen nun schlechter. Stillbabys, die selbst entscheiden, wann sie an die Brust wollen, wollen es nun den ganzen Tag. Aber sie trinken nicht. Flaschenbabys lassen sich mehr Zeit, das Fläschchen auszutrinken - wenn sie es überhaupt austrinken. Das kommt daher, daß all diese Babys immer nur daliegen und an Brustwarze oder Sauger knabbern, ohne zu trinken. Sie benutzen Sauger oder Brustwarze als Trostspender. Sie wollen so lange wie möglich nuckeln. Meist duseln sie dabei langsam ein.
Andere Babys halten ihre Mutter während des Trinkens fest. Oder stecken ihre Hand in Mutters Bluse. Auch wenn sie aus dem

Fläschchen trinken. Als hätten sie Angst, daß Brust oder Fläschchen verschwinden könnten.

***

»Während sie trinkt, steckt sie ihre Hand in meine Bluse. Wir sagen dazu: ›Sie bust.‹« (Anna, 12. Woche)

***

Schläft es schlechter? Viele Babys schlafen nun schlecht. Sie werden nachts bis zu dreimal wieder wach und wollen gefüttert werden. Auch tagsüber wollen einige Babys nicht ins Bett. Oder sie wachen schnell wieder auf. Bei vielen Babys ist der normale Tagesablauf zum Chaos geworden. Für Schlafen und Füttern gibt es keine festen Zeiten mehr.

Lutscht es häufiger am Daumen? Einige Babys lutschen nun öfter und länger am Daumen. Ihren Müttern zufolge benutzen sie ihn als Trösterchen. Sie nuckeln, statt zu heulen.

Ist es stiller, bewegt es sich weniger? Manche Babys machen weniger Geräusche. Sie sind zeitweise etwas stiller. Es kann auch sein, daß das Baby sich weniger bewegt und einige Zeit ganz still daliegt. Das liegt daran, daß bald neue Laute und Bewegungen die »alten« überlagern werden.

***

»Sie liegt am liebsten an mich gekuschelt im Tragetuch. Still und ruhig. Ich habe das Gefühl, daß es für sie dann nichts Schöneres gibt, als einzuschlafen, behaglich an mich gelehnt. Aber ich habe es eigentlich doch lieber, wenn sie sich mit irgend etwas beschäftigt.« (Nina, 12. Woche)

Woran Sie merken, daß Ihr Baby kopfsteht

- Es schreit mehr. ☐
- Es will häufiger beschäftigt werden. ☐
- Es ißt schlechter. ☐
- Es fremdelt (öfter). ☐
- Es klammert sich stärker an Sie. ☐
- Es sucht während des Fütterns mehr Körperkontakt. ☐
- Es schläft schlechter. ☐
- Es lutscht (häufiger) am Daumen. ☐
- Es bewegt sich weniger. ☐
- Es macht weniger Geräusche. ☐
- Was Ihnen sonst noch auffällt: ______________________

  ____

Sorgen[1] und Irritationen

Die Mutter macht sich Sorgen. Alle Mütter sind unmittelbar besorgt, wenn ihnen auffällt, daß das Baby lustlos ist, mehr schreit, schlechter schläft, nicht normal ißt oder in seiner Entwicklung zurückfällt, was Geräusche, Bewegungen und Selbständigkeit angeht. Eigentlich erwarten Mütter Fortschritt. Bleibt der aus – wenn auch nur für kurze Zeit –, finden sie das »scheußlich«. Sie sind verunsichert und fragen sich, ob sie etwas falsch machen. Oder sie befürchten, daß mit dem Baby etwas nicht in Ordnung ist. Daß es krank ist oder »nicht normal«. Aber nichts von dem trifft zu. Im Gegenteil. Das Baby läßt nur erkennen, daß es vorwärts geht, daß es den nächsten Sprung in seiner Entwicklung macht. Aber es läßt auch erkennen, daß dieser Sprung nicht schmerzlos vonstatten geht. Sie unterstützen Ihr Baby am besten, indem Sie ihm zeigen, daß Sie Verständnis für seine Schwierigkeiten haben.

1) Wenden Sie sich im Zweifel immer an einen Arzt oder eine Beratungsstelle.

»Wenn sie so viel schreit und herumgetragen werden will, fühle ich mich gehetzt und zu nichts mehr imstande. Das verunsichert und lähmt mich.« (Stefanie, 12. Woche)

***

»Ich suche ständig nach dem Grund für ihre Schreitage. Ich will wissen, was sie belastet, damit ich wieder ›beruhigter‹ sein kann.« (Laura, 12. Woche)

***

»Ich merke, daß ich außerordentlich schlecht mit seinem Geschrei klarkomme. Ich kann es einfach nicht mehr hören. Ich würde lieber jede Nacht viermal ohne als zweimal mit Gebrüll rausmüssen.« (Peter, 11. Woche)

***

Die Mutter ärgert sich. Viele Mütter ärgern sich über »das Unregelmäßige«, das aus den ständig wechselnden Schlaf- und Essenszeiten entsteht. Nichts können sie sich vornehmen. Immer wieder müssen sie ihre Pläne umwerfen. Häufig haben sie das Gefühl, daß sie von den anderen Familienmitgliedern oder ihrer Umgebung unter Druck gesetzt werden. Sie fühlen sich hin und her gerissen. Ihr Gefühl sagt ihnen, daß sie sich um ihr Kind kümmern sollten, aber auf die eine oder andere Art lassen andere Menschen das nicht zu.

***

»Ich ärgere mich, wenn er quengelt und sich nicht mal kurz allein unterhalten kann. Er will fortlaufend beschäftigt werden. Jeder kommt mit guten Ratschlägen an. Mein Mann eingeschlossen.« (Rudolf, 12. Woche)

***

»Ich merke, daß ich mit dieser Unregelmäßigkeit besser fertig werde, wenn ich mich auf nichts festlege. Wenn ich alles plane und es geht schief, ärgere ich mich nur. Jetzt mache ich es anders, und plötzlich habe ich sogar manchmal ein paar Stunden nur für mich alleine.« (Laura, 12. Woche)

***

Die Mutter ärgert sich und findet: »Jetzt reicht's«. Manchmal kann oder will eine Mutter ihren Zorn nicht mehr unterdrücken und läßt das Baby auch merken, daß sie jetzt genug hat.

***

»Er war so unruhig. Ich mußte immer an die Nachbarn denken. Sonntagnachmittag kam das Faß dann zum Überlaufen. Nichts konnte man ihm recht machen. Zuerst fühlte ich mich machtlos, und dann wurde ich furchtbar böse, weil es mir einfach zuviel wurde. Da habe ich ihn in seinem Zimmer allein gelassen. Ein kräftiger Weinkrampf beruhigte mich wieder etwas.« (Daniel, 12. Woche)

***

»Wir hatten Besuch. Er war quengelig, und alle hatten gute Ratschläge auf Lager. Davon werde ich immer supernervös. Als ich ihn oben in sein Bettchen legen wollte, konnte ich mich nicht mehr beherrschen. Ich habe ihn genommen und durchgeschüttelt.« (Timo, 11. Woche)

Schütteln ist höchst gefährlich!

Auch wenn Sie – verständlicherweise – manchmal frustriert oder wütend auf Ihr Baby sind … schütteln Sie es **auf gar keinen Fall!** Bei kleinen Kindern kann Schütteln Blutungen im Kopf verursachen, die wiederum zu Hirnschädigungen führen können. Dadurch können später Lernschwierigkeiten auftreten. Es ist auch schon vorgekommen, daß Kinder durch Schütteln zu Tode kamen.

Auch die Mutter steht unter Spannung

Es ist klar, daß nicht nur das Baby angespannt ist, wenn seine Entwicklung einen Sprung macht, sondern auch seine Familie, vor allem seine Mutter.

***

»Wenn sie mal weniger schrie, war es, als würde mir ein großer Stein vom Herzen fallen. Daran merkte ich, wie angespannt ich war.« (Anna, 11. Woche)

Wenn die Mutter um ihr Baby sehr besorgt ist und in ihrer Umgebung keine Unterstützung findet, kann es zu Erschöpfungszuständen kommen. Ganz besonders, wenn auch noch der Schlaf zu kurz kommt. Sie kann nicht mehr. Körperlich nicht und seelisch auch nicht. Und mit einem Baby, das ständig nach Aufmerksamkeit verlangt, das auch noch wenig schläft, stehen die Chancen dafür natürlich am besten.
Wenn die Mutter erschöpft ist und noch dazu von allen Seiten »gebraucht« wird, kann sie von der Situation überwältigt werden. Es kann dann sein, daß sie ihr Baby härter als erforderlich anpackt. Wenn Mütter erzählen, daß sie ihr Baby geschlagen haben, war das fast immer in so einer schwierigen Phase. Und das hat nichts damit zu tun, daß sie ihr Baby verabscheuen, sondern damit, daß sie Angst um das Wohlbefinden ihres Babys und vor der Kritik ihrer Mitmenschen haben. Sie fühlen sich mit ihren Problemen alleingelassen.

***

»Seitdem seine Kollegen gesagt haben, daß sein Sohn sein Ebenbild ist, findet mein Mann es toll, wenn ich mich voll und ganz um das Baby kümmere, wenn es schreit. Etwas anderes kommt überhaupt nicht mehr in Frage. Vorher war das übertriebenes Verwöhnen. Jetzt ist alles viel leichter. Ich bin weniger angespannt, wenn ich das Baby tröste, und das Baby merkt es. Alles läuft viel reibungsloser.« (Timo, 12. Woche)

Wenn Ihr Baby schwierig ist, werden Sie feststellen, daß es mehr kann

Wenn das Baby verstört ist, hat die Mutter es besonders gut im Auge. Sie will wissen, was los ist. Dabei stellt sie fest, daß es neue Dinge tut oder versucht zu tun. Tatsächlich entdeckt sie die allerersten Fertigkeiten, die Folge der neuen Fähigkeit sind, die das Baby erworben hat.
Um die zwölfte Woche herum bekommt jedes Baby die Fähigkeit, »fließende Übergänge« wahrzunehmen und selbst zu schaffen. Diese Fähigkeit kann man wiederum vergleichen mit einer »neuen Welt«, die Ihrem Baby nun offensteht und in der es ein breites Spektrum an »fließenden Übergängen« entdecken kann. Ihr Baby, mit seinen Anlagen, Vorlieben und seinem Temperament, trifft jeweils seine eigene Wahl. Und Sie als Erwachsener können ihm dabei helfen.

Der Sprung: Die Welt der »fliessenden Übergänge«

Ihr Baby kann jetzt zum ersten Mal »fließende Übergänge« sehen, hören, riechen, schmecken und fühlen. Beispielsweise den Übergang von einem Ton zum anderen oder von einer Haltung in die andere. Mit dieser Fähigkeit kann es nun auch »fließende Übergänge« wahrnehmen, wenn sie von anderen »gemacht« werden. Aber es kann auch lernen, sie selbst in Angriff zu nehmen. Es kann das mit seinem Körper, seinem Kopf, seinen Stimmbändern, seinen Augen und so fort. Es nimmt fließende Übergänge außerhalb und innerhalb seines Körpers wahr. Sie können sich vorstellen, daß es wieder viel Neues lernen und »alte« Fertigkeiten verbessern kann.

Das Baby lernt zum Beispiel, fließend von einer Haltung in die andere zu wechseln. Es hat jetzt ein Gefühl dafür, wie es allmählich seinen Arm in Richtung eines Spielzeugs ausstrecken kann. Wie es allmählich seine Beine strecken und beugen kann, um sich hinzustellen oder aufzusetzen. Es wird Ihnen auffallen, daß die Bewegungen Ihres Babys nicht mehr hölzern oder staksig sind wie nach dem vorangegangenen Sprung. Sondern daß es sich jetzt viel »kontrollierter«, »erwachsener« und »bewußter« bewegt. Und das liegt an dem ruhigen, allmählichen, fließenden Übergang von einer Haltung in die andere.

Jetzt können Sie auch sehen, daß das Baby die Bewegungen seines Kopfes gut unter Kontrolle hat. Es kann seinen Kopf in einer fließenden Bewegung von der einen auf die andere Seite drehen, langsam, aber auch schnell. Es kann alles auf eine »erwachsene« Art verfolgen. Das Baby sieht wieder dorthin, wo ein Geräusch

herkommt – etwas, das es zwischen dem ersten und zweiten Monat nicht mehr tat. Doch das Reagieren auf ein Geräusch geschieht jetzt schneller und geschmeidiger.
Außerdem kann Ihr Baby jetzt lernen, feste Nahrung bewußt und problemlos hinunterzuschlucken. Es verbessert damit seine »hölzernen« Schluckversuche, die es nach dem vorangegangenen Sprung das erste Mal machen konnte. Und das ist gut so. »Hölzern« zu schlucken ist und bleibt eine gefährliche Sache. Wenn das Baby nicht lernt, »fließend« zu schlucken, erstickt es an fester Nahrung.
Das Baby kann jetzt auch fließende Übergänge von einem Laut zum anderen erkennen. Und es kann sie selbst verursachen. Das tut es krähend und kreischend. Ferner kann es zum ersten Mal Übergänge zwischen lauten und leisen Geräuschen wahrnehmen und mit seiner Stimme damit spielen.
Das Baby kann nun auch viel besser sehen, fast wie ein Erwachsener. Es kann mit seinen Augen ruhig und beherrscht eine Bewegung verfolgen. Es kann das sogar, ohne seinen Kopf zu drehen. Es kann auch die Schritte von jemanden verfolgen, der kommt oder geht. Das heißt, es kann nun ein ganzes Zimmer überschauen.
Nach diesem Sprung kann das Baby lediglich *einen* fließenden Übergang wahrnehmen oder ausführen. Etwa eine einfache Bewegung in eine bestimmte Richtung. Will es eine neue in Angriff nehmen, muß es kurz pausieren, bevor es dazu ansetzen kann. Daß die eine Bewegung in eine andere übergeht, kann es noch nicht begreifen. Das lernt es erst beim nächsten Sprung.

Kopfarbeit

Um die zehnte bis elfte Woche herum nimmt der Kopfumfang Ihres Babys drastisch zu.

Die Welt der »fließenden Übergänge«

Der Bereich »Selbermachen«:

- Der Kopf muß kaum noch gestützt werden. ☐
- Es dreht den Kopf unmittelbar und fließend von der einen auf die andere Seite, wenn es etwas sehen oder hören will. ☐
- Es kann einen Gegenstand, der sich bewegt, kontinuierlich mit den Augen verfolgen. ☐
- Es ist lebhafter, aktiver, strampelt und dreht sich in alle Richtungen. ☐
- Es hebt beim Windelwechsel den Po (als Spiel). ☐
- Es rollt sich mit Hilfe Ihrer Finger selbst vom Bauch auf den Rücken oder vom Rücken auf den Bauch. ☐
- Es steckt die Zehen in den Mund und dreht sich um die eigene Achse. ☐
- Es setzt sich ohne Hilfe aufrecht, wenn es an Sie gelehnt sitzt. ☐
- Es zieht sich mit Hilfe von zwei Ihrer Finger selbst zum Sitzen hoch. ☐
- Es drückt, von zwei Ihrer Finger unterstützt, die Füße in einer fließenden Bewegung zum Stehen auf, wenn es auf Ihrem Schoß sitzt. ☐
- Es drückt sich mit beiden Füßen ab, wenn es in der Wippe oder im Bettchen liegt. ☐
- Was Ihnen sonst noch auffällt: ______________________________

  ____

Der Bereich »Greifen, Tasten, Fühlen«:

- Es greift und hält mit beiden Händen. ☐
- Es greift gezielt, bewußt, beidhändig ein Spielzeug. ☐
- Es greift gezielt, bewußt, beidhändig ein Spielzeug, das ihm angeboten wird. ☐
- Es kann eine Rassel schütteln. ☐
- Es studiert Ihre Hände und nestelt daran. ☐
- Es studiert und betastet Ihr Gesicht, Ihre Augen, Ihren Mund, Ihre Haare. ☐
- Es studiert Kleidung und nestelt daran. ☐

- Es steckt alles in den Mund. ☐
- Es streicht sich selbst vom Nacken zu den Augen über den Kopf. ☐
- Es streicht sich selbst mit einem Spielzeug über Kopf oder Wangen. ☐
- Was Ihnen sonst noch auffällt: ________________________

____

Der Bereich »Hören und Sprechen«:

- Es entdeckt Kreischen oder Krähen, läßt es von laut nach leise abschwellen. Oder andersherum. Und/oder von hoch nach tief. Oder andersherum. ☐
- Es produziert neue Geräusche. Vokalartige, wie: ih, uh, eh, oh, ah, äh, hebbüh. Die Laute klingen »sprachähnlicher«. ☐
- Es liegt oder sitzt irgendwo und »erzählt« mit seinen neuen Lauten ganze Geschichten. ☐
- Es entdeckt, daß es Blasen aus Spucke machen kann. Das gefällt ihm. Es lacht darüber. ☐
- Was Ihnen sonst noch auffällt: ________________________

____

Der Bereich »Sehen«:

- Es dreht die Hände, studiert Ober- und Unterseite. ☐
- Es studiert die Bewegungen seiner Füße. ☐
- Es studiert ein Gesicht, Augen, Mund und Haare. ☐
- Es studiert die Kleidung einer Person. ☐
- Was Ihnen sonst noch auffällt: ________________________

____

Der Bereich »Diverses«:

- Es läßt klar erkennen, daß es etwas schön findet, indem es weiter schaut, horcht, greift oder indem es etwas »sagt« und dann abwartet, daß man weitermacht. ☐
- Es kann sich bei unterschiedlichen Menschen deutlich anders verhalten (anders gucken, anders lächeln, anders »reden«, anders weinen, sich anders bewegen). ☐

- Es zeigt deutlich, daß es sich langweilt, wenn es immer wieder dasselbe sieht, hört, riecht, fühlt oder tut. Abwechslung spielt eine größere Rolle. ☐
- Was Ihnen sonst noch auffällt: ______________________
____

Denken Sie daran, daß Ihr Baby in seiner neuen Welt nicht alles auf einmal entdecken kann. Mit zwölf Wochen bekommt es zum ersten Mal Zugang zu dieser Welt. Aber wann es sich etwas aneignet, hängt vom Interesse des Babys ab und davon, wieviel Gelegenheit es dazu erhält. Die meisten Fertigkeiten entwickelt das Baby erst Monate später.

Wofür entscheidet sich Ihr Baby: ein Schlüssel zu seiner Persönlichkeit

Einige Babys sind ausgesprochen empfänglich für Eindrücke von außen. Sie beschäftigen sich deutlich mehr damit, zu sehen, zu hören und zu fühlen, als damit, etwas selbst zu tun. Leider werden im allgemeinen die Fortschritte in der Entwicklung eines Babys vorwiegend an groben motorischen Meilensteinen – wie Greifen, Rollen, Krabbeln, Sitzen, Stehen und Laufen – festgemacht. Bei diesem sehr einseitigen Verständnis von Fortschritt aber steht das Seh-hör-fühl-Baby als Spätentwickler da. Denn ein solches Baby kann meist erst später Dinge greifen, aber wenn es erst einmal einen Gegenstand in der Hand hat, dann betrachtet es ihn von allen Seiten. Bei einer solchen »Untersuchung« dreht und wendet es den neuen Gegenstand, schaut und horcht, streicht sich damit über die Wangen und riecht sogar daran. Diese Babys beschäftigen sich tatsächlich mit etwas viel Komplizierterem, wodurch sie eine breite und solide Grundlage für ihre späteren Lernfähigkeiten erwerben.
Im Gegensatz dazu geht es körperlich aktiveren Babys häufig nur darum, irgend etwas zu greifen. Sobald sie den Gegenstand in der Hand halten, verlieren sie das Interesse daran und lassen ihn

fallen, um nach einer neuen Herausforderung Ausschau zu halten.

Beobachten Sie Ihr Baby genau. Finden Sie heraus, was es gern hat. Wo seine Interessen liegen. Im Kasten »Die Welt der ›fließenden Übergänge‹« ist Platz gelassen, damit Sie angeben können, für was sich Ihr Baby entschieden hat. Zwischen der 12. und 15. Woche wird es die Fertigkeiten auswählen, die es in dieser Welt am meisten ansprechen. Respektieren Sie seine Entscheidungen. Sie werden herausfinden, was es ist, das Ihr Baby einzigartig macht! Wenn Sie auf seine Interessen eingehen, helfen Sie ihm am besten beim Spielen und Lernen.

So sind Babys nun mal

Alles, was neu ist, findet Ihr Baby am schönsten. Reagieren Sie darum immer und ganz besonders auf neue Fertigkeiten und Interessen, die Ihr Baby zeigt. Es lernt dann besser, leichter, schneller und mehr.

Die Auswirkungen des Sprungs: Helfen Sie Ihrem Baby beim Lernen

Je mehr Ihr Baby seine neuen Fertigkeiten übt oder mit ihnen spielt, desto besser bekommt es sie »in den Griff«. Es lernt, indem es etwas, das neu ist, hundertmal wiederholt. Und das gefällt ihm eigentlich immer. Fast alle Mütter gehen automatisch darauf ein. Sie finden es herrlich, all das, was das Baby tut, in spielerischer Weise zu üben. Sicher, das Baby übt auch allein. Aber man kann sich vorstellen, daß es auf die Hilfe seiner Mutter nicht verzichten kann. Sie kann es ermuntern weiterzumachen, wenn es ihm zu mühsam wird. Auf sich allein gestellt, würde das Baby wahrscheinlich eher die Flinte ins Korn werfen.

Aber Mütter tun noch mehr. Sie vertiefen eine neue Fertigkeit. Sie variieren sie. Sie fordern das Baby heraus, es noch einmal zu versuchen. Und sie probieren, ob es nicht noch einen Schritt weiter gehen kann.

Es ist verständlich, daß jede Mutter sich andere Spiele ausdenkt, um so einen Sprung auszuarbeiten. Keine Mutter ist wie die andere. Die eine kann schönere und abwechslungsreichere Spiele erfinden als die andere. Es kann auch sein, daß das Baby ein echter Macher ist, während seiner Mutter für eine gesellige »Quasselstrippe« viel mehr einfallen würde. Oder anders herum. Wie auch immer, das Baby kann jede Hilfe gut gebrauchen.

Geht es Ihnen auch so?

- Mütter beschäftigen sich in den ersten Lebensmonaten mit Jungen viel intensiver als mit Mädchen. Das kommt wahrscheinlich daher, daß die Jungen mehr schreien und schlechter schlafen als die Mädchen.
- Mütter reagieren viel häufiger auf die Laute von Mädchen als auf die von Jungen. Mit Mädchen reden sie darüber hinaus auch mehr.

Ermuntern Sie Ihr Baby, seine Stimme zu gebrauchen

Fast jedes Baby ist begeistert von seinen neusten Tönen. Es kreischt, kräht und macht vokalartige Laute, die es von hoch zu tief, von laut zu leise und umgekehrt auf- und abschwellen läßt. Und es macht Spuckeblasen. So trainiert es Stimmbänder, Lippen-, Zungen- und Gaumenmuskeln. Das tut es regelmäßig, wenn es allein ist, nur so zum Spaß. Weil all die an- und abschwellenden Vokale und Quietscher so »sprachähnlich« klingen, hat man den Eindruck, das Baby würde ganze Geschichten erzählen. Manchmal muß es selbst darüber lachen.

Beantworten Sie das Gebrabbel Ihres Babys. Die meisten Babys finden das herrlich. Ermuntern Sie es, noch mehr Geräusche zu produzieren. Machen Sie mit, lachen Sie Ihr Baby an, um ihm noch mehr Laute zu entlocken. Am erfolgreichsten werden Sie sein, wenn Sie seine neusten Geräusche immer wieder imitieren.

Unterhalten Sie sich mit Ihrem Baby

Die meisten Babys finden es herrlich, sich mit ihrer Mutter zu unterhalten. In der besten Stimmung für so ein Gespräch ist Ihr Baby, wenn es selbst darauf zu »sprechen« kommt. Lassen Sie erst Ihr Baby in Ruhe ausreden, dann sind Sie dran. Sie können ganz normal mit ihm reden, aber Sie können auch seine Laute nachahmen. Manche Babys finden das zum Quietschen komisch.

***

»Ich antworte immer, wenn er Geräusche macht, und er brabbelt auch zurück, wenn er in Stimmung ist. Manchmal lacht er dabei.« (Jan, 13. Woche)

***

Es ist äußerst wichtig, daß Sie viel mit Ihrem Baby reden. Stimmen im Radio, im Fernsehen oder im Wohnzimmer können ein Gespräch unter vier Augen nicht ersetzen. Denn solche Stimmen reagieren nicht auf das, was das Baby zu sagen hat. Und das ist das Wichtigste. Ihr Baby wird zum »Reden« nur dann angestachelt, wenn ihm auch zugehört wird. Und wie groß die Begeisterung ist, mit der Sie dabei sind, spielt eine entscheidende Rolle.

Reagieren Sie darauf, wenn Ihr Baby Ihnen »erzählt«, wie es sich fühlt

Es benutzt einen von seinen neuen Lauten, wenn es beachtet werden will. Meist ist das ein spezielles »Aufmerksamkeits«-Kreischen. Reagieren Sie darauf, so oft Sie können. Zeigen Sie, daß Sie verstehen, was Ihr Baby Ihnen mitteilen will. Auch wenn Sie keine Zeit haben, mit ihm zu spielen. Es lernt dann auf jeden Fall, daß es seine Stimme einsetzen kann, wenn es etwas will.

Auch wenn das Baby fröhlich ist, benutzt es meist ein Kreischen. Das ist dann aber deutlich als »Freudenkreischen« zu erkennen. Es läßt es hören, wenn es etwas Schönes sieht oder hört. Die meisten Mütter reagieren automatisch auf so einen Freudenschrei. Meist mit Ermunterung oder einer Liebkosung. Tun Sie das auch. Zeigen Sie Ihrem Baby, daß Sie es verstehen und es schön finden, daß es fröhlich ist. Dadurch lernt das Baby, jemand anderem mitzuteilen, wie es sich fühlt.

***

»Als er merkte, daß ich ihn stillen wollte, kreischte er vor Freude und griff nach meiner Brust. Meine Bluse war noch nicht einmal ganz offen.« (Timo, 13. Woche)

Wenn Ihr Baby lacht, ist es zufrieden

Wenn Ihr Baby lacht, heißt das, daß Sie bei ihm die richtige Saite angeschlagen haben. Sie haben es genau im richtigen Maße angeregt. Nicht zuviel, sonst hätte es Angst bekommen. Und nicht zuwenig, sonst hätte es sich gelangweilt.

Bringen Sie Ihrem Baby das Greifen bei

Probieren Sie aus, ob Ihr Baby ein Spielzeug, das Sie ihm hinhalten, selbst anfassen kann. Der Gegenstand muß sich genau vor Ihrem Baby befinden – noch kann es nur eine einfache Bewegung in eine Richtung machen. Passen Sie jetzt gut auf, was es tut.
Wenn es gerade beginnt, das Greifen zu lernen, geht es vermutlich so vor:

***

»Er fängt jetzt richtig an, nach etwas zu greifen. Mit beiden Händen peilte er ein vor ihm baumelndes Spielzeug an. Näherte sich mit der rechten Hand von rechts und mit der linken Hand von links. Und als er

dicht vor dem Spielzeug war, schloß er die Hände. Also hatte er nichts darin. Er hatte sich ordentlich Mühe gegeben und war auch dementsprechend sauer, als er mit leeren Händen dasaß.« (Peter, 12. Woche)

***

Ermuntern Sie Ihr Baby stets, es noch einmal zu versuchen. Oder erleichtern Sie ihm die Übung, so daß die Aussicht auf Erfolg besteht. Schließlich kann es in diesem Alter den Abstand zwischen seinen Händen und dem Gegenstand, den es greifen will, noch nicht so gut einschätzen. Das wird es erst zwei Sprünge später, zwischen der 23. und der 26. Woche, lernen.
Wenn das Greifen leichtergeht, hat das Baby auch mehr Freude daran. Es entdeckt, daß es alles befühlen und anfassen kann. In derselben Zeit lernt es auch, mit seinem Kopf fließende Drehbewegungen zu machen. Dadurch kann es bequem überall hinschauen und sich etwas aussuchen, das es anfassen will. Vor ihm liegt jetzt ein ganzes Universum von Dingen, die es fassen und betasten kann. Nach dem vorigen Sprung verwandte das Baby im Durchschnitt ein Drittel seiner Zeit darauf, sich mit seinen Händen zu beschäftigen. Um die zwölfte Woche herum erhöht sich das plötzlich auf zwei Drittel. Danach nimmt der Anteil kaum noch zu.

Bringen Sie Ihrem Baby das Fühlen bei

Gehen Sie darauf ein, wenn Sie merken, daß Ihr Baby gern mit den Händen über etwas streicht. Nehmen Sie es mit durch die Wohnung, und lassen Sie es ganz unterschiedliche Dinge fühlen. Etwa harte, weiche, rauhe, glatte, geschmeidige, steife, stachlige, kalte, warme Materialien. Erzählen Sie Ihrem Baby, was es fühlt, und legen Sie das Gefühl, das dieses Material auslöst, in Ihre Stimme. In Wirklichkeit versteht das Baby mehr, als es sagen kann.

***

»Ich habe ihr unter fließendem Wasser die Händchen gewaschen. Da hat sie laut gelacht. Sie konnte gar nicht genug davon kriegen.« (Julia, 15. Woche)

Geben Sie ihm die Gelegenheit, Mama zu erforschen

Viele Babys erforschen gern das Gesicht ihrer Mutter. Sie befühlen es. Halten sich etwas länger mit den Augen, der Nase, dem Mund auf. Manchmal ziehen sie an den Haaren oder der Nase, einfach, weil das was zum Festhalten ist. Auch die Kleidung ist interessant. Sie befühlen sie und nesteln daran herum.
Manche Babys sind an den Händen der Mutter interessiert. Sie betrachten und befühlen sie. Gehen Sie darauf ein und helfen Sie Ihrem Baby dabei. Drehen Sie langsam Ihre Hände und lassen Sie das Baby den Handrücken und die Handfläche sehen. Lassen Sie es zuschauen, wie die Hand sich bewegt. Wie man damit nach Spielzeug greift. Machen Sie stets langsame Bewegungen. Sonst kann das Baby nicht folgen. Bewegen Sie die Hand auch nicht von links nach rechts, sondern machen Sie eine simple, gerade Bewegung. Erst nach dem nächsten Sprung kann Ihr Baby mehrere Bewegungen hintereinander begreifen.

Lassen Sie Ihr Baby auch einmal nackt strampeln

Babys sind jetzt beweglicher als vorher. Sie wenden sich allem zu, was sie sehen oder hören, und wollen alles fühlen und anfassen. Um dranzukommen, treten sie im Liegen mit den Beinen und rudern mit den Armen. Oder sie stecken ihre Zehen in den Mund und drehen sich so um die eigene Achse. Natürlich ist das eine Baby viel beweglicher und kräftiger als das andere. Einige Babys haben kaum Interesse an sportlichen »Kraftakten«. Andere schon, sind aber noch nicht kräftig genug.

***

»Er bewegt tüchtig Körper, Arme und Beine und ächzt und stöhnt dabei ordentlich. Er setzt sich etwas in den Kopf, was er nicht kann. Meist endet so eine Szene dann mit Zornesgebrüll.« (Dirk, 14. Woche)

***

Lassen Sie Ihr Baby auch mal nackt strampeln. Sie haben vielleicht schon gemerkt, daß es viel beweglicher ist, wenn Sie sich mit ihm beschäftigen, wenn es auf der Wickelkommode liegt. Es gefällt ihm, sich ohne Kleidung bewegen zu können. Das ist weniger schwierig. Das Baby hat dann eher Aussicht auf Erfolg und kann das, was es übt, danach auch besser, wenn es angezogen ist. Kurzum, es lernt seinen Körper besser kennen und beherrschen.

Allein spielen ist jetzt weniger wichtig

Ab und zu versuchen Mütter, das »Alleinspielen« auszudehnen. Wie sie das tun? Ganz einfach: Wenn sie merken, daß die Begeisterung des Babys abnimmt, schaffen sie neue Spielsachen herbei, lassen Spielzeug quietschen und sich bewegen. Sie reden und sie antworten, und wenn sie merken, daß das Baby Feuer gefangen hat, wenden sie sich wieder anderen Beschäftigungen zu. Es ist jedoch selten, daß sich ein Baby länger als eine halbe Stunde lang allein amüsiert. Doch die meisten Mütter finden das »Alleinspielen« jetzt weniger bedeutsam. Sie sind stolz auf ihr Baby. Es versucht so vieles zu sehen, zu hören und zu tun. Die Mütter wollen dabeisein. Sie wollen ihrem Baby helfen. Es gibt so viel Neues zu lernen und zu üben. Und das finden Mütter jetzt viel wichtiger.

Bringen Sie Ihrem Baby das Rollen bei

Viele Babys probieren jetzt zu rollen. Aber fast immer brauchen sie dazu Hilfe. Reichen Sie dem Baby Ihren Finger zur Unterstützung, wenn Sie merken, daß es rollen will. Einige Babys haben viel Ausdauer. Sie machen so lange weiter, bis sie es tatsächlich schaffen. Andere Babys machen zwar auch weiter, bleiben aber erfolglos. Es gibt Babys, die sich zuerst vom Bauch auf den Rücken rollen, andere Babys rollen sich zunächst vom Rücken auf den Bauch.

Geben Sie Ihrem Baby Gelegenheit, sich selbst zum Stehen oder Sitzen hochzuziehen

Beinahe alle Babys stützen sich gern mit den Beinchen ab. Das tun sie im Bett, in der Wippe oder auf dem Schoß. Wenn ihr Baby ein richtiger Zappelphilipp ist, muß die Mutter es gut festhalten. Da-

bei bemerkt sie dann oft, daß es sich so fest abstützt, daß es von alleine steht. Lassen Sie Ihr Baby ruhig gewähren, wenn es das aus eigenem Antrieb tut. Aber forcieren Sie nichts.
Kräftige Babys ziehen sich selbst zum Sitzen hoch. Wenn Sie merken, daß Ihr Baby das kann, können Sie ihm helfen, indem Sie Hochziehspiele mit ihm spielen.

»Fließende Übergänge«: Die Spitzenreiter unter den Spielen

Dies sind Spiele und Übungen, die auf die neue Fähigkeit eingehen und die bei fast allen 12 bis 15 Wochen alten Babys (plus/minus einer Woche) hoch im Kurs stehen. In diesem Alter hat ein Baby den meisten Spaß daran, von seiner Mutter »in Bewegung gesetzt« zu werden: Es soll dabei aber langsam, ruhig und »fließend« zugehen. Alle Spiele sollten überdies sehr kurz sein. Es ist besser, immer wieder ein anderes Spiel zu spielen, als zu lange bei ein und demselben zu verharren.

Flugzeug spielen. Heben Sie das Baby langsam hoch, am besten geben Sie dazu ein immer lauter oder höher werdendes Geräusch von sich. Das Baby macht sich dann von alleine gerade. Lassen Sie es bis über Ihren Kopf fliegen. Und setzen Sie dann mit passenden Geräuschen zur »Landung« an. Empfangen Sie das Baby mit einem liebevollen Biß in den Nacken. Sie werden sehen, daß das Baby das schnell spitzbekommt und sich Ihnen seinerseits mit offenem Mund nähert – und zurückbeißt. Sie werden auch entdecken, daß das Baby seinen Mund wieder wie zum Beißen öffnet, wenn es noch mal fliegen will.

Rutschbahn spielen. Lehnen Sie sich zurück, und machen Sie sich so steif wie ein Brett. Setzen Sie das Baby so hoch wie möglich auf sich, und lassen Sie es mit dem passenden Landegeräusch zu Boden rutschen. Manche Babys finden es absolut Spitze, mit ihrer Mutter zusammen in der Badewanne zu sitzen und immer wieder auf diese Art ins Wasser zu rutschen.

Baby ist das »Pendel an der Uhr«. Setzen Sie das Baby auf Ihre Knie, und schwingen Sie es langsam von rechts nach links. Probieren Sie allerlei Geräusche aus, die dazu passen. Etwa ein hohes, schnelles Ticktack, ein tiefes, langsames Bimbam. Oder erfinden Sie Variationen von Glockenschlägen: hoch, tief, schnell, langsam. Ganz, wie es dem Baby gerade gefällt. Halten Sie es gut fest und achten Sie darauf, daß sein Kopf problemlos mit den Bewegungen mitschwingen kann.

Schaukelpferd spielen. Setzen Sie das Baby auf Ihre Knie und trippeln Sie mit den Füßen auf der Stelle. Das Baby hoppelt dann auf und nieder. Sie können sich auch noch für jeden Schritt, den Sie machen, ein passendes Geräusch ausdenken. Finden Sie heraus, was Ihr Baby toll findet. Sie könnten das Pferd beispielsweise auch einmal durch den Morast waten lassen und bei jedem Schritt »schwapp« sagen. Die meisten Babys in diesem Alter sind davon hellauf begeistert.

Beißspiel. Setzen Sie sich vor Ihr Baby. Wenn es Sie anschaut, gehen Sie langsam mit Ihrem Gesicht näher zu seinem Bauch oder seiner Nase. Dabei machen Sie ein langgezogenes Geräusch, das lauter wird und sich in der Tonhöhe verändert, wie »haaaaaps« oder »huuuuiii«. Orientieren Sie sich an den Geräuschen, die das Baby selbst macht.

Stoffe befühlen. Legen Sie gemeinsam mit dem Baby die Wäsche zusammen. Geben Sie ihm unterschiedliche Stoffe in die Hand, etwa Wolle, Baumwolle, Frottee und Synthetik. Streicheln Sie auch mal mit der Hand des Babys darüber. Dem Baby gefällt es, die Stoffe mit Fingern und Mund zu befühlen. Probieren Sie auch mal ein Fensterleder oder Filz aus.

Den Montblanc besteigen. Das Baby läuft oder klettert auf Ihrem Körper nach oben, während Sie halb aufrecht sitzen. Natürlich wird es dabei gut festgehalten.

Auf dem Schoß wippen oder hüpfen. Die meisten Babys finden großen Gefallen daran, dieselbe Bewegung endlos zu wiederholen: aus dem Sitzen aufstehen beispielsweise. In einer einzigen fließenden Bewegung. Und das immer wieder ohne Ende: auf, nieder, auf, nieder, auf ... Daran hat es Spaß, und dabei hat es viel zu lachen. Natürlich muß es gut festgehalten werden.

Spielzeug und Hausrat, die Ihr Baby am meisten faszinieren

Dies sind Spielsachen und Gegenstände, die auf die neue Fähigkeit eingehen und die bei fast allen 12 bis 15 Wochen alten Babys (plus/minus einer Woche) gut ankommen:

- Stehaufmännchen,
- das sich bewegende Uhrenpendel,
- der Schaukelstuhl,
- Spielsachen, die sanft piepsen, oder Glöckchen;
- die Rassel,
- Puppen mit einem richtigen Gesicht.

Der Sprung ist geschafft

Zwischen der 12. und der 13. Woche beginnt wieder eine unkomplizierte Phase. Die meisten Babys werden jetzt wegen ihrer Fröhlichkeit und ihrer großen Fortschritte gelobt. Viele Mütter finden ihr Baby nun auffallend »klüger«. Wenn es auf dem Arm oder auf dem Schoß sitzt, reagiert es wie ein kleiner »Erwachsener«. Es dreht seinen Kopf dem zu, das es sehen oder hören will. Und lacht oder »antwortet«. Es setzt sich so hin, daß es alles gut im Blickfeld hat. Es ist fröhlich und aktiv. Die anderen Familienmitglieder nehmen auf einmal viel mehr Rücksicht auf das Baby. Es hat jetzt seinen Platz in der Familie gefunden. Es gehört dazu.

***

»Sie fängt an, sich für unzählige Dinge zu interessieren. Das zeigt sie auch: Sie spricht oder kräht sie an. Dadurch weckt sie unsere Aufmerksamkeit, und wir denken: ›Donnerwetter, das kannst du also auch schon!‹ oder ›Wie gut du das schon erkennst!‹ (Julia, 13. Woche)

***

»Sie ist auffallend klüger geworden. Sie guckt sich die Augen aus dem Kopf. Es gefällt ihr, wenn ich sie auf den Arm nehme und mit ihr herumlaufe. Dabei dreht sie regelmäßig ihr Köpfchen von links nach rechts.« (Susanne, 14. Woche)

***

»Sie ist klüger geworden. Sie reagiert auf alles und dreht ihren Kopf in alle Richtungen. Sie hat auf einmal ihren eigenen Platz in der Familie.« (Anna, 14. Woche)

***

»Es ist wunderbar zu sehen, wie sie sich beschäftigt. Wie sie so gemütlich dasitzt oder daliegt und mit Menschen oder Schmusetieren herumpalavert.« (Stefanie, 14. Woche)

***

»Der Kontakt ist besser geworden. Sie reagiert jetzt auf alles. Wenn man ein Spiel mit ihr spielt, sieht man, wie sie abwartet, ob es noch einmal wiederholt wird. Sie ›antwortet‹ jetzt auch oft.« (Astrid, 13. Woche)

***

»Sie war so pflegeleicht und so ruhig. Jetzt wird sie immer gesprächiger. Sie lacht und brabbelt viel mehr. Darum wird es immer schöner, sie aus dem Bett zu holen.« (Eva, 14. Woche)

***

»Es wird immer faszinierender, ihn zu beobachten, weil er sich auf einmal viel schneller entwickelt. Er reagiert jetzt sofort mit einem Lachen oder einem Geräusch. Er dreht auch gleich sein Köpfchen in die richtige Richtung. Und weil er so ein kleines Pummelchen ist, kann man wunderbar mit ihm schmusen.« (Dirk, 14. Woche)

Foto

Nach dem Sprung

Alter:____

Was auffällt:____

FREUD' UND LEID UM DIE 19. WOCHE

Um die 19. (18. bis 20.) Woche herum merken Sie, daß die Entwicklung Ihres Babys wieder einen Sprung macht. Sie entdecken, daß es Dinge will und tut, die es noch nie getan hat. Das kommt daher, daß es eine neue Fähigkeit bekommen hat, die es in die Lage versetzt, eine breite Palette neuer Fertigkeiten einzuüben. Ihr Baby spürt dabei schon früher, daß ein solcher Sprung sich anbahnt. Bereits um die 15. (14. bis 17.) Woche herum wird es schwierig. Schon jetzt fühlt es, daß seine Entwicklung wieder einen Sprung machen wird. Seine Welt verändert sich, und es weiß noch nicht damit umzugehen. Es sieht, hört, riecht, schmeckt und fühlt wieder Dinge, die völlig neu sind. Es ist verstört. Es muß erst einmal alles in Ruhe auf sich wirken lassen. Es muß in Ruhe all die neuen Eindrücke verarbeiten. Und das tut es am liebsten von einem vertrauten, sicheren Ort aus. Es will näher bei seiner Mutter sein. Es will zurück zu Mama. Von diesem Alter an dauern die schwierigen Phasen länger als vorher. Diese hier dauert gewöhnlich fünf Wochen; sie kann sich aber auch über eine oder sechs Wochen erstrecken.

Zur Erinnerung

Wenn Ihr Baby »schwierig« wird: Achten Sie einmal darauf, ob es etwas Neues kann oder übt.

Der Sprung kündigt sich an: Zurück zu Mama

Alle Babys in diesem Alter schreien schneller, als sie es normalerweise tun. Anspruchsvolle Babys brüllen merklich öfter und lauter und zeigen auf verschiedene Arten, daß sie »bei Mama sein« wollen. Pflegeleichte Babys tun das meist in etwas abgeschwächter Form und weniger häufig. Alle Babys schreien weniger, wenn sie bei ihrer Mutter sind. Aber sie wollen, daß ihre Mutter sich ausschließlich um sie kümmert. Sie wollen herumgeschleppt und beschäftigt werden. Wenn sie nicht bekommen, was sie wollen, bleiben sie launischer, auch wenn sie auf Mutters Schoß sitzen.

Woran Sie merken, daß Ihr Baby »bei Mama bleiben« will

Schläft es schlechter? Bei den meisten Babys sind die Schlafzeiten nun chaotisch. Sie schlafen kürzer, sind abends länger wach. Sind auch nachts wach. Wollen wieder nächtliche Mahlzeiten, womöglich sogar mehrere. Und wachen morgens früher auf.

Fremdelt es? Viele Babys wollen nicht bei anderen auf dem Schoß sitzen. Manche wollen auch nicht, daß ein »Fremder« sie ansieht oder anspricht, und einige fürchten sich sogar vor dem eigenen Vater. Das Fremdeln ist meist besonders ausgeprägt bei Menschen, die völlig anders aussehen als die Mutter.

***

»Wenn meine Schwester sie ansieht, fängt sie laut an zu schreien. Sie versteckt sich dann bei mir und will gar nicht hinschauen. Sie ist dann richtig verstört. Meine Schwester hat dunkle, schwarz geschminkte Augen und dadurch einen strengen Blick. Ich selbst bin blond und schminke mich kaum. Vielleicht ist das der Grund.« (Nina, 16. Woche)

»Menschen, die eine Brille tragen, lacht er nicht mehr an. Er schaut sie nur ernst an und lacht erst, wenn die Brille abgesetzt wird.« (Jan, 16. Woche)

***

Verlangt es nach mehr Aufmerksamkeit? Viele Babys wollen jetzt etwas gemeinsam mit ihrer Mutter unternehmen. Und wenn sie nur nach ihnen schaut. Einige Babys fangen schon an zu schreien, wenn ihre Mutter fortgeht. Andere halten das »Alleinspielen« kürzer aus als gewöhnlich.

***

»Zwischen zwei Mahlzeiten muß ich ihm jetzt mehr Aufmerksamkeit schenken. Vorher blieb er ruhig liegen. Jetzt will er beschäftigt werden.« (Jan, 17. Woche)

***

Müssen Sie seinen Kopf wieder mehr stützen? Wenn die Mutter ihr Baby trägt, muß sie wieder häufiger seinen Kopf und seinen Körper stützen. Es läßt sich mehr hängen. Besonders während der Brüllarien. Dann hängt es wieder am liebsten Bauch an Bauch, umgeben von warmen Mutterarmen. Es wirkt wieder mehr wie das Neugeborene, das es einmal war.

Will es nicht, daß der Körperkontakt abbricht? Viele Babys wollen partout nicht ins Bett zurückgelegt werden. Einige sind zwar bereit, in der Nähe der Mutter in der Wippe zu liegen, aber nur, wenn die Mutter sie auch berührt.

***

»Sie will näher bei mir sein, als ich es gewohnt bin. Wenn ich sie nur kurz hinlege, fängt sie an zu schreien, und sobald ich (oder ihr Vater) sie wieder hochnehme, ist alles wieder gut.« (Eva, 17. Woche)

***

Ißt es schlechter? Sowohl bei Brust- als auch bei Flaschenbabys kann es vorkommen, daß sie weniger saugen. Sie lassen sich dann leichter ablenken, wenn sie etwas hören oder sehen. Oder sie fangen schnell an, mit der Brustwarze oder dem Sauger herumzuspielen. Ab und zu wollen sie überhaupt nichts trinken. Sie wenden sich dann von der Flasche oder der Brust ab. Manchmal will ein Baby zwar Obst, verweigert aber Milch. Fast alle stillenden Mütter nehmen diese Verweigerung zum Anlaß, auf eine andere Kost umzustellen. Oft hat die Mutter auch das Gefühl, daß ihr Baby sie nicht mehr mag. Aber so ist es nicht. Es ist einfach durcheinander. Möglicherweise ist es nicht einmal erforderlich, mit dem Stillen aufzuhören.

***

»Um die 15. Woche herum trank sie auf einmal weniger. Nach fünf Minuten fing sie an, mit der Brustwarze zu spielen. Nachdem das zwei Wochen so gegangen war, habe ich versucht, mit dem Fläschchen zuzufüttern. Aber das nahm sie auch nicht. Alles in allem hat diese Phase vier Wochen gedauert. Dann trank sie wieder reichlich. All die Wochen hatte ich Angst, daß sie nicht genug bekommt. Besonders als ich merkte, daß die Milch zurückging. Aber jetzt, wo sie wieder mehr als genug trinkt, habe ich auch mehr als genug Milch. Ich glaube, sogar mehr als vorher.« (Susanne, 19. Woche)

***

Ist es launisch? Einige Babys sind nun sehr wechselhaft in ihren Launen. An einem Tag sind sie fröhlich, und am nächsten ist das absolute Gegenteil der Fall. Ihre Stimmung kann auch von jetzt auf nachher umschlagen. Gerade noch haben sie aus vollem Halse gelacht, und dann fangen sie an, herzzerreißend zu schluchzen. Manchmal gehen sie vom Lachen direkt ins Heulen über. Mütter haben dann oft den Eindruck, daß sowohl das Lachen als auch das Heulen dramatisch und übertrieben klingen.

***

Ist es »stiller«? Einige Babys hören für kurze Zeit damit auf, die vertrauten Geräusche zu machen. Andere liegen ab und zu bewegungslos da und starren ins Leere oder spielen mit ihren Ohren. Sie wirken dann »kraftlos« oder »abwesend«. Die Mütter finden das »ungewohnt« und »unheimlich«. Aber tatsächlich ist das die »Ruhe vor dem Sturm«, das Warten auf den Durchbruch der neuen Fähigkeit.

Woran Sie merken, daß Ihr Baby kopfsteht

- Es schreit häufiger, ist öfter launisch. ☐
- Es will mehr Zuwendung. ☐

- Sein Kopf muß häufiger gestützt werden. ☐
- Es will nicht, daß der Körperkontakt abbricht. ☐
- Es schläft schlechter. ☐
- Es ißt schlechter. ☐
- Es fremdelt (häufiger). ☐
- Es gibt weniger Geräusche von sich. ☐
- Es bewegt sich weniger. ☐
- Es hat stark wechselnde Stimmungen. ☐
- Es will während des Fütterns eine Extraportion Körperkontakt. ☐
- Es lutscht (häufiger) am Daumen. ☐
- Was Ihnen sonst noch auffällt: ______________________________

____

Sorgen[1] und Irritationen

Die Mutter ist erschöpft. Während der schwierigen Phase klagen die meisten Mütter häufiger über Müdigkeit, Kopfschmerzen, Übelkeit, Rückenschmerzen oder seelische Überempfindlichkeit. Einige haben alles auf einmal. Sie sagen, das käme vom Schlafmangel und vom – manchmal stundenlangen – Rumschleppen des Babys. Oder vom Grübeln über das Baby. Auf jeden Fall vom »Mit dem Baby beschäftigt sein«. Manchmal geht eine Mutter zum Arzt und bekommt dann eine extra Dosis Eisen verschrieben. Oder sie wird wegen der Rückenbeschwerden zum Physiotherapeuten überwiesen.

***

»Als sie ein paar Abende hintereinander wach blieb und ›rumlaufen‹ wollte, schlug mir das jedesmal auf den Rücken. Ich hätte mir manchmal gewünscht, daß es sie einen Abend lang nicht gibt. Ich bin erledigt.« (Anna, 17. Woche)

[1] Wenden Sie sich im Zweifel immer an einen Arzt oder eine Beratungsstelle.

Die Mutter ärgert sich. Am Ende einer solchen schwierigen Phase fühlt sich die Mutter oft wie »gefangen« oder »eingeschlossen«.
Sie hat das Gefühl, daß ihr Baby alle Register zieht, und ärgert sich über seine »Habgier«. Manchmal wünscht sie sich das Baby weit weg. Sie malt sich aus, wie wunderbar es wäre, wenn es einen Abend lang nicht da wäre.

***

»Ich spüre, daß ich in einer gewissen Verleugnung stecke, was aber eher unbewußt als bewußt abläuft. Ich leugne, daß ich Mutter bin und einen kleinen Sohn habe. In dieser Woche gab es Momente, da hätte ich ihn am liebsten vergessen. Was in einem Menschen alles so vorgeht! Ab und zu bekam ich es richtig mit der Angst zu tun. Dann bin ich regelmäßig ausgegangen.« (Daniel, 18. Woche)

***

»Wenn ich mit ihm im Bus sitze, und er wird wach und fängt an zu schreien, gucken mich alle an. Davon wird mir ganz heiß, und ich kriege Beklemmungen. Dann denke ich: Verdammt, halt doch die Schnauze.« (Stefan, 18. Woche)

***

Die Mutter findet: »Jetzt reicht's«. Immer mehr Mütter lassen ihr Baby länger schreien als sonst. Einige fragen sich, ob sie es »verwöhnen« und viel zu sehr auf seine Launen eingehen. Ob sie ihm nicht beibringen sollten, auf seine Mutter Rücksicht zu nehmen.
Und die eine oder andere stellt fest, daß sie von dem andauernden Geschrei und Gequengel furchtbar aggressiv wird.

***

»Er wollte nicht fertigtrinken, kriegte entsetzliche Schreianfälle. Ich versuchte, doch noch etwas in ihn reinzukriegen. Als das beim nächsten

Fläschchen genauso war, wurde ich richtig aggressiv, weil alle Ablenkungsmanöver nichts halfen und alles wieder von vorne losging. Da habe ich ihn auf den Boden gesetzt und sich austoben lassen. Danach trank er sein Fläschchen aus.« (Daniel, 19. Woche)

***

»Nachdem sie das soundsovielte Mal zu brüllen anfing, weil ich sie kurz allein gelassen hatte, hatte ich die Nase voll. Ich habe es einfach ignoriert.« (Astrid, 17. Woche)

***

»Die letzten vier Abende meldete er sich Schlag acht. Zwei Abende habe ich ihn getröstet, dann hatte ich genug: Ich ließ ihn bis halb elf schreien. Er gab so schnell nicht auf.« (Rudolf, 16. Woche)

Es dauert jetzt länger, bis sich die neue Welt auftut

Weil diese schwierige Phase länger dauert, merken die Mütter meist deutlicher, daß etwas los ist. Das Baby macht weniger Fortschritte. Und das, was es früher schön fand, gefällt ihm nun gar nicht mehr.

***

»Ich finde, er macht kaum Fortschritte. Vor der 15. Woche entwickelte er sich viel schneller. Jetzt ist es gerade so, als würde ein paar Wochen lang überhaupt nichts passieren. Manchmal finde ich das richtig beängstigend.« (Timo, 17. Woche)

***

»Es wirkt, als würde er auf etwas warten, für das die Zeit noch nicht reif ist. Ich merke das, wenn ich mit ihm spiele. Mir fällt einfach nichts ein, was ich noch machen könnte. Also warte ich mit.« (Stefan, 17. Woche)

Die neue Fähigkeit bricht durch

»In dieser Woche hat sie wahnsinnig viel Neues ausprobiert. Mir fällt auf, daß sie für ihre vier Monate auf einmal ganz schön viel kann. Ich bin richtig stolz auf sie.« (Julia, 18. Woche)

***

Um die 19. Woche kann man beobachten, daß die Fähigkeit, sogenannte Ereignisse wahrzunehmen und selbst zu schaffen, durchbricht. Diese Fähigkeit eröffnet Ihrem Baby eine neue Welt, in der es die verschiedensten Fertigkeiten vorfindet. Ihr Baby kann nun wieder ausgiebig auf Entdeckungsreise gehen und die neuen Fertigkeiten auswählen, die am besten zu ihm passen. Und Sie auch.

Der Sprung: Die Welt der »Ereignisse«

Nach dem vorangegangenen Sprung konnte Ihr Baby »fließende Übergänge« zwischen »Mustern« sehen, hören, riechen, schmecken und fühlen. Es schuf sie auch selbst, mit Augen, Armen, Beinen, Kopf und so weiter. Aber nach *einem* »fließenden Übergang« hielt es inne. Mehr schaffte es noch nicht. Wenn Ihr Baby um die 19. Woche herum die Fähigkeit erwirbt, »Ereignisse« wahrzunehmen und selbst zu schaffen, kann es eine kurze Abfolge dieser »fließenden Übergänge« sehen, hören, riechen, schmecken, fühlen und selber machen. Diese Fähigkeit wirkt sich auf alles aus, was Ihr Baby wahrnimmt und tut.

Wenn das Baby ein paar fließende Bewegungen nacheinander machen kann, kann es mit allem, was es zu fassen kriegt, mehr anfangen. Es kann jetzt alles, was in seine Reichweite kommt, ausgiebig untersuchen. Es kann dieselbe fließende Bewegung verschiedene Male wiederholen. Sie merken das daran, daß es Spielzeug von links nach rechts und von oben nach unten schüttelt. Daß es immer wieder auf etwas drückt, schlägt und hämmert. Aber mit dieser Fähigkeit kann es überdies eine fließende Bewegung in eine andere übergehen lassen und etwas von einer Hand in die andere geben. Oder etwas an sich nehmen und sofort in den Mund stecken. Es kann Spielsachen drehen und wenden und von allen Seiten betrachten. Es kann an Wählscheiben drehen.

Es kann jetzt lernen, die Bewegungen seines Körpers, seiner Ober- und Unterarme, seiner Hände und Finger der Stelle anzupassen, wo ein Spielzeug liegt. Es kann also die eine fließende Bewegung in die andere übergehen lassen. Es kann sich korrigieren, während es sich bewegt. Wenn das Spielzeug weiter links liegt, geht sein Arm fließend nach links. Liegt es mehr nach rechts, paßt der Arm des Babys sich unmittelbar der anderen Stelle an. Dasselbe geschieht auch, wenn ein Spielzeug näher oder weiter weg liegt. Höher oder niedriger hängt. Das Baby sieht es, streckt den Arm danach aus, greift es und holt es zu sich heran. Alles in einem einzigen, fließenden Bewegungsablauf. Daraus folgt: Man kann sagen, daß das Baby jetzt »richtig« greifen und zufassen kann. Wo ein Gegenstand auch liegt, das Baby kann seine Bewegungen nun so darauf abstimmen, daß es ihn erreicht. Solange er in seiner Reichweite liegt, ist das Baby nicht mehr abhängig von der Stelle des Gegenstandes.

Wenn das Baby mit seinem Körper eine kurze Abfolge fließender Bewegungen ausführen kann, kann es auch mehr damit anstellen. Es kann sich ständig drehen und wenden. Es kann sich leichter herumrollen oder um die eigene Achse drehen, weil eine Bewegung die andere korrigieren und auffangen kann. Außerdem kann es die ersten Krabbelversuche machen. Denn jetzt kann es nacheinander seine Knie anziehen, aufsetzen und strecken.

Ihr Baby kann jetzt auch mit Lauten eine kurze Abfolge fließender Übergänge machen. Man könnte sagen, daß nicht nur sein Körper, sondern auch seine Stimme beweglicher geworden ist. Sein »Geplapper«, mit dem es nach dem vorangegangenen Sprung begonnen hatte, wird jetzt dadurch erweitert, daß Vokale und Konsonanten einander abwechseln. Und all diese Laute werden als »Sätze« ausgesprochen. Dieses »Aba baba tata« nennen wir »Gebrabbel«.

In der ganzen Welt beginnen Babys in diesem Alter mit kurzen Abfolgen solcher Aneinanderreihungen. Chinesische, französische oder deutsche Babys »brabbeln« alle mit denselben Lauten. Das chinesische Baby wird aus den chinesischen Brabbelwörtern richtige chinesische Wörter herausarbeiten und die französischen oder deutschen Brabbelwörter »vergessen«. Das französische und das deutsche Baby werden von diesem Gebrabbel aus lernen, Fran-

zösisch beziehungsweise Deutsch zu sprechen. Jedes Baby imitiert mehr und mehr die Sprache, die in seiner Umgebung gesprochen wird. Es wird ja auch am meisten gelobt, wenn es etwas »Landes-eigenes« produziert.
Offensichtlich fühlten sich alle Väter und Mütter auf die eine oder andere Art angesprochen, wenn sie ihr Kleines »baba« oder »mummum« sagen hörten. Denn in vielen Sprachen sind sich die Wörter für Papa und Mama sehr ähnlich. Allerdings experimentiert das Baby, rein technisch gesehen, mit Folgen von Aneinanderreihungen desselben Elements »ba« oder »mum«. Und natürlich wird bei uns aus »baba« Papa und aus »mummum« Mama.
Ihr Baby kann jetzt eine kurze Abfolge von (»Mustern« und/oder »Fließenden Übergängen« in) Lauten erkennen. Es ist fasziniert von einer Abfolge ansteigender und abschwellender Geräusche. So reagiert es jetzt auf jede Stimme, die wohlwollend klingt, und erschrickt vor einer Stimme, die etwas verbietet. Die Sprache, in der das Baby angesprochen wird, tut nichts zur Sache. Das Baby erkennt den Sinn des Gesprochenen daran, daß es die Unterschiede in der auf- und/oder abfallenden Satzmelodie und der Tonhöhe heraushören kann. Jetzt kann es auch ein Lied erkennen. 19 Wochen alte Babys sind schon so weit, daß sie hören können, ob ein Musikstück vorzeitig abgebrochen wird. Auch wenn sie es noch nie zuvor gehört haben. Wenn sie zum Beispiel ein Stück von einem Mozart-Menuett hören, reagieren sie, wenn das Stück vorsätzlich unterbrochen wird. Die Babys können jetzt auch die ersten Wörter erkennen. Außerdem können sie anhand dieser Fähigkeit inmitten eines Stimmengewirrs eine Stimme erkennen.
Ihr Baby kann jetzt eine kurze Abfolge von Bildern (»Muster« und/oder »Fließende Übergänge«) sehen. Beispielsweise ist es fasziniert vom Auf und Ab eines springenden Balles. Es lassen sich noch unendlich viel mehr Beispiele anführen, die alle mit ganz normalen, alltäglichen Beschäftigungen zu tun haben. Etwa das Fläschchen schütteln, in einem Topf rühren, einen Nagel ein-

schlagen, Türen öffnen oder schließen, die Gartenpforte, die im Wind klappert, Brot schneiden, Nägel feilen, Haare bürsten, jemand, der im Zimmer auf und ab läuft, und viele Dinge mehr. Noch eine typische Eigenschaft von »Ereignissen« muß genannt werden. Wir Erwachsenen erfahren »Ereignisse« als ein unteilbares Ganzes. Wir sehen keinen Ball »in der Luft, am Boden, in der Luft, am Boden, in der Luft«, sondern einen springenden Ball. Wenn das »Ereignis« gerade begonnen hat, wissen wir schon, daß es sich um einen springenden Ball handelt. Und solange es anhält, bleibt es dasselbe »Ereignis«. Ein »Ereignis«, dem wir einen Namen geben können. Das Bewußtsein, daß ein »Ereignis« im Gange ist, und die Tatsache, daß unsere Erfahrung auf bekannten »Ereignissen« basiert, beweisen, daß hier eine besondere Art der Wahrnehmung zugrunde liegt. Und das ist das spezielle Wahrnehmungsvermögen, das Ihrem Baby um die 19. Woche herum zur Verfügung gestellt wird.

Kopfarbeit

Die Hirnstromkurven Ihres Babys zeigen um den vierten Monat herum drastische Veränderungen. Und sein Kopfumfang nimmt zwischen der 15. und 18. Woche besonders schnell zu.

Was entdeckt Ihr Baby in der Welt der »Ereignisse«?

Alle Babys haben dieselbe Fähigkeit erworben. Die neue Welt steht allen offen. In ihr gibt es unendlich viel zu entdecken. Ihr Baby trifft seine ganz persönliche Auswahl. Es nimmt das, was am besten zu seinen Anlagen, seinen Interessen, seinem Körperbau und seinem Gewicht paßt. Es gibt Babys, die sich aufs Fühlen, aufs Sehen oder auf gymnastische Übungen konzentrieren. Es gibt auch solche, die von allem etwas mitnehmen, aber nicht besonders intensiv darauf eingehen. Kein Baby ist wie das andere.

Die Welt der »Ereignisse«

Der Bereich »Selbermachen«:

- Es ist auf einmal sehr aktiv. Wenn es auf dem Boden liegt, bewegt sich fast alles an ihm. ☐
- Es rollt sich selbst vom Bauch auf den Rücken. ☐
- Es rollt sich selbst vom Rücken auf den Bauch. ☐
- Es kann in Bauchlage seine Arme ganz ausstrecken. ☐
- Es reckt den Po in die Luft und will sich abstützen, was ihm aber noch nicht gelingt. ☐
- Es stellt sich auf Hände und Füße, wenn es auf dem Bauch liegt. Es versucht dann, vorwärtszukommen, was aber nicht gelingt. ☐
- Es will krabbeln und schiebt sich tatsächlich vorwärts oder rückwärts. ☐
- Es stützt sich auf die Unterarme und richtet den Oberkörper in die Höhe. ☐
- Es setzt sich aus eigener Kraft aufrecht hin, wenn es schräg gegen Sie gelehnt liegt. ☐
- Es will gerade sitzen. Kann das einen Moment lang. Stützt sich auf die Unterarme und bringt den Kopf nach vorn. ☐
- Es sitzt aufrecht im Kinderstuhl, wenn ein Verkleinerungskissen eingelegt ist. ☐
- Es ist schwer mit den Mundbewegungen beschäftigt. Saugt zum Beispiel die Lippen auf alle möglichen Arten nach innen, streckt die Zunge heraus. ☐
- Was Ihnen sonst noch auffällt: ______________________

  ____

Der Bereich »Greifen, Fühlen, Tasten«:

- Es greift nicht mehr daneben, wenn es etwas anfaßt. ☐
- Es faßt etwas mit jeder Hand an, auch wenn es nicht hinsieht, sondern nur davon berührt wird. ☐
- Es kann einhändig etwas greifen. Mal links, mal rechts. ☐
- Es gibt ein Spielzeug von der linken in die rechte Hand. Und umgekehrt. ☐

- Es macht mit einem Spielzeug in der rechten Hand das, was es mit der linken getan hat, und umgekehrt. ☐
- Es steckt die Hand seiner Mutter in den Mund. ☐
- Es befühlt den Mund seiner Mutter, wenn sie spricht, oder steckt seine Hände hinein. ☐
- Es steckt Spielzeug oder Gegenstände in den Mund und befühlt sie. ☐
- Es steckt Spielzeug oder Gegenstände in den Mund und beißt darauf. ☐
- Es zieht sich selbst ein Tuch vom Gesicht. Anfangs allerdings noch etwas schwerfällig. ☐
- Wenn ein Spielzeug teilweise verdeckt ist, weiß es doch, um welches Spielzeug es sich handelt. Es versucht, die Hindernisse aus dem Weg zu räumen, gibt aber schnell auf, wenn das nicht gelingt. ☐
- Es schlägt mit einem Spielzeug auf den Tisch. ☐
- Es wirft Spielzeug flugs auf den Boden. ☐
- Es versucht, nach Dingen zu greifen, die außerhalb seiner Reichweite liegen. ☐
- Es tut allerhand mit dem »Activity Center«. ☐
- Es weiß, was man mit einem bestimmten Spielzeug macht. Zum Beispiel an der Wählscheibe drehen. ☐
- Es untersucht Einzelheiten. Hat auffallend viel Interesse an den kleinsten Kleinigkeiten von Spielzeug, Händen, Mündern usw. ☐
- Was Ihnen sonst noch auffällt: ______________________________

  ____

Der Bereich »Sehen«:

- Es beobachtet fasziniert »Ereignisse«, etwa das Hüpfen eines Kindes, Hämmern, Nägel feilen, Brot schneiden, Haare bürsten, Kaffee umrühren usw. ☐
- Es betrachtet fasziniert die Lippen und die Zunge seiner Mutter, wenn sie spricht. ☐
- Es sucht, wo seine Mutter ist, schaut sich auch um. ☐
- Es sucht ein Spielzeug, das außerhalb seines Gesichtsfelds liegt. ☐
- Es reagiert auf sein Spiegelbild, lacht darüber oder hat Angst. ☐

- Es hält ein Faltbuch fest und sieht fasziniert ein Bild an. ☐
- Was Ihnen sonst noch auffällt: ______________________________

____

Der Bereich »Hören«:

- Es lauscht fasziniert, wenn seine Mutter Geräusche mit den Lippen macht. ☐
- Es reagiert auf seinen Namen. ☐
- Es reagiert auf seinen Namen, auch wenn im Raum noch andere Geräusche zu hören sind. Es kann nun aus einem Durcheinander von Geräuschen ein bestimmtes herauspicken. ☐
- Es versteht ein oder mehrere Wörter richtig. Guckt beispielsweise zum Schmuseteddy, wenn Sie fragen: »Wo ist dein Teddy?«. Der Teddy muß allerdings noch einen festen Platz haben. ☐
- Es reagiert korrekt auf eine wohlwollende oder verbietende Stimme. ☐
- Es erkennt den Anfang eines Liedes. ☐
- Was Ihnen sonst noch auffällt: ______________________________

____

Der Bereich »Sprechen«:

- Es produziert neue Laute, setzt dabei Lippen und Zunge ein: fft-fft-fft, www-www, sss-sss, brrr, arrr, rrr, grrr, prrr. So ein »r« heißt Lippen-R. Ihr Baby macht es am liebsten mit Spinat im Mund. ☐
- Es gebraucht Konsonanten: d, b, l, m. ☐
- Es brabbelt. Benutzt erste »Wörter«: mummum, baba, abba, hada-hada, dada, tata. ☐
- Was Ihnen sonst noch auffällt: ______________________________

____

Der Bereich »Körpersprache«:

- Es streckt Ihnen die Arme entgegen, um hochgenommen zu werden. ☐
- Es schmatzt, wenn es Hunger hat, wedelt dazu auch mal mit den Armen und Beinen. ☐
- Es macht den Mund auf und langt nach Ihrem Essen oder Getränk. ☐

- Es »spuckt«, wenn es nichts mehr essen will. ☐
- Es schiebt das Fläschchen oder die Brust weg, wenn es genug hat. ☐
- Es dreht sich vom Fläschchen oder der Brust weg, wenn es genug hat. ☐
- Was Ihnen sonst noch auffällt: ______________________________

____

Der Bereich »Verschiedenes«:

- Es fängt an, sich zu »verstellen«. Beispiel: Wenn die Mutter dem Husten Beachtung schenkt, hustet es lachend noch einmal. ☐
- Es meckert, wenn es ungeduldig ist. ☐
- Es kreischt, wenn etwas nicht gelingt. ☐
- Es hat ein spezielles »Schmusetier«. ☐
- Was Ihnen sonst noch auffällt: ______________________________

____

Denken Sie stets daran, daß Ihr Baby in der neuen Welt nicht alles auf einmal entdecken kann. Mit 19 Wochen bekommt es zum ersten Mal Zugang zu dieser Welt. Aber wann es sich etwas aneignet, hängt vom Interesse des Babys ab und davon, wieviel Gelegenheit es dazu erhält. Die meisten Fertigkeiten entwickelt das Baby erst Monate, manchmal sogar erst viele Monate später!

Wofür entscheidet sich Ihr Baby: ein Schlüssel zu seiner Persönlichkeit

Beobachten Sie Ihr Baby genau. Finden Sie heraus, wofür es sich besonders interessiert. Im Kasten »Die Welt der ›Ereignisse‹« ist Platz gelassen, damit Sie festhalten können, für welche Dinge sich Ihr Baby entschieden hat. Zwischen der 19. und 23. Woche wird es die Fertigkeiten auswählen, die es in dieser Welt am meisten ansprechen. Wenn Sie seine Entscheidungen respektieren, werden Sie herausfinden, was Ihr Baby einzigartig macht! Wenn Sie auf seine Interessen eingehen, helfen Sie ihm am besten beim Spielen und Lernen.

Die Auswirkungen des Sprungs: Helfen Sie Ihrem Baby beim Lernen

Je mehr Kontakt Ihr Baby zu »Ereignissen« bekommt und je mehr es damit spielt, desto besser wird es sie verstehen. Es ist unwichtig, ob es dieses Verständnis zuerst im Bereich der Musik, der Geräusche oder Worte, im Bereich Betrachten und Beobachten oder im Bereich Selbermachen entwickelt. Später wird es diesen Begriff auch ohne Probleme auf andere Bereiche anwenden können.

Mit der Fähigkeit, »Ereignisse« wahrzunehmen und zu schaffen, bekommt Ihr Baby ein enormes Interesse an seiner gesamten Umgebung. Es scheint sich nun völlig auf die Außenwelt zu konzentrieren. Alle Aktivitäten sind dazu da, beobachtet und belauscht zu werden. Alle Spielsachen, Haushalts-, Garten- und Küchengeräte sind dazu da, angefaßt zu werden. Die Mutter ist jetzt nicht mehr das einzige Spielzeug. Das Baby versucht, sich überall hinzubewegen. Und das tut es, indem es Hände und Füße aufstemmt. Weg von der Mutter. Hin zu all dem Neuen. Für die »alten« Schmusespiele hat es jetzt weniger Zeit. Mütter begreifen das schnell. Einige fühlen sich dann ein wenig zurückgesetzt.

Doch Ihr Baby hat Ihre Hilfe bitter nötig. Das ist typisch für dieses Alter. Jetzt ist die Mutter vor allem jemand, der dem Kind Spielzeug und andere Dinge anbietet und dann abwartet. Sie beobachtet, was es damit macht. Erst wenn es nicht alle Möglichkeiten nutzt, hilft sie ihm, sie zu entdecken. Außerdem behält sie im Auge, ob sich das Baby gut genug bewegt, wenn es etwas untersuchen will. Ist das nicht der Fall, übt sie mit ihm das Rollen, Drehen und Krabbeln. Und sie übt mit ihm Sitzen und Stehen.

Bringen Sie ihm das Rollen bei: Machen Sie ein Spiel daraus

»Er liegt da und übt eifrig, sich umzudrehen. Wenn er auf dem Bauch liegt, nimmt er Arme und Beine gleichzeitig hoch, stöhnt dabei gewaltig, kommt aber nicht vom Fleck.« (Jan, 21. Woche)

***

»Sie probiert, sich vom Rücken auf den Bauch zu drehen. Das gelingt noch nicht, und dann wird sie furchtbar böse.« (Astrid, 20. Woche)

***

»Nur wenn sie richtig in Fahrt ist, rollt sie herum. Zu ihrer eigenen Überraschung.« (Laura, 20. Woche)

***

Wenn Sie das Rollen vom Rücken auf den Bauch üben wollen, können Sie das wie folgt tun: Legen Sie das Baby auf den Rücken, und halten Sie seitlich von ihm ein buntes Spielzeug hin. Es muß sich dann so strecken und drehen, um es greifen zu können, daß es wie von selbst herumrollt. Natürlich feuern Sie es immer wieder an. Und zum Schluß loben Sie es für das, was es geschafft hat. Sie können auch das Rollen vom Bauch auf den Rücken spielerisch üben. Meist geht eine Mutter folgendermaßen vor: Sie legt das Baby auf den Bauch und hält ein buntes Spielzeug links oder rechts hinter das Baby. Dreht es sich und langt danach, verschwindet auch das Spielzeug weiter hinter dem Rücken des Babys. In einem bestimmten Moment rollt das Baby herum, weil es sich etwas zu weit gedreht hat, um das Spielzeug zu erreichen. Sein schwerer Kopf zieht es dann mit.

Bringen Sie ihm das »Krabbeln« bei: Manchmal klappt's

»Manchmal glaube ich, daß er krabbeln will, aber noch nicht weiß, wie. Er liegt da und wuselt unheimlich herum, kommt aber keinen Zentimeter voran. Dann kann er sehr böse werden.« (Dirk, 20. Woche)

***

Das Problem beim Krabbeln ist das Vorwärtskommen. Die meisten Babys streben danach und probieren es auch. Sie nehmen auch eine gute Startposition ein. Sie ziehen die Knie unter sich, recken den Po in die Höhe und stützen sich auf. Aber dabei bleibt es dann auch. Andere setzen Hände und Füße auf und wippen hoch und nieder. Es gibt auch Babys, die rückwärts schieben. Sie drücken sich mit den Händen ab. Wieder andere setzen nur einen Fuß auf und drehen sich deshalb im Kreis. Aber es gibt auch einige, die nach ein paar ungeschickten Versuchen richtig vorwärtskommen.

Fast alle Mütter versuchen, ihr Baby ein wenig zu unterstützen. Sie drücken den Popo vorsichtig vorwärts. Oder sie legen ein attraktives Spielzeug außerhalb von Babys Reichweite. Manchmal haben sie Erfolg damit. Dann gelingt es dem Baby, sich auf die eine oder andere Weise zum Spielzeug hin zu bewegen. Etwa indem es sich mit einem Plumps nach vorn fallen läßt. Oder indem es sich auf dem Bauch mit den Beinen vorwärtsschiebt und mit den Händen lenkt.

Die meisten Babys amüsieren sich prächtig, wenn ihre Mutter ihre Bemühungen nachahmt. Oder wenn sie vormacht, wie es richtig ist. Fast jedes Baby, das mit seinem Krabbelproblem herumwurschtelt, schaut dann fasziniert zu. Probieren Sie es einfach mal aus.

Nackt kann Ihr Baby besser üben

Um das Rollen, Drehen und Krabbeln richtig zu lernen, muß Ihr Baby üben. Und das fällt ihm leichter, wenn es nicht von Kleidung eingeengt wird. Wenn es nackt übt, lernt es seinen Körper besser kennen und beherrschen. Es hat dann mehr Erfolg und auch mehr Spaß.

Geben Sie Ihrem Baby Gelegenheit, seine Hände und Finger zu gebrauchen

Viele Babys wollen Dinge befühlen, sie schütteln, drehen und wenden, auf etwas herumschlagen oder einhämmern, etwas hoch- und runterschieben. Das alles sind »Ereignisse«, die es auch bei anderen sieht. An einem »Activity Center« finden sie eine Ansammlung solcher Hand- und Fingerübungen auf einer Fläche. Meist ist eine Wählscheibe dran, die aussieht wie die vom Telefon. Wenn Ihr Baby daran dreht, macht sie ein Geräusch. Auch einen Ball gibt es. Wenn das Baby darauf drückt, ertönt ein Geräusch. Tiere sind da, die hoch- und runtergeschoben werden müssen und so weiter. Viele Babys sind verrückt nach ihrem »Activity Center«, aber es gelingt ihnen lange nicht, alles richtig zu benutzen.

***

»Seit Wochen hatten wir schon ein Activity Center an den Gitterstäben seines Bettchens befestigt. Er hat es zwar angeschaut, aber nichts damit gemacht. In dieser Woche fing er auf einmal an, danach zu greifen. Jetzt findet er es rasend schön, an all die Glocken und Hupen zu kommen. An Sachen zu drehen. Man merkt, daß er richtig auf Entdeckungstour ist. Allerdings wird er noch schnell müde, weil er sich mit einer Hand abstützen muß.« (Peter, 18. Woche)

***

Machen Sie es Ihrem Baby vor, wenn Sie sehen, daß es etwas zwar will, aber noch nicht kann. Oder tun Sie es gemeinsam mit Ihrem Baby, indem Sie seine Hand dabei festhalten. So wird Ihr Baby »spielend« geschickter.

Lassen Sie Ihr Baby die Welt entdecken

Wenn Ihr Baby die Fähigkeit zum Wahrnehmen und Schaffen von »Ereignissen« erwirbt, kann es auch »geschickter« Spielsachen und Gegenstände untersuchen. Es kann sie nun drehen und wenden, schütteln, jedes Detail befühlen und ablecken. Es kann die verschiedenen Geräusche besser verstehen und so weiter. Und dadurch, daß es das kann, lernt es die Dinge, mit denen es hantiert, besser kennen, als es das bisher konnte. Gehen Sie darauf ein.
Geben Sie Ihrem Baby Spielsachen und Gegenstände aus verschiedenartigen Materialien. Etwa Holz und hartes oder weiches Plastik. Stoffreste, die sich alle unterschiedlich anfühlen. Papier, das weich, rauh oder glatt ist. Für viele Babys ist eine wunderbar knisternde, leere Chips-Tüte ein Knüller. Wenn sie hineinkneifen, verändert sie langsam die Form und gibt ein tolles Geräusch von sich.

Lassen Sie das Baby Spielzeug und Gegenstände untersuchen, die unterschiedliche Formen haben. Die rund oder viereckig sind oder die gezackte Ränder, Ausstülpungen oder dergleichen haben. Fast jedes Baby fährt auf ausgefallene Formen ab. Die Form eines Plastikschlüssels beispielsweise fordert es geradezu heraus, eine nähere Untersuchung anzustellen. Vor allem der gezackte Teil ist für viele Babys interessant: Wie fühlt er sich an, wie sieht er aus, wie schmeckt er?

Hat Ihr Baby einen Blick für Details?

Einige Babys beachten ganz besonders kleinste Einzelheiten. So ein Würmchen betrachtet etwas von allen Seiten, und das äußerst genau. Es nimmt sich viel Zeit dafür, es einer gründlichen Inspektion zu unterziehen. Es beguckt und befühlt jede noch so kleine Unebenheit. Es streicht, tastet und reibt an den verschiedenen Materialien, Formen und Farben. Nichts scheint ihm zu entgehen. Es untersucht auch seine Mutter ganz genau. Es studiert einen Finger, guckt und fühlt, wie der sich bewegt, und geht dann zum nächsten über. Und wenn es sich den Mund gründlich vornimmt, wird kein Zahn ausgelassen. Gehen Sie auf dieses Interesse ein, und geben Sie Ihrem Baby Spielsachen oder Gegenstände, die ihm eine Betrachtung wert sind.

***

»Sie wird bestimmt mal Zahnärztin. Wenn sie in meinem Mund zugange ist, ersticke ich fast. Sie kriecht ganz hinein. Wenn ich ihre Händchen küsse und dabei den Mund zumache, läßt sie deutlich erkennen, daß sie das bei ihrer Tätigkeit stört.« (Anna, 21. Woche)

Ist Ihr Baby ein richtiger »Musikliebhaber«?

Es gibt auch Babys, die besonders an Musik interessiert sind, an Tönen und allerlei Klängen. So ein Baby beschäftigt sich vor allem mit Dingen, die Geräusche machen. Es dreht sie zum Beispiel herum, um nach den Tönen zu lauschen, die sie machen. Es probiert auch aus, was geschieht, wenn es das langsam oder schnell tut.

Gehen Sie mit dem Spielzeug, das Sie Ihrem Baby geben, darauf ein. Helfen Sie ihm, es zu benutzen.

Ist Ihr Baby ein richtiger »Gucker«?

Der Haushalt ist voller »Ereignisse«, die es wert sind, verfolgt zu werden. Viele Babys sehen mit Begeisterung zu, wenn ihre Mutter das Essen vorbereitet, den Tisch deckt, sich anzieht, im Garten arbeitet. Irgendwann begreifen sie die verschiedenen »Ereignisse«, die zum Anziehen, Kochen, Tisch decken und zur Gartenarbeit gehören, etwa Sahne schlagen, Zwiebeln hacken, Teller austeilen, Brot schneiden, Brote schmieren, Haare bürsten, Nägel feilen, Unkraut zupfen. Gehen Sie darauf ein. Lassen Sie Ihr Baby zusehen, wenn Sie Mahlzeiten vorbereiten, den Tisch decken, Unkraut zupfen. Es kostet Sie keine Mühe, und Ihr Baby lernt und genießt dabei.

***

»Sie schmatzt, strampelt und streckt die Arme aus, wenn sie merkt, daß ich Brote vorbereite. Es ist klar, daß sie weiß, was ich tue, und daß sie etwas zu essen haben will.« (Susanne, 20. Woche)

Schmeckt Ihrem Baby auch alles?

Die meisten Babys wollen alles kosten, was ihre Mutter ißt oder trinkt. Die Zeiten sind vorbei, in denen sie mit dem Baby auf dem Schoß etwas essen oder trinken konnten. Es will seinen Anteil haben und nimmt ihn sich. Den meisten Babys schmeckt zu dieser Zeit übrigens noch alles.

***

»Er greift mit offenem Mund nach meinem belegten Brot. Kriegt er etwas zu fassen, steckt er es auch sofort hinein. Und schmecken tut es ihm auch noch.« (Rudolf, 19. Woche)

Machen Sie Ihr Haus babysicher

Ihr Baby wird jetzt mit jedem Tag mobiler. Verhindern Sie, daß es etwas tun kann, das gefährlich ist:

- Lassen Sie kleine Dinge, wie Knöpfe, Nadeln oder Münzen, nicht in der Nähe Ihres Babys herumliegen.
- Achten Sie darauf, daß es nicht nach einer Tasse oder einem Becher mit heißem Inhalt greifen kann, wenn es während der Mahlzeit auf Ihrem Schoß sitzt.
- Stellen Sie keine heißen Flüssigkeiten auf einen Tisch, den das Baby erreichen kann. Auch wenn sie auf einem hohen Tisch stehen, können diese Flüssigkeiten gefährlich werden: Wenn es sich an einem Tischbein – oder, schlimmer noch, an der Tischdecke – hochzieht, kann sich die heiße Masse über das Baby ergießen.
- Sichern Sie Ofen oder Herd mit einem Gitter, das vom Baby nicht umgerissen werden kann.
- Halten Sie Giftiges, wie Terpentin, Putzmittel oder Medikamente, unter Verschluß, damit Ihr Baby es nicht erreichen kann.
- Sorgen Sie dafür, daß Steckdosen gesichert und Kabel und Schnüre gut befestigt sind.

Geben Sie Ihrem Baby auch einmal Gelegenheit, Dinge »im Sitzen« zu untersuchen

Nehmen Sie Ihr Baby auf den Schoß, um gemeinsam mit ihm ein Spielzeug zu untersuchen. Drehen und wenden Sie es, drücken Sie darauf, befühlen Sie es und sprechen Sie darüber. Lassen Sie Ihr Baby auch mal in Ruhe selbst spielen. Es gefällt ihm außerordentlich, bequem zu sitzen und gleichzeitig zu spielen. Wenn es im Liegen spielt, muß es sich mit einem Arm abstützen, und das ist oft sehr anstrengend. Wenn das Baby sitzt, kann es die Spielsachen auch wieder aus einem anderen Blickwinkel sehen. Achten Sie darauf, ob Ihr Baby mit seinem Spielzeug im Sitzen etwas anderes tut als im Liegen oder ob es dann neue Spiele erfindet.

***

»Ich habe ihn mit einem Verkleinerungskissen in den Kinderstuhl gesetzt. Auf einmal merkte er, daß er mit seinen Spielsachen Dinge tun konnte, die auf dem Boden gar nicht möglich waren. Als ich ihm einen Schlüsselbund gab, schlug er damit erst auf die Tischplatte, dann warf er ihn wieder und wieder auf den Boden. Bestimmt zwanzigmal hintereinander. Er hatte viel Spaß dabei und mußte immer wieder lachen.« (Peter, 19. Woche)

Ihr Baby kann jetzt »suchen«: Machen Sie ein Spiel daraus

In diesem Alter können sie die ersten Kuckuck- und Versteckspiele spielen. Wenn Ihr Baby die Fähigkeit zum Wahrnehmen und Schaffen von »Ereignissen« erworben hat, weiß es, daß ein »Ereignis« weitergeht oder daß ein Spielzeug weiter existiert, auch wenn es nicht mehr ganz zu sehen ist. Es kann sie also »suchen«. Ermuntern Sie Ihr Baby, wenn Sie bemerken, daß es nach einem Spielzeug greifen will, das halb unter etwas verborgen liegt. Oder bewegen Sie den Gegenstand. Damit erleichtern Sie Ihrem Baby das Spiel. Es gibt dann nicht so schnell auf.

Ihr Baby bildet »Brabbelsätze«

Mütter merken nun, daß das, was das Baby sagt, komplexer wird. Als würde es richtig etwas erzählen. Das liegt daran, daß es jetzt bekannte Silben, wie »da« und »ba«, wiederholt und zu einem »Satz« aneinanderreiht. Beim Aussprechen dieser »Sätze« spielt es mit der Tonhöhe und der Lautstärke. Die meisten Babys verstummen kurz, wenn sie sich ein neues Geräusch machen hören. Oft lachen sie kurz und greifen dann den Faden wieder auf.
Es bleibt wichtig, daß Sie viel mit Ihrem Baby reden. Daß Sie auf das reagieren, was Sie von Ihrem Baby zu hören bekommen. Daß Sie seine neuen Silben imitieren. Daß Sie antworten, wenn das Baby etwas »fragt« oder »erzählt«. Genau diese Reaktionen reizen Ihr Baby, mit seiner Stimme noch mehr zu üben.

Jetzt versteht es die ersten Wörter

In diesem Alter können Sie erstmalig feststellen, daß Ihr Baby Wörter richtig versteht, aber sie noch nicht sagen kann. Wenn Sie es zum Beispiel in seiner vertrauten Umgebung fragen: »Wo ist dein Teddy?«, werden Sie feststellen, daß das Baby den Teddy richtig sucht. Es zeigt sich also, daß das Verstehen von Sprache seinem eigenen Sprechen weit voraus ist.

***

»Im Wohnzimmer hängt an der einen Wand ein Bild mit Blumen und an der anderen ein Foto vom Baby mit einem großen Teddy. Wenn ich frage ›Wo sind die Blümchen?‹ oder ›Wo ist das Baby mit dem großen Teddy?‹, guckt er genau das richtige an. Obwohl die beiden doch an unterschiedlichen Plätzen hängen. Wenn er dann später in sein Zimmer kommt, wo der echte Teddy sitzt, sucht er ihn sofort. Er erkennt den Zusammenhang sehr gut.« (Peter, 23. Woche)

***

Die meisten Mütter sind ganz hingerissen, wenn sie merken, daß ihr Baby sie manchmal versteht. Und auch sehr stolz. Einige können es gar nicht glauben. Sie probieren es immer wieder, bis sie wirklich überzeugt davon sind. Fast alle Mütter reiten andauernd auf dieser neuen Fertigkeit herum, doch die steckt noch in den »Kinderschuhen«. Sie sprechen langsamer, gebrauchen mehr einzelne Wörter anstelle von Sätzen. Sie nutzen jede Gelegenheit, die Wörter, die das Baby schon kennt, zu wiederholen. Manche Mütter schaffen neue Situationen, um das Wort zu üben. Beispielsweise setzen sie den Teddy mal hierhin, mal dorthin. Zeigen denselben Teddy auf Fotos. Zeigen andere Teddys. Viele Mütter üben auch ganz neue Wörter.

Babys erstes Buch

Manches Baby hat schon Interesse daran, Bilder anzuschauen. Es hält selbst mit beiden Händen ein Bilderbuch und betrachtet fasziniert die Abbildungen darin. Es strengt sich richtig an, um das Buch festzuhalten und die Bilder anzusehen. Danach steckt es das Buch in den Mund.

»Ereignisse«: Die Spitzenreiter unter den Spielen

Dies sind Spiele und Übungen, die auf die neue Fähigkeit eingehen und die bei fast allen 19 bis 23 Wochen alten Babys (plus/minus einer Woche) hoch im Kurs stehen.

Sprechspiel. Sprechen Sie viel mit dem Baby über das, was es sieht, hört, schmeckt und fühlt. Sprechen Sie über das, was es tut, was es erlebt. Bilden Sie kurze, einfache Sätze. Betonen Sie die Wörter, um die es geht. Zum Beispiel: »Fühl mal, Gras«, »Papa kommt«, »Horch, die Klingel«, oder »Haps«.

Näschen packen. Sie sagen: »Jetzt werd' ich dein … (kurze Pause) Näschen packen.« Dann greifen Sie nach seiner Nase und schütteln sie sanft. Dasselbe können Sie mit seinen Ohren, Händen und Füßen machen. Finden Sie heraus, was es am schönsten findet. Wenn Sie dieses Spiel häufiger spielen, weiß es genau, was kommt. Es guckt dann gespannt auf Ihre Hände und kräht vor Vergnügen, wenn Sie sein Näschen zu fassen bekommen. Durch dieses Spiel lernt es spielerisch seinen Körper kennen und Wörter verstehen.

Gemeinsam Bilder anschauen. Manchen Babys gefällt es, ein schönes buntes Bild oder Buch anzuschauen. Achten Sie darauf, daß bekannte Dinge abgebildet sind. Sprechen Sie mit Ihrem Baby über das Bild und zeigen Sie ihm, wo sich die Sache in natura befindet.

Lieder, Reime und Gedichte. Lieder, zu denen Bewegungen gehören, wie etwa »Backe, backe Kuchen«, finden viele Babys besonders schön. Aber auch Bewegungen, die dem Takt eines Gedichtes folgen, – wie Wiegen oder Tanzen – gefallen ihnen. Das Baby erkennt das Lied an der Melodie, am Rhythmus und an der Intonation.

Kitzelspiel. »Da kommt die Maus, da kommt die Maus, … Klingelingeling! Ist der Herr zu Haus?« Während Sie das sagen, laufen Ihre Finger über den Körper des Babys und kitzeln es dabei ein wenig. Zum Schluß das Baby am Ohrläppchen zupfen und »klingeln«.

Kuckuck. Decken Sie ihm ein Tuch übers Gesicht, und fragen Sie: »Wo ist ….?« Schauen Sie, ob das Baby das Tuch selbst herunterzieht. Geschieht das nicht, nehmen Sie seine Hand und ziehen das Tuch langsam runter. Halten Sie das Spiel in diesem Alter so einfach wie möglich. Sonst versteht es das Baby noch nicht.

Spiele vor dem Spiegel. Schauen Sie gemeinsam in den Spiegel. Meist sieht das Baby am liebsten sich selbst an und lacht freundlich. Dann guckt es zum Spiegelbild seiner Mutter. Und wieder zu seiner echten Mutter.

Meist sieht es verwundert zwischen der echten und der Spiegelmutter hin und her. Wenn seine Mutter dann spricht, wundert es sich noch mehr. Das Geräusch kommt ja nur aus der echten. Dann lacht es meist und kuschelt sich an seine Mutter.

Spielzeug und Hausrat, die Ihr Baby am meisten faszinieren

Das sind Spielsachen und Gegenstände, die auf die neue Fähigkeit eingehen und die bei fast allen 19 bis 23 Wochen alten Babys (plus/minus einer Woche) gut ankommen.

Eigentlich kann alles im Haus attraktiv sein. Finden Sie heraus, was Ihr Baby am schönsten findet, und gehen Sie darauf ein. Achten Sie jedoch darauf, daß es ungefährlich ist.

- Badewannenspielzeug. Sie können auch Haushalts-, Garten- und Küchengeräte im Bad benutzen, etwa Meßbecher, Plastiksieb, Blumenspritze, Gießkanne und Seifendose.
- Activity Center oder Spiel- und Übungsdecken.
- Ball mit Noppen oder Griffmulden. Am besten mit einer Glocke drin.
- Rassel.
- Schachtel mit ein bißchen Reis drin.
- Papier, das knistert.
- Spiegel.
- Fotos oder Abbildungen von Babys.
- Fotos oder Abbildungen von Gegenständen oder Tieren, deren Namen es kennt.
- Kassette mit Kinderliedern.
- Räder, die sich drehen, zum Beispiel an einem Auto.

Konflikte mit Ihrem Baby

Wenn Ihr Baby die Fähigkeit zum Wahrnehmen und Schaffen von »Ereignissen« hat, kann es auch Fertigkeiten entwickeln, die Sie irritieren. Manche Mütter versuchen dann, diese ihrem Baby abzugewöhnen.

Übrigens

Auch das Abgewöhnen alter Gewohnheiten und das Gewöhnen an neue Regeln gehören zu den Auswirkungen jeder neuen Fähigkeit. Das, was Ihr Baby jetzt zum ersten Mal versteht, können Sie auch von ihm verlangen. Nicht mehr und nicht weniger.

Ein eigener Wille: schön und lästig.

»Er wird jetzt langsam zu einer Persönlichkeit, die man zu berücksichtigen hat. Er zeigt deutlich, was er will und was er nicht will.« (Dirk, 21. Woche)

***

Viele Babys wollen selbst bestimmen, was sie tun, und zeigen das auch deutlich. Sie wollen aufrecht sitzen, überall dabei sein, alles mitmachen, so lange es geht, und vor allem alles haben, was sie sehen. Viele Mütter sind davon nicht so begeistert. Die einen finden, daß ihr Baby noch zu klein ist, um an alles heranzudürfen. Die anderen finden es ungemütlich und gelegentlich auch undankbar, daß es ständig auf Achse ist und von ihnen wegstrebt. Sie versuchen, ihr Baby auf allerlei Arten davon abzuhalten. Meist, indem sie es mit Schmusespielen ablenken. Manchmal, indem sie es kräftig festhalten. Aber beide Arten haben fast immer den gegenteiligen Effekt. Es stemmt sich mit noch mehr Kraft gegen seine Mutter und »kämpft« sich von ihr frei. Mit dem Essen und Schlafen ist es genauso. Das Baby bestimmt, wann es ins Bett und wann es wieder heraus will. Es macht klar, wann es essen will und was ihm am besten schmeckt. Es bestimmt, wann es genug gegessen hat. Jetzt kann man zum ersten Mal von einem Machtkampf zwischen Mutter und Baby sprechen.

Wildes Greifen und Grabschen ist unangenehm. Fast alle Mütter ärgern sich, wenn das Baby wild nach allem greift und grabscht, was es erreichen kann oder woran es mit seiner Mutter vorbeikommt. Pflanzen, Kaffeetassen, Bücher, Stereoanlage: Nichts ist mehr sicher vor ihm. Die Mütter finden das von Mal zu Mal furchtbarer. Sie versuchen, dieses Herumgegrabsche durch ein lautes und deutliches »Nein« etwas einzudämmen, und haben gelegentlich sogar Erfolg damit.

»Wenn sie bei mir sitzt, grabscht sie immer wieder nach den Fransen am Lampenschirm. Ich finde das widerlich, deswegen setze ich sie dann immer runter und sage: ›Nein!‹« (Julia, 20. Woche)

***

Ungeduld ist schrecklich. Die meisten Mütter finden, daß das Baby lernen kann, sich kurz zu gedulden. Sie reagieren nicht mehr so schnell wie zuvor. Wenn das Baby jetzt etwas haben oder tun will, lassen sie es, wenn auch nur kurze Zeit, warten. Besonders das ungeduldige Grabschen nach Essen irritiert fast alle Mütter. Manche tun etwas dagegen.

***

»Sie wurde ganz unruhig, wenn sie ihr Tellerchen mit Essen sah, und wußte gar nicht, wie schnell sie aufessen sollte. Ich ärgerte mich furchtbar darüber und habe ihr beigebracht zu warten, bis wir alle essen. Jetzt ist sie nicht länger ungeduldig, sondern wartet richtig auf uns und sieht zu, wie wir uns etwas auf unsere Teller tun.« (Nina, 22. Woche)

***

Weh tun ist unangenehm. Jetzt, wo das Baby kräftiger und geschickter ist, kann es seiner Mutter ordentlich weh tun. Es beißt, krallt und zieht am Gesicht, an den Armen, Ohren und Haaren. Es kneift und dreht die Haut. Manchmal tut es das so grob, daß es richtig schmerzt. Die meisten Mütter finden, daß das Baby vorsichtiger sein und auf andere Rücksicht nehmen könnte. Sie machen kein Spiel mehr aus dem Beißen, Ziehen und Kneifen.
Andere weisen das Baby unmittelbar in die Schranken, sobald es zu enthusiastisch wird. Sie lassen es wissen, daß es ihnen zu weit geht. Meist geschieht das mit Worten. Sie sagen beispielsweise laut und ernst: »Autsch!« Oder sie sprechen eine Warnung wie »Vorsicht!« aus, wenn sie merken, daß das Baby eine neue Attacke vorbereitet.
In diesem Alter verstehen Babys eine Stimme, die verbietet, ziemlich gut. Nicht selten wird eine Mutter richtig böse.

***

»Als er mir einmal außerordentlich fest in die Brustwarze biß, mußte ich mich richtig zusammenreißen. Ich hätte ihm fast eine runtergehauen. Als ich noch kein Kind hatte, konnte ich mir Kindesmißhandlung gar nicht vorstellen. Jetzt schon.« (Timo, 20. Woche)

Der Sprung ist geschafft

Zwischen der 20. und der 22. Woche beginnt wieder eine unkomplizierte Phase. Viele Mütter loben ihr Baby jetzt für seine Fröhlichkeit und seine Unternehmungslust. Es ist nun ein wahres Energiebündel.
Die Mutter ist nicht länger das einzige Spielzeug. Es ist nun bewußt damit beschäftigt, seine Umgebung zu erforschen, und genießt das auch offensichtlich. Auf dem Schoß ist es nun ungeduldiger. Es will runter. Jetzt entwindet es sich immer häufiger den Armen seiner Mutter, weil es etwas Interessantes sieht oder danach greifen will. Es ist ganz deutlich ein Stück selbständiger geworden.

***

»Diese Woche habe ich die kleinen Anziehsachen weggeräumt. Das hat mir im Herzen einen Stich versetzt. Wie die Zeit vergeht! Das ›Loslassen‹ fällt mir schwer und ist auch nicht so einfach. Er ist auf einmal so groß. Ich habe inzwischen auch eine andere Art von Kontakt zu ihm. Er ist mehr ein eigenständiges Individuum. Ich kann das gar nicht so richtig beschreiben.« (Daniel, 23. Woche)

***

»Während sie ihr Fläschchen trinkt, lehnt sie sich mit dem Rücken an mich, ganz aufrecht und aufmerksam für alles, was um sie herum passiert. Sie will das Fläschchen auch selbst halten.« (Laura, 22. Woche)

***

»Wenn er auf meinem Schoß liegt, beugt er seinen Kopf weit nach hinten, damit er auch noch sieht, was hinter ihm vor sich geht.« (Dirk, 23. Woche)

***

»Er protestierte gegen das Tragetuch. Erst dachte ich, daß er mehr Bewegungsfreiheit wollte, weil er immer irgendwas tun will. Dann habe ich ihn andersrum reingesetzt. Jetzt kann er alles sehen.« (Stefan, 21. Woche)

***

Einigen Babys braucht man jetzt auch nichts mehr zu bringen. Wenn sie etwas haben wollen, drehen und bewegen sie sich in alle Richtungen und kriegen so alles selbst zu fassen.

***

»Sie rollt sich vom Bauch auf den Rücken, dreht und windet sich, um an ein Spielzeug zu kommen, oder krabbelt hin. Sie ist den ganzen Tag wie wild beschäftigt und hat zum Schreien keine Zeit mehr. Kurzum, sie ist fröhlicher denn je. Und wir auch.« (Julia, 21. Woche)

***

»Sie krabbelt und rollt in alle Richtungen, ist nicht mehr zu halten. Sie versucht, aus der Wippe zu kommen, will aufs Sofa klettern und saß schon halb im Hundekörbchen. Im Bad ist sie ebenfalls äußerst aktiv. Sie strampelt das ganze Wasser aus der Wanne.« (Anna, 22. Woche)

***

Das Baby ist fröhlicher.

***

»Sie ist auffallend fröhlich. Lacht und ›erzählt Geschichten‹. Einfach wunderbar!« (Stefanie, 23. Woche)

***

»Ich genieße sie jetzt wieder aus vollem Herzen. Sie ist so süß. Und ganz unkompliziert.« (Astrid, 22. Woche)

***

»Er ist auf einmal soviel unkomplizierter. Er hat wieder einen festen Rhythmus und schläft besser.« (Dirk, 23. Woche)

***

Auch viele Schreibabys werden jetzt fröhlicher. Sie können mehr tun. Wahrscheinlich langweilen sie sich weniger.

***

»Er ist erstaunlich lieb und fröhlich. Er schläft jetzt kommentarlos ein, das ist ein echter Gewinn. Und mittags schläft er auch viel länger als in den vergangenen Wochen. Es ist alles so anders als in den paar Monaten zuvor, als er den ganzen Tag brüllte. Von ein paar Ausnahmen abgesehen wird es immer besser.« (Peter, 22. Woche)

Foto

Nach dem Sprung

Alter:______________________________

Was auffällt:______________________________

FREUD' UND LEID UM DIE 26. WOCHE

Um die 26. (25. bis 27.) Woche herum merken Sie, daß Ihr Baby eine neue Fähigkeit dazugewonnen hat. Sie stellen fest, daß es allerlei neue Dinge tut oder probiert, die Sie an ihm vor dieser Zeit noch nicht bemerkt haben. Das Baby selbst hat den Sprung schon eher herannahen gefühlt.
Um die 23. (22. bis 26.) Woche herum wird Ihr Baby meist etwas schwieriger, als Sie es von ihm gewöhnt sind. Es merkt, daß sich seine Welt verändert hat, daß es seine Welt anders erlebt. Es merkt, daß es unbekannte Dinge sieht, hört, riecht, schmeckt und fühlt. Und in dem Wirrwarr der neuen Eindrücke hat es das Bedürfnis, auf etwas Altes und Bekanntes zurückzugreifen. Es will zurück zu Mama. Bei ihr fühlt es sich am vertrautesten. Da kann es mal zur Ruhe kommen und das Neue auf sich wirken lassen. Diese schwierige Phase dauert bei den meisten Babys vier Wochen, kann sich aber auch über eine oder fünf Wochen erstrecken.

Zur Erinnerung

Wenn Ihr Baby »schwierig« ist: Achten Sie einmal darauf, ob es etwas Neues kann oder übt.

DER SPRUNG KÜNDIGT SICH AN: ZURÜCK ZU MAMA

Alle Babys schreien jetzt schneller, als ihre Mütter es von ihnen gewöhnt sind. Sie bezeichnen sie als mäkelig, launisch, quengelig und unzufrieden. Babys mit einem starken eigenen Willen haben auf einmal keine Ausdauer mehr, sind ungeduldig und können richtiggehend zur Plage werden. Alle Babys schreien weniger, wenn sie auf dem Schoß der Mutter sitzen oder wenn die Mutter beim Spielen bei ihnen bleibt.

***

»Sie zeigt ihren eigenen Willen immer deutlicher. Verlangt in mißmutigem Ton, daß ich zu ihr komme oder daß ich bei ihr bleiben muß, weil sie sonst vielleicht nicht an ihr Spielzeug kommt.« (Susanne, 25. Woche)

Woran Sie merken, daß Ihr Baby »bei Mama bleiben« will

Schläft es schlechter? Die meisten Babys schlafen jetzt weniger. Sie wollen nicht ins Bett, schlafen schwerer ein oder wachen früher auf. Einige wollen tagsüber überhaupt nicht ins Bett. Andere nachts nicht. Und das eine oder andere Baby will beides nicht.

***

»Das Zubettgehen geht mit ungeheuren Brüllarien einher, sowohl tagsüber als auch abends. Er schreit Zeter und Mordio. Er ist völlig überdreht. Er kann so brüllen, daß er kaum noch Luft kriegt. Ich finde das entsetzlich anstrengend. Ich wünsche mir von Herzen, daß das nicht von Dauer ist.« (Daniel, 26. Woche)

* * *

»Sein Rhythmus läßt sich nicht mehr einhalten, weil er jeden Tag früher wach wird. Ansonsten schläft er normal.« (Dirk, 25. Woche)

* * *

Hat es »Alpträume«? Babys schlafen manchmal unruhig. Ein Baby kann im Schlaf so aufgeregt herumtoben, daß seine Mutter denkt, es hätte Alpträume.

* * *

»Sie schläft sehr unruhig. Manchmal kreischt sie laut auf, mit geschlossenen Augen, als hätte sie einen Alptraum. Dann nehme ich sie kurz hoch, damit sie sich beruhigen kann. Ich habe jetzt angefangen, sie abends in der Badewanne ein bißchen spielen zu lassen. Ich hoffe, daß sie davon vielleicht etwas ruhiger wird.« (Anna, 23. Woche)

* * *

Fremdelt es? Viele Babys wollen von fremden Menschen nicht angesehen, angesprochen oder angefaßt werden. Und ganz sicher wollen sie nicht auf deren Schoß sitzen. Die meisten Babys wollen auch immer öfter, daß ihre Mutter in ihrem Blickfeld bleibt, auch wenn kein »Fremder« anwesend ist. Dies fällt fast allen Müttern auf. Der Grund: In diesem Alter wird »Fremdeln« durch die neue Fähigkeit, die das Baby bei diesem Sprung erwirbt, ausgelöst.

* * *

»Wenn ich auch nur einen Meter zu weit von ihr fortgehe, fängt sie an zu schreien.« (Astrid, 23. Woche)

***

»Er fremdelt von Tag zu Tag mehr, will mich immer sehen können und in meiner Nähe spielen. Wenn ich weggehe, kriecht er hinterher.« (Timo, 26. Woche)

***

Verlangt es mehr Aufmerksamkeit? Viele Babys wollen, daß die Mutter bei ihnen bleibt, mit ihnen spielt oder nach ihnen sieht.

»Er mag kaum mehr allein sein. Ich muß ihn kurz auf den Schoß nehmen und mich mit ihm beschäftigen. Oder mit ihm rumlaufen.« (Dirk, 27. Woche)

***

»Sie ist schneller unzufrieden, muß mehr beschäftigt werden. Sobald sie wach wird, will sie jemanden sehen. Sie schreit nicht, wird aber unausstehlich. Sie reagiert heftig, hat mehr und mehr ihren eigenen Willen. Sie ist eine kleine Kämpfernatur.« (Susanne, 26. Woche)

***

»Sie war eigentlich konstant schlecht gelaunt, zeigte mißmutig und quengelig, daß sie beachtet werden wollte. Ich mußte den ganzen Tag Spiele mit ihr machen oder mich sonstwie mit ihr beschäftigen. Dann war es gut.« (Julia, 25. Woche)

***

Will es nicht, daß der Körperkontakt abbricht? Viele Babys wollen auf dem Schoß oder auf dem Arm bleiben und nicht hingelegt werden. Einige sind auch auf dem Schoß nicht richtig zufrieden, weil sie von dort aus dann doch wieder etwas unternehmen wollen.

***

»Er will ständig auf den Schoß. Aber wenn er da sitzt, ist er kaum zu halten. Er will überall hinkriechen und probiert wie ein Verrückter, alles anzugrabschen, was er erreichen kann. Das mag ich nicht. Ich probiere alle möglichen Spiele aus, aber das bringt auch nichts. Wenn er schon nicht mit mir spielen will, soll er mich wenigstens nicht nerven. Ich finde es undankbar, wenn er meine Aufforderung zum Spielen ablehnt. Manchmal setze ich ihn dann in den Laufstall, aber das will er auch nicht. Dann plärrt er nach mir.« (Timo, 27. Woche)

Kommt Ihnen das bekannt vor?

Mädchen, die nach Körperkontakt verlangen, wollen dann meist auch mit ihrer Mutter spielen.
Jungen, die nach Körperkontakt verlangen, wollen oft von ihrer Mutter aus auf Entdeckungsreise gehen.

Ißt es schlechter? Sowohl Babys, die gestillt werden, als auch Babys, die mit der Flasche gefüttert werden, trinken nun gelegentlich weniger oder gar nichts. Auch andere Speisen sind weniger gefragt. Oft brauchen die Babys für eine Mahlzeit auch länger, sie scheinen nun meist an Essen und Trinken weniger interessiert zu sein.

***

»Morgens und abends verweigert er regelmäßig die Brust, drückt sie weg. Das tut richtig weh. Aber wenn er im Bett liegt und nicht schlafen kann, dann will er wieder an die Brust. Dann trinkt er ein bißchen und schläft dabei ein.« (Timo, 26. Woche)

***

Ist es »stiller«? Einige Babys geben etwas weniger Geräusche von sich. Andere liegen oft reglos da und sehen sich um oder starren in die Gegend. Mütter finden dieses Verhalten oft »fremd« und »beängstigend«.

***

»Manchmal liegt sie auf einmal ganz still da und starrt Löcher in die Luft. Wenn sie das an einem Tag mehrmals tut, verunsichert mich das etwas. Dann denke ich: Es wird doch nichts mit ihr los sein? Ich kenne sie dann nicht wieder. Sie ist so schlapp. Als ob sie krank wäre.« (Stefanie, 24. Woche)

***

Will es nicht saubergemacht werden? Viele Babys brüllen, wenn sie zum Saubermachen hingelegt werden. Oder wenn sie angezogen werden. Sie wollen einfach nicht, daß an ihrer Kleidung etwas verändert wird.

***

»Wenn ich sie auf den Rücken lege, etwa um sie frisch zu machen, fängt sie immer an zu schreien. Meist nur kurz, aber es ist immer dieselbe Leier. Manchmal denke ich, daß ihr vielleicht am Rücken etwas fehlt.« (Stefanie, 23. Woche)

***

»Wenn ich ihn anziehe oder saubermache, schreit er fast die ganze Zeit Zeter und Mordio. Und wenn man ihm den Pullover über den Kopf zieht, ist es ganz aus. Mich nervt das enorm. Es ist so unnötig.« (Daniel, 24. Woche)

***

Greift es häufiger zu einem Kuscheltier? Manche Babys greifen häufiger zu einem Schmusetier, Pantoffel, Deckchen oder Tuch. Alles was weich ist, kommt in Frage. Meist schmusen sie damit, während sie am Daumen lutschen. Das beruhigt sie.

***

»Wenn sie merkt, daß Quengeln und Nörgeln nicht weiterhelfen, nimmt sie das zur Kenntnis, greift sich ihre Schmusedecke und sitzt dann da, lutscht am Daumen, den Lappen in der Hand. Niedlich.« (Astrid, 24. Woche)

***

»Daumenlutschen ist jetzt das Höchste. Wenn er müde wird, steckt er oft den Daumen in den Mund und legt das Köpfchen auf seinen Teddy. So schläft er ein. Richtig rührend.« (Stefan, 23. Woche)

Woran Sie merken, daß Ihr Baby kopfsteht

- Es schreit mehr. Ist häufiger verdrießlich, mäkelig, mißmutig. ☐
- Es will mehr beschäftigt werden. ☐
- Es will nicht, daß der Körperkontakt abbricht. ☐
- Es schläft schlechter. ☐
- Es ißt schlechter. ☐
- Es will nicht saubergemacht werden. ☐
- Es fremdelt (häufiger). ☐
- Es gibt weniger Geräusche von sich. ☐
- Es bewegt sich weniger. ☐

- Es lutscht (mehr) am Daumen. ☐
- Es greift (häufiger) nach einem Kuscheltier. ☐
- Was Ihnen sonst noch auffällt: ______________________________

____

Sorgen[1]), Irritationen und Streit

Die Mutter ist erschöpft. Mütter von Babys, die viel Aufmerksamkeit fordern, sind während dieser schwierigen Phase häufiger müde. Ganz gewiß sind sie es gegen Ende dieser Zeit. Sie klagen über Magen-, Rücken- und Kopfschmerzen und über Nervosität.

***

»Ich bin so allergisch gegen sein Geschrei, daß ich alles versuche, um es zu vermeiden. Die Anspannung, die das kostet, frißt meine ganze Energie.« (Stefan, 25. Woche)

***

»An einem Abend mußte ich immer wieder hinrennen, um ihr den Schnuller wieder in den Mund zu stecken. Von halb eins bis halb drei war sie auf einmal hellwach. Ich hatte schon einen schweren Tag hinter mir, hatte ziemliche Kopf- und Rückenschmerzen von der Rumschlepperei. Deshalb bin ich dann zusammengeklappt.« (Anna, 27. Woche)

***

1) Wenden Sie sich im Zweifel immer an einen Arzt oder eine Beratungsstelle.

Zähne kommen nicht unbedingt während der Sprünge

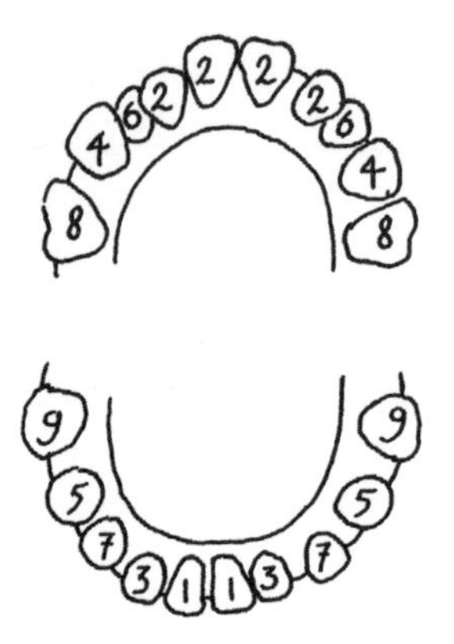

Oben sehen Sie, in welcher Reihenfolge die Zähne meist durchbrechen. Doch Babys sind keine Maschinen. Ihr Baby kriegt sein erstes Zähnchen, wenn es soweit ist. Das ist eine Frage der Veranlagung. Auch die Geschwindigkeit, mit der die Zähne nacheinander zum Vorschein kommen, sagt nichts aus über die Gesundheit oder den Entwicklungsstand Ihres Babys. Aufgeweckte Babys können ihre Zähne früh oder spät, schnell oder langsam bekommen.
Das erste Zähnchen bricht meist durch, wenn das Baby sechs Monate alt ist. Das sind die vorderen Schneidezähne im Unterkiefer (1). Meist hat es sechs Zähne, wenn es seinen ersten Geburtstag feiert. Wenn es zweieinhalb ist, kommen die letzten Backenzähne (8). Damit ist das Milchgebiß vollständig. Das Kleinkind hat dann zwanzig Zähne.
Nachstehend können Sie festhalten, wann und in welcher Reihenfolge die Zähne Ihres Babys kommen.

Achtung: Durchfall oder Fieber haben nichts mit dem Zahnen zu tun. Wenn Ihr Baby das hat, ist es normalerweise krank.

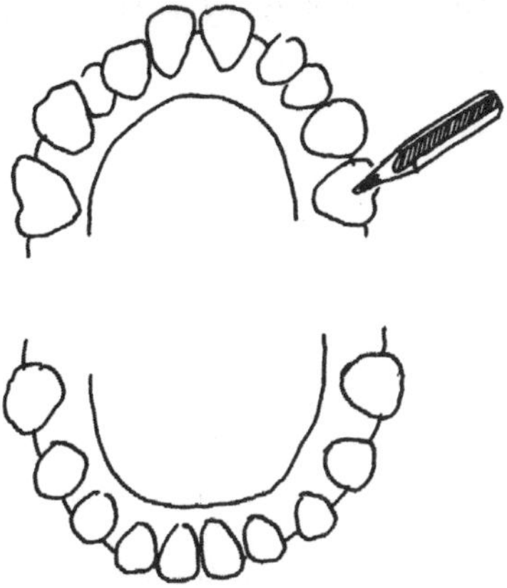

Datum

1 ________	6 ________	11 ________	16 ________
2 ________	7 ________	12 ________	17 ________
3 ________	8 ________	13 ________	18 ________
4 ________	9 ________	14 ________	19 ________
5 ________	10 ________	15 ________	20 ________

Die Mutter macht sich Sorgen. Müttern ist es immer unheimlich, wenn sie nicht begreifen, was mit ihrem Baby los ist. Als es noch kleiner war, dachten sie meist an Koliken. Jetzt vermuten viele, daß ihr Baby schwierig wird, weil es Probleme mit dem Zahnen hat. Richtig, in diesem Alter kommen bei den meisten Babys die ersten Zähnchen durch. Doch es besteht kein Zusammenhang zwischen den Schwierigkeiten, die ein Baby infolge eines Sprunges hat, und dem Zahnen. Babys bekommen ihre Zähne in einer unkomplizierten Phase genauso wie in einer schwierigen Phase. Wenn Ihr Baby genau dann Zähne kriegt, wenn seine Entwicklung einen Sprung macht, kann es dadurch natürlich noch nerviger werden.

»Sie ist sehr launisch, will immer nur auf den Schoß. Das hängt vielleicht mit den Zähnen zusammen. Die machen ihr schon seit drei Wochen zu schaffen. Sie leidet ziemlich darunter, aber sie sind immer noch nicht durchgekommen.« (Julia, 25. Woche)

***

»Er hat viel geschrien. Der Kinderarzt meinte, das läge daran, daß ein paar Zähne kurz vorm Durchbrechen sind.« (Peter, 27. Woche: Der erste Zahn kam sieben Wochen später.)

***

Die Mutter ärgert sich. Mütter regen sich auf, wenn sie finden, daß ihr Baby eigentlich keinen Grund dazu hat, so lästig und schwierig zu sein. Und dieses Gefühl verstärkt sich gegen Ende der schwierigen Phase. Besonders Mütter eines Babys, das besonders viel Aufmerksamkeit verlangt, werden damit dann nicht mehr fertig. Nicht selten klagen sie über Müdigkeit, Kopfschmerzen, Übelkeit, Rückenschmerzen und Nervosität.

***

»Die Woche fand ich ungeheuer schwer. Er schrie ohne Unterlaß. Er wollte in einer Tour Aufmerksamkeit. Er war den ganzen Tag wach und unruhig, bis zehn Uhr abends. Ich habe ihn ständig im Tragetuch mit mir rumgeschleppt. Das hat ihm allerdings gefallen. Und ich war müde, müde, müde von dem Geschleppe und dem kontinuierlichen Gebrüll. Und wenn er abends quengelnd im Bett lag, war es, als würde eine bestimmte Grenze in mir überschritten, und dann fühlte ich die Aggression in mir hochsteigen. Das passierte oft in dieser Woche.« (Daniel, 25. Woche)

***

Die Mutter findet: »Jetzt reicht's«. Während der Mahlzeiten kann es jetzt zu Konflikten kommen. Die meisten Mütter finden es furchtbar,

wenn ihr Baby nicht essen will. Sie bieten ihm immer wieder etwas zu essen an. Sie versuchen es spielerisch, manchmal auch mit Zwang. Aber fast immer ohne Erfolg.
In diesem Alter können Babys, die einen starken eigenen Willen haben, sehr heftig und hartnäckig in ihrer Weigerung sein. Das macht Mütter, die aus purer Besorgnis auch hartnäckig sind, manchmal sehr wütend. Der familiäre Eßtisch wird zum Kriegsschauplatz. Versuchen Sie, Ruhe zu bewahren. Hören Sie auf zu kämpfen. Sie können doch nicht erzwingen, daß Ihr Baby ißt. In der schwierigen Phase sind viele Babys nicht so versessen aufs Essen. Aber das ist vorübergehend. Je mehr Zwang Sie ausüben, desto größer ist die Chance, daß Ihr Baby die Mahlzeiten auch dann noch verweigert, wenn die schwierige Phase vorbei ist. Das wird dann zur Gewohnheit.

***

»Ich ärgere mich regelmäßig über das Gequengel, wenn sie meine Aufmerksamkeit will oder möchte, daß ich sie hochnehme. Es ist so unnötig. Ich hab' auch anderes zu tun. Wenn ich die Nase voll habe, kommt sie ins Bett.« (Stefanie, 26. Woche)

Die neue Fähigkeit bricht durch

»Was mir immer wieder auffällt, ist ein anstrengender, manchmal sogar sehr anstrengender Höhepunkt, dann ein friedliches Abflauen. Immer wenn ich an dem Punkt angelangt bin, wo ich denke, ich kann nicht mehr, dreht sich auf einmal alles um 180 Grad. Er macht auf einmal ganz neue Sachen. Das überrascht mich.« (Daniel, 26. Woche)

***

Um die 26. Woche herum entdecken Sie, daß Ihr Baby mehr kann, als Sie dachten. Sie stellen fest, daß es Dinge probiert oder tut, die neu sind. Das kommt daher, daß in diesem Alter bei jedem Baby die Fähigkeit durchbricht, »Zusammenhänge« wahrzunehmen und mit ihnen zu spielen. Diese Fähigkeit kann man vergleichen mit einer neuen Welt, die sich auftut und in der das Baby wieder die verschiedensten Fertigkeiten entwickeln kann. Ihr Baby mit seinen Anlagen, Vorlieben und seinem Temperament trifft seine eigene Auswahl. Es kann wieder ausgiebig auf Entdeckungsreise gehen und sich neue Dinge aneignen. Und als Erwachsener können Sie ihm dabei helfen.

Der Sprung: Die Welt der »Zusammenhänge«

Ihr Baby kann nun zum ersten Mal allerlei Arten von »Zusammenhängen« erkennen und herstellen. Alles in der Welt ist durch »Zusammenhänge« verknüpft. Das eine hat immer etwas mit dem anderen zu tun. Etwas, das das Baby sieht, kann etwas zu tun haben mit etwas anderem, das es ebenfalls sieht, aber es kann auch zu tun haben mit etwas, das es hört, fühlt, schmeckt oder riecht. Ihr Baby wird Ihnen unzählige Beispiele dafür geben – die Sie einordnen können, wenn Sie wissen, worauf Sie achten müssen. Um Ihnen dabei zu helfen, hier ein paar Beispiele:
Zum Baby dringt jetzt durch, daß sich Menschen und Dinge immer in einem bestimmten räumlichen Abstand zueinander befinden. Das zeigt sich am stärksten in der Interaktion mit seiner Mutter. Wenn der Abstand zwischen beiden zu groß wird, ohne daß das Baby etwas dagegen tun kann, schreit es. Es hat dann die Kontrolle über den Abstand verloren.

***

»Wir haben ein kleines Problem. Sie will nicht in den Laufstall. Schwebt sie auch nur über dem Ding, fängt die Unterlippe schon an zu beben. Liegt sie drin, brüllt sie. Das hört auf, wenn ich sie auf den Boden lege, also an die Außenseite der Gitterstäbe. Dann krabbelt sie mir hinterher.« (Nina, 25. Woche)

***

Ihr Baby versteht jetzt, daß sich etwas innerhalb, außerhalb, auf, neben, unter oder zwischen etwas anderem befinden kann. Und mit diesem Bewußtsein spielt es.

***

»Er beschäftigt sich den ganzen Tag damit, Spielzeug in die Kiste hineinzutun und es wieder herauszuholen. Er räumt Schränke und Regale leer und leert hochvergnügt Fläschchen und Becher in die Badewanne. Aber am schönsten war einmal das folgende: Während ich ihn stillte, ließ er die Brustwarze los, studierte sie mit ernster Miene, bewegte kurz meine Brust auf und ab, sog noch einmal, guckte wieder. Das ging eine ganze Weile so. Das hatte er noch nie getan. Es war, als wollte er herausfinden, wie da wohl etwas rauskommen kann.« (Timo, 30. Woche)

Ihr Baby kann nun verstehen, daß die eine Sache die andere verursacht. So wie ein Knopf, der Musik in Gang setzt, wenn man ihn drückt. Es will sich damit beschäftigen und wird angezogen von Dingen wie Radio- und Fernsehgeräten, Lichtschalter und (Spielzeug-)Klavieren.
Es versteht jetzt, daß zwei Menschen, Dinge, Geräusche, Situationen usw. zueinander gehören können. Oder daß ein Geräusch

zu einem Ding oder zu einer bestimmten Situation gehört. Es weiß, daß das Rumpeln in der Küche bedeutet: Es wird an meinem Essen gearbeitet. Daß das Geräusch des Schlüssels an der Wohnungstür bedeutet: Papa kommt nach Hause. Daß der Hund sein eigenes Essen und sein eigenes Spielzeug hat. Daß es selbst zu Papa und Mama gehört. Manchmal bekümmern und verunsichern diese neuen Fertigkeiten auch.

***

»Mir fällt auf, daß er vor der Brotschneidemaschine beim Bäcker Angst hat. Sobald Brot draufgelegt wird, schaut er mich immer an, ob das wohl gefährlich ist. Wenn ich ihn dann lachend ansehe, ist es nach kurzer Zeit gut. Aber nicht sofort, erst guckt er ängstlich, dann guckt er zu mir, dann wieder ängstlich zur Brotschneidemaschine, dann wieder zu mir.« (Peter, 29. Woche)

***

Ihr Baby versteht nun auch, daß Menschen und Tiere ihre Bewegungen aufeinander abstimmen. Wenn zwei Menschen sich nebeneinander bewegen, ohne sich zu berühren, durchschaut es, daß jeder die Bewegungen des anderen berücksichtigt. Auch das ist ein »Zusammenhang«.
Dem Baby fällt es jetzt auch auf, wenn zwischen zwei Menschen oder Dingen etwas nicht stimmt. Wenn die Mutter mit einem Aufschrei etwas fallen läßt und sich gleichzeitig schnell bückt, um es aufzufangen, wenn zwei Menschen aus Versehen aneinanderstoßen oder wenn der Hund von der Couch fällt, ist das etwas »Unnormales«. Und so eine Situation kann bei dem einen Baby ungeheuer auf die Lachmuskeln wirken, während sie ein anderes Kind furchtbar verängstigt. Wieder ein anderes wird durch so etwas rasend neugierig oder ganz ernst. Schließlich ist es etwas, das eigentlich anders gehört.
Außerdem fühlt das Baby jetzt, daß es die Bewegungen seines

Körpers und seiner Gliedmaßen aufeinander abstimmen kann und daß sie mit großer Präzision zusammenarbeiten.
Wenn es das spürt, kann es mit seinen Spielsachen mehr anfangen. Es kann »erwachsener« krabbeln. Es kann versuchen, sich selbst hinzusetzen, sich zum Stand hochzuziehen und wieder hinzusetzen. Es kann ganz stolz die ersten Schritte tun – mit Hilfestellung. Und das eine oder andere Baby tut das schon ohne Hilfestellung, kurz bevor es zum folgenden Sprung ansetzt.
All diese »körperlichen« Übungen können einem Baby auch Angst machen. Babys erkennen ganz klar, wann sie die Kontrolle über ihren Körper verlieren. Sie müssen lernen, das Gleichgewicht zu halten. Das Halten des Gleichgewichts hat wiederum mit dem Einschätzen von Abständen zu tun. Wenn das Baby den Bogen raushat, kann es auch lernen, das Gleichgewicht zu halten.
Im Abschnitt »Die Auswirkungen des Sprungs: Helfen Sie Ihrem Baby beim Lernen« (Seite 190 ff) wird auf alle oben angeführten Fertigkeiten und darauf, wie Sie Ihrem Baby dabei helfen können, ausführlich eingegangen.
Wenn Ihr Baby »Zusammenhänge« wahrnimmt und damit spielt, tut es das auf seine Art. Es macht Gebrauch von den Fertigkeiten, über die es bereits seit den vorangegangenen Entwicklungssprüngen verfügen kann. Es nimmt also »Zusammenhänge« zwischen »Mustern«, »fließenden Übergängen« und »Ereignissen« wahr.
Die Fähigkeit, »Zusammenhänge« wahrzunehmen und damit zu spielen, verändert das Verhalten Ihres Babys. Sie wirkt sich auf alles aus, was es tut. Das Baby bemerkt jetzt, daß die Welt voller »Zusammenhänge« ist. Es nimmt »Zusammenhänge« wahr zwischen Menschen, zwischen Dingen, zwischen Menschen und Dingen, zwischen sich selbst und anderen Menschen und Dingen und zwischen seinen eigenen Körperteilen.
Können Sie sich vorstellen, daß Ihr Baby verstört ist, wenn all dies auf es einbricht? Für uns als Erwachsene sind »Zusammenhänge« etwas Gewohntes. Wir haben gelernt, mit ihnen zu leben. Ihr Baby noch nicht.

Die Welt der »Zusammenhänge«

Der Bereich »Gleichgewicht halten«:

- Es setzt sich selbst auf, wenn es liegt. ☐
- Es stellt sich selbst hin, zieht sich hoch. ☐
- Es setzt sich selbst wieder hin, wenn es gestanden hat. ☐
- Es steht frei. ☐
- Es läuft mit Unterstützung. ☐
- Es springt, ohne vom Boden zu kommen. ☐
- Es holt ein Spielzeug, das über seinem Kopf auf einem Bord liegt. ☐
- Was Ihnen sonst noch auffällt: ______________________________

____

Der Bereich »Selbermachen«:

- Es läuft am Bett, am Tisch, am Laufstall entlang. ☐
- Es läuft hinter einem Karton durchs Zimmer. ☐
- Es überquert im Stehen den Abstand vom Tisch zum Stuhl. Macht einen Schritt. ☐
- Es krabbelt überall hinein (etwa Schrank, Kartons) und darunter (etwa Stühle, Treppen). ☐
- Es überwindet krabbelnd Hindernisse. ☐
- Es krabbelt rein ins Zimmer, raus aus dem Zimmer. ☐
- Es krabbelt um den Tisch herum. ☐
- Es bückt sich und/oder legt sich auf den Bauch, um etwas, das unterm Sofa liegt, zu holen. ☐
- Es klatscht in die Hände. ☐
- Es benutzt Daumen und Zeigefinger beim Befühlen und Greifen. ☐
- Es kann mit beiden Händen mit etwas spielen (beispielsweise zwei Dinge gegeneinanderschlagen). ☐
- Was Ihnen sonst noch auffällt: ______________________________

____

Der Bereich »Hantieren mit Gegenständen«:

- Es hebt die Decke an, um drunterzugucken. ☐
- Es dreht den Teddy auf den Kopf, um das Geräusch, das er dann macht, zu hören. ☐
- Es rollt einen Ball über den Boden. ☐
- Es greift nicht daneben, wenn man ihm einen Ball zurollt. ☐
- Es wirft einen Papierkorb um, um den Inhalt herauszuwerfen. ☐
- Es wirft Dinge fort. ☐
- Es legt Spielsachen in und neben einen Korb, unter und auf einen Stuhl, tut Sachen in eine Schachtel und holt sie wieder heraus, schiebt Spielzeug durch die Gitterstäbe aus dem Laufstall. ☐
- Es probiert aus, ob ein Spielzeug in ein anderes paßt. ☐
- Es nimmt Spielsachen (Lego, Bausteine) auseinander. ☐
- Es versucht, aus einem Spielzeug den Inhalt (etwa ein Glöckchen) herauszupulen. ☐
- Es zieht seine Söckchen aus. ☐
- Es zieht Schnürsenkel auf. ☐
- Es räumt Schränke und Regale leer. ☐
- Es probiert aus, wie etwas fällt. ☐
- Es stopft dem Hund, Papa oder Mama Essen in den Mund. ☐
- Es drückt Türen zu. ☐
- Es »putzt« etwas oder wischt etwas mit einem Lappen ab. ☐
- Was Ihnen sonst noch auffällt: ______________________________

____

Der Bereich »Sehen«:

- Es blickt abwechselnd von einem Spielzeug (Gegenstand, Nahrungsmittel) zum anderen, wenn es das in Händen hält. ☐
- Es schaut sich ein Tier abwechselnd in verschiedenen Bilderbüchern an. ☐
- Es schaut sich einen Menschen abwechselnd auf verschiedenen Fotos an. ☐
- Es beobachtet die Bewegungen eines Tieres, vor allem, wenn sie vom Normalen abweichen (etwa ein Hund, der mit kurzen Schritten übers Parkett trippelt). ☐

- Es beobachtet die Bewegungen eines Menschen, wenn der sich anders verhält als sonst (etwa die Mutter, die singt, tanzt und in die Hände klatscht, oder den Vater, der Kopfstand macht). ☐
- Es untersucht den eigenen Körper. Penis und Vagina sind dabei besonders interessant. ☐
- Es entwickelt große Aufmerksamkeit für Details oder Kleinteile an oder auf Spielsachen oder anderen Gegenständen (wie die Etiketten an Handtüchern und Kuscheltieren, Aufkleber auf Spielsachen). ☐
- Es sucht selbst ein Buch aus. ☐
- Es sucht selbst aus, womit es spielen will. ☐
- Was Ihnen sonst noch auffällt: ______________________________

  ____

Der Bereich »Hören«:

- Es erkennt den Zusammenhang zwischen Wort und Tat. Versteht kurze Befehle, wie »Nein«, »Laß das«, »Komm, wir gehen«, »Klatsch in die Händchen«. ☐
- Es lauscht ganz andächtig, wenn Sie etwas erklären. ☐
  Sie stellen fest, daß es manchmal versteht, was Sie meinen. ☐
- Es hört gern einen Tierlaut, der zu einem Bild von dem Tier paßt. ☐
- Es horcht aufmerksam auf eine Stimme am Telefon. ☐
- Es ist aufmerksam für Geräusche, die zu einer bestimmten Handlung gehören (beispielsweise Fenster abledern). ☐
- Es hört sich selbst zu, wenn es auf die eine oder andere Art Geräusche produziert (etwa mit dem Fingernagel über die Tapete kratzt oder den nackten Po über die Wickeltischauflage schiebt). ☐
- Was Ihnen sonst noch auffällt: ______________________________

  ____

Der Bereich »Sprechen«:

- Es stellt Zusammenhänge her zwischen Wörtern und Taten. Sagt die ersten »Wörter« im richtigen Kontext. Sagt zum Beispiel »Bu« (= bums), wenn es hinfällt, »Ei«, wenn es streichelt, »Pu«, wenn Pummel, der Hund, sich sehen läßt,»Be«, wenn Bert aus der Sesamstraße auf dem Bildschirm erscheint, und »Hatschi«, wenn jemand niest. ☐

- Es pustet richtig. ☐
- Was Ihnen sonst noch auffällt: ____________________

____

Der Bereich »Abstand Mutter-Baby«:

- Es protestiert, wenn die Mutter weggeht. ☐
- Es krabbelt der Mutter hinterher. ☐
- Es stellt immer wieder kurzen Kontakt zu seiner Mutter her, wenn es sich mit etwas beschäftigt. ☐
- Was Ihnen sonst noch auffällt: ____________________

____

Der Bereich »Gebärden nachahmen«:

- Es macht winke, winke. ☐
- Es klatscht in die Hände. ☐
- Es imitiert Zungenschnalzen. ☐
- Es imitiert Nicken für »Ja« oder Kopfschütteln für »Nein«. »Ja« nickt es oft nur mit den Augen. ☐
- Was Ihnen sonst noch auffällt: ____________________

____

Der Bereich »Verschiedenes«:

- Es tanzt, wenn es Musik hört: Wippt mit dem Bauch auf und ab. ☐
- Was Ihnen sonst noch auffällt: ____________________

____

Denken Sie stets daran, daß Ihr Baby in der neuen Welt nicht alles auf einmal entdecken kann. Mit 26 Wochen bekommt es zum ersten Mal Zugang zu dieser Welt. Aber wann es sich etwas aneignet, hängt vom Interesse des Babys ab und davon, wieviel Gelegenheit es dazu erhält. Die meisten Fähigkeiten entwickelt das Baby erst Monate, manchmal sogar erst viele Monate später!

Wofür entscheidet sich Ihr Baby: ein Schlüssel zu seiner Persönlichkeit

Alle Babys haben nun die Fähigkeit, »Zusammenhänge« wahrzunehmen und mit ihnen zu spielen. Eine neue Welt, voll mit neuen Möglichkeiten, steht für sie offen. Ihr Baby trifft jedoch seine eigene Wahl. Es nimmt das, was am besten zu seinen Anlagen, seinem Interesse, seinem Körperbau und seinem Gewicht paßt. Darum können Sie Babys nicht miteinander vergleichen. Kein Baby ist wie das andere.

Beobachten Sie Ihr Baby genau. Finden Sie heraus, wofür es sich besonders interessiert. Im Kasten »Die Welt der ›Zusammenhänge‹« ist Platz gelassen, damit Sie festhalten können, für welche Dinge sich Ihr Baby entschieden hat. Zwischen der 26. und 34. Woche wird Ihr Baby die Fertigkeiten auswählen, die es in dieser Welt am meisten ansprechen. Wenn Sie seine Entscheidungen respektieren, werden Sie herausfinden, was Ihr Baby einzigartig macht! Wenn Sie auf seine Interessen eingehen, helfen Sie ihm am besten beim Spielen und Lernen.

So sind Babys nun mal

Alles, was neu ist, findet Ihr Baby am schönsten. Reagieren Sie darum immer und ganz besonders auf neue Fertigkeiten und Interessen, die Ihr Baby zeigt. Es lernt dann besser, leichter, schneller und mehr.

Die Auswirkungen des Sprungs: Helfen Sie Ihrem Baby beim Lernen

Jedes Baby benötigt viel Zeit und sehr viel Hilfe, um die neue Fähigkeit so gut wie möglich zu Fertigkeiten auszuarbeiten, die es dann beherrscht. Als Mutter können Sie ihm dabei helfen. Sie können ihm die Gelegenheit und Zeit geben, mit »Zusammenhängen« zu spielen. Sie können es ermutigen und trösten, wenn die Sache nicht gleich richtig klappt. Sie können ihm neue Ideen unterbreiten.
Geben Sie Ihrem Baby Gelegenheit, so oft wie möglich mit »Zusammenhängen« in Kontakt zu kommen. Lassen Sie es diese sehen, hören, fühlen, riechen und schmecken, ganz, wie es ihm am besten gefällt. Je mehr es mit »Zusammenhängen« in Kontakt kommt, mit ihnen spielt, desto besser wird sein Verständnis dafür. Es ist unerheblich, ob Ihr Baby dieses Verständnis jetzt am liebsten auf dem Gebiet des Beobachtens, des Hantierens mit Spielsachen, der Sprache, der Geräusche, der Musik oder der Motorik entwickelt. Es wird dieses Verständnis später leicht auch auf andere Gebiete anwenden. Es kann nun einmal nicht alles gleichzeitig tun.

Lassen Sie Ihr Baby merken, daß Sie nicht wirklich fortgehen

Ihr Baby versteht auf einmal, daß seine Mutter den Abstand zwischen sich und ihm vergrößern und von ihm fortgehen kann. Vorher haben seine Augen das zwar gesehen, aber die Bedeutung von »Fortgehen« war noch nicht zu ihm durchgedrungen. Nun,

wo das der Fall ist, hat es ein Problem. Es bekommt Angst, wenn es merkt, daß seine Mutter unberechenbar ist, daß sie jeden Moment fortgehen kann, daß es ihr nicht oder nur sehr langsam nachgehen kann. Kurzum, es fühlt, daß es keine Kontrolle hat über den Abstand zwischen sich und seiner Mutter. Ihr Baby muß lernen, mit diesem »Fortschritt« umzugehen. Dafür braucht es Verständnis, Mitgefühl, Übung und Zeit.
Nicht alle Babys wollen ihre Mutter gleich oft und gleich nah bei sich haben. Meist ist die Panik um die 29. Woche herum am größten. Danach nimmt sie wieder etwas ab, bis der nächste Sprung sich ankündigt.

***

»Solange sie mich sehen kann, ist alles gut, wenn nicht, fängt sie an zu schreien.« (Eva, 29. Woche)

***

»Ab und an kriegt er seltsame Anwandlungen. Brüllt, bis man ihn hochnimmt, und lacht dann äußerst zufrieden.« (Dirk, 31. Woche)

***

»Sie ist bei der Tagesmutter gewesen, wie sonst auch. Sie wollte nicht essen, nicht schlafen, nichts. Hat nur geschrieen. Das kannte ich gar nicht von ihr. Ich fühlte mich schuldig, als ich sie zurücklassen mußte, und überlege nun, weniger zu arbeiten, weiß aber nicht, wie ich das regeln soll.« (Laura, 28. Woche)

***

»Manchmal will sie den ganzen Tag nicht auf dem Fußboden spielen. Wenn sie nur glaubt, daß ich sie runtersetze, fängt sie schon an zu brüllen. Ich trage sie jetzt den ganzen Tag auf der Hüfte. Sie lacht auch auf einmal nicht mehr so oft mit den Leuten. Noch letzte Woche hatte

jeder das Recht auf ein Lachen übers ganze Gesicht. Nun tut sie das deutlich weniger. Sie hat das schon mal gehabt, aber dann kam nach einiger Zeit doch noch ein Lachen zum Vorschein. Nun absolut nicht mehr.« (Nina, 29. Woche)

***

»Eine Woche voller Streit. Soviel Gebrüll. Schon fünf Minuten alleine spielen war zuviel. Wenn ich nur mal aus dem Zimmer ging, folgte schon lautes Geschrei. Ich habe ihn oft im Tragetuch gehabt. Und doch gab es abends wieder Theater mit dem Zubettgehen. Nach drei Tagen war ich kaputt. Ich hatte es einfach satt. Ich wurde unwahrscheinlich aggressiv. Wahrscheinlich war es ein Teufelskreis. Es ging wirklich über meine Grenzen, und ich fühlte mich allein und so unendlich müde. Alles ging kaputt, fiel mir einfach aus der Hand. Da habe ich ihn das erste Mal in die Krippe gebracht, um mal durchatmen zu können. Aber es ging nicht gut, ich habe ihn dann schnell wieder abgeholt. Es tat mir unsäglich leid, ihn fortzubringen, auch wenn ich es nach langem Hin und Her für die beste Lösung hielt. Ich mute mir oft zuviel zu und fühle mich dann alleingelassen, aggressiv und eingesperrt (bekomme Beklemmungen). Ich frage mich immer wieder, ob ich mehr Wert auf eine feste Ordnung legen sollte oder ob ich ihn zu sehr verwöhne.« (Daniel, 29. Woche)

***

Passen Sie sich den Bedürfnissen Ihres Babys an. Tragen Sie Sorge dafür, daß es Gelegenheit bekommt, sich an die neue Situation zu gewöhnen. Daß es fühlt, daß Sie da sind, wenn es Sie wirklich braucht. Sie können Ihrem Baby helfen, indem Sie es öfter umhertragen oder es dicht in Ihrer Nähe lassen. Sie können ihm erzählen, was Sie vorhaben, bevor Sie weggehen, und weiter mit ihm sprechen, während Sie aus dem einen Zimmer ins andere gehen. Es lernt auf diese Weise, daß Sie noch da sind, auch wenn es Sie nicht mehr sieht.

Außerdem können Sie viele Kuckuckspiele spielen und so das

Fortgehen üben. Sie können hinter einer Zeitung hervorlugen, hinter einem Sofa hervorspitzeln, sich hinter dem etwas weiter entfernten Schrank und schließlich hinter der Tür verstecken.

Geben Sie Ihrem Baby die Gelegenheit, Ihnen zu folgen

Wenn Ihr Baby ein wenig krabbeln kann, können Sie es ermuntern und ihm die Gelegenheit geben, Ihnen zu folgen. Gehen Sie dabei am besten folgendermaßen vor: Erst kündigen Sie an, daß Sie das Zimmer verlassen wollen. So lernt Ihr Baby, daß es Sie nicht ununterbrochen im Auge behalten muß, sondern in Ruhe weiterspielen kann. Dann entfernen Sie sich so langsam, daß es Ihnen folgen kann. Passen Sie Ihre Geschwindigkeit immer der Ihres Babys an. Es lernt dann, daß es selbst den Abstand zwischen sich und seiner Mutter unter Kontrolle halten kann. Darüber hinaus wird es schneller Vertrauen zu Ihnen fassen und Ihnen weniger »zur Last fallen«.

»Erst klammerte er sich wie ein Affe an meinem Bein fest und hockte auf meinem Schuh, wenn ich lief. Diesen ›Klotz am Bein‹ schleppte ich überall mit hin. Nach ein paar Tagen blieb er manchmal etwas zurück, wenn ich ein paar Schritte zur Seite ging, und kroch danach gleich wieder auf mich zu. Jetzt kann ich in die Küche gehen, wenn er rumkrabbelt. Wenn ich dann in der Küche bleibe, kommt er nach einer

gewissen Zeit, um mal nach dem Rechten zu sehen. Er krabbelt jetzt übrigens perfekt auf Händen und Knien und ist ganz schön schnell.« (Daniel, 31. Woche)

***

Der Wunsch Ihres Babys, in Ihrer Nähe zu bleiben, ist oft so groß, daß auch ein unerfahrener Krabbler gern dafür mehr trainiert und so sein Krabbeln verbessert. In diesem Alter kann das ein Baby ja, weil es jetzt spürt, daß es die Bewegungen von Körper und Gliedmaßen aufeinander abstimmen kann. So schlagen Sie zwei Fliegen mit einer Klappe.

Lassen Sie es – mit Ihnen als Basis – kleine Ausflüge machen

Alle Babys, die krabbeln können, bewegen sich in diesem Alter in Kreisen um ihre Mutter herum und suchen immer wieder den Kontakt zu ihr. Wenn Ihr Baby schon richtig krabbeln konnte, bevor seine Entwicklung diesen Sprung machte, merken Sie einen deutlichen Unterschied. Damals blieb es länger fort.

***

»Er krabbelt oft weg und kommt dann zurück. Sitzt dann kurz unter meinem Stuhl. Er bleibt übrigens auch mehr in meiner Nähe als früher.« (Jan, 31. Woche)

***

Geben Sie Ihrem Baby die Gelegenheit, mit Ihnen als Mittelpunkt mit Abständen zu spielen. Setzen Sie sich einmal auf den Fußboden. Sie werden feststellen, daß es seine Ausflüge ständig unterbricht und zu Ihnen gekrabbelt kommt.

Sind Jungen doch anders als Mädchen?

Es scheint, als hätten Mütter von Jungen es schwerer mit ihren Babys als Mütter von Mädchen. Oft verstehen Mütter nicht, was ihr Sohn eigentlich will. Will er nun bei Mama sein oder nicht?

***

»Oft krakeelt er herum, wenn er Kontakt und Beachtung will. Ich gehe jedesmal darauf ein. Aber wenn ich ihn dann hochnehme, um mit ihm etwa ein Spiel zu spielen, will er das auch wieder nicht. Er sieht dann etwas, das er gerne hätte, und beugt sich lautstark in diese Richtung. Es sieht so aus, als ob er zwei Dinge will: auf Entdeckungsreise gehen und bei mir bleiben. Was das erstere angeht, so hinterläßt er meist ein ziemliches Durcheinander im Haus. Er faßt alles ziemlich ›grob‹ an und schmeißt es auf die Seite. So bearbeitet er am liebsten das ganze Haus. Ich hätte ihn gern etwas ›verschmuster‹ gehabt. Ein kleiner Plausch, ein Spiel, jedenfalls etwas gemütlichere Sachen miteinander unternehmen. Und lachen. Das einzige, was ich jetzt mache, ist aufpassen, damit kein Unglück geschieht. Manchmal habe ich das Gefühl, daß ich selbst dabei auf der Strecke bleibe.« (Timo, 32. Woche)

***

Mütter, die Jungen und Mädchen haben, finden meist, daß man mit einem Mädchen »mehr anfangen« kann. Daß man eher weiß, was ein Mädchen will. Daß die Interessen eher ähnlich gelagert sind. Daß es gemütlicher ist.

***

»Mit ihr kann ich mehr ›Mutter und Kind‹ spielen. Viel gemeinsam mit ihr unternehmen. Wenn ich rede, hört sie richtig zu. Sie findet Spiele herrlich und verlangt meist nach mehr. Ihr Bruder hat sich eher allein beschäftigt. Mit ihr ist es irgendwie gemütlicher.« (Eva, 33. Woche)

Helfen Sie Ihrem Baby, sich beim Krabbeln mit »auf«, »in« und »unter« zu beschäftigen

Wenn Ihr Baby gern krabbelt, dann lassen Sie es in einem Raum, in dem nichts passieren kann, frei herumkrabbeln. Beobachten Sie, ob es auch das Folgende tut:

***

»Ich verfolge gern, wie er spielt, wenn er im Wohnzimmer zugange ist: Er krabbelt zum Sofa, guckt drunter, setzt sich hin, krabbelt in Windeseile zum Schrank, kriecht rein, hui, wieder raus, den Teppich entlang, hebt den etwas an, guckt drunter, dann ab in Richtung Stuhl, klettert drunter, schwupp, wieder zum anderen Schrank, kriecht rein, sitzt in der Klemme, weint ein bißchen, schafft es rauszukommen und macht die Tür zu.« (Stefan, 30. Woche)

***

Wenn Ihr Baby auch so emsig ist, sollten Sie ein paar gute Mittel einsetzen, die es herausfordern, bei der Sache zu bleiben. So können Sie mit (aufgerollten) Decken, Bettdecken oder Kissen kleine Erhöhungen schaffen, über die es drüberkrabbeln kann. Stimmen Sie diese Erhöhungen auf Ihr Baby ab. Sie können etwa eine große Schachtel, von der Sie ein Seitenteil entfernt haben, hinstellen, in die es hineinkriechen kann. Sie können aus Schachteln und Stühlen einen Tunnel bauen, durch den es hindurchkrabbeln muß. Sie können aus einem Laken ein Zelt errichten, wo es hinein-, hinaus- oder unten durchkrabbeln kann. Viele Babys machen gern Türen auf und zu. Auch das können Sie in Ihr Spiel einbauen. Und das Größte für Ihr Baby ist, wenn Sie selbst mitkrabbeln. Endlich können Sie das Ganze noch mit Kuckuck- und Versteckspielen anreichern.

Stellen Sie fest, daß Ihr Baby Spielsachen »verlegt«?

Lassen Sie Ihr Baby Gegenstände auf, in, neben oder unter etwas legen. Lassen Sie es Spielsachen irgendwo heraus- oder hinüberwerfen. Lassen Sie es Dinge holen, die zwischen anderen liegen. Wenn es auf diese Art beschäftigt ist, experimentiert es mit den Begriffen.

***

»Sie legt Spielzeug, etwa Bauklötze, Schnuller oder Plüschtiere, in einen Korb. Wenn sie steht, nimmt sie Spielsachen vom Boden und wirft sie auf den Stuhl. Sie quetscht auch Sachen zwischen den Gittern des Laufstalls hindurch. Wenn sie im Laufstall ist, wirft sie alles über den Rand hinaus. Sie guckt sich auch an, was sie vollbracht hat. Sie ist ein schlauer Fuchs.« (Julia, 30. Woche)

***

Geben Sie Ihrem Baby einen eigenen Schrank oder ein eigenes Regal, den oder das es »ausräumen« kann und wo es die Sachen auch leicht wieder hineinstopfen kann. Geben Sie ihm eine Schachtel, in die es Dinge hineintun kann. Drehen Sie eine Schachtel um, damit es etwas drauflegen kann. Lassen Sie es Spielsachen zwischen den Laufstallgittern hindurch nach draußen quetschen oder über den Rand hinauswerfen. Für Babys, die am Krabbeln nicht interessiert sind, ist das eine ideale Art, sich mit Begriffen wie auf, in oder aus zu befassen.

Wirft Ihr Baby auch so gerne Dinge um?

Es wirft Dinge um oder läßt sie fallen, um zu sehen und zu hören, wie das geschieht. Und vielleicht tut es das auch, um zu studieren, wie ein Ding in mehrere Teile zerspringt. Sie beobachten vielleicht, wie es mit Begeisterung Türme aus Bauklötzen umwirft und sie immer wieder von Ihnen aufbauen läßt. Mit demselben Vergnügen macht es sich am Papierkorb oder den vollen Katzennäpfen zu schaffen, um sie auszuleeren.

***

»Sie probiert aus, wie Dinge fallen. Das tut sie mit allerlei Sachen. Ihrem Schnuller, ihren Bauklötzen, ihrem Becher. Ich habe ihr einmal eine Feder von Pino, dem Wellensittich, gegeben. Das war sicher eine Überraschung für sie, aber lieber ist es ihr, wenn es beim Fallen ordentlich scheppert.« (Nina, 28. Woche)

***

»Er hat furchtbar gelacht, als mir einmal ein Teller aus der Hand gefallen und auf dem Boden krachend in tausend Teile zersprungen ist. So habe ich ihn noch nie lachen gehört.« (Jan, 30. Woche)

***

Ihr Baby kann versuchen, Dinge zu rollen, etwa einen Ball oder einen Stoffwürfel, der Geräusche macht. Machen Sie ein Spiel daraus, und rollen Sie das Ding zurück.

***

»Sie kann einen leichten Ball etwas hochwerfen und rollen. Wenn ich ihn ihr zurückrolle, greift sie zielsicher nach ihm.« (Astrid, 27. Woche)

Ist es fasziniert von Dingen, in denen etwas drin steckt?

Es ist fasziniert von Dingen, in denen etwas drin steckt, etwa einem Ball mit einer in Wasser schwimmenden Ente drin, einem Kuscheltier, das ein Geräusch macht, einem Spielzeugklavier.

Aber auch von Fläschchen mit Nagellack oder Parfüm, einem Knopf, der das Licht anmacht, einer Armbanduhr.

***

»Ich hielt einen Teddy kopfüber, so daß er ein Geräusch machte. Danach setzte ich ihn auf den Boden. Das Baby kroch sofort zu ihm hinüber und rollte ihn solange herum, bis er das Geräusch machte. Das fand es so schön, daß er den Teddy wieder und wieder herumrollte.« (Peter, 33. Woche)

Beobachten Sie, daß Ihr Baby Spielsachen auseinandernehmen will?

Wahrscheinlich entdeckt Ihr Baby jetzt, wie spannend es sein kann, Spielzeug »auseinanderzunehmen«, beispielsweise Stapelbecher, Duplo-Steine, Fisher-Price-Perlen, Schnürsenkel. Es pult und zieht an Dingen, die an Gegenständen und Spielsachen befestigt sind, wie Schilder, Etiketten, Aufkleber, Augen und Nasen von Plüschtieren, Räder, Klappen und Türen an Spielzeugautos. Aber auch Knöpfe an Kleidung, Schalter und Schnüre an Apparaten oder Flaschenverschlüsse werden möglichst auseinandergenommen. Kurzum, während das Baby untersucht, zerlegt es alles.

»Er zieht andauernd seine Söckchen aus.« (Dirk, 31. Woche)

Machen Sie die Wohnung babysicher

Denken Sie daran, daß Ihr Baby auch von Dingen fasziniert sein kann, die gefährlich sind! Es kann in alles, was Löcher oder Spalten hat, Finger oder Zunge hineinstecken. Und auch in gefährliche Dinge wie Steckdosen, Elektrogeräte, Gullys oder Hundeschnauzen. Bleiben Sie deshalb immer in der Nähe Ihres Babys, wenn es frei in der Wohnung herumläuft und Dinge inspiziert.

Gefällt es ihm, wenn etwas in etwas verschwindet?

Manchmal will ein Baby ein Ding in ein anderes tun. Aber das gelingt nur durch Zufall. Erst nach dem folgenden Sprung kann es zwischen verschiedenen Formen und Größen unterscheiden.

* * *

»Sie versucht, alle möglichen Dinge ineinanderzustecken. Oft stimmt die Größe, aber die Form nicht, oder manchmal macht sie es nicht sorgfältig genug. Sie wird wütend, wenn es nicht gelingt.« (Julia, 29. Woche)

* * *

»Er hat seine Nasenlöcher entdeckt. Steckt einen forschenden Finger hinein. Hoffentlich macht er das nicht auch mal mit einer Perle!« (Jan, 32. Woche)

* * *

Ihrem Baby gefällt es jetzt auch, wenn es zusieht, wie etwas in etwas verschwindet.

* * *

»Sie sieht gern zu, wie der Hund seinen Napf leerfrißt. Sie liegt am liebsten mit der Nase drin. Ich finde das schon ziemlich gefährlich, weil der Hund bei soviel Aufmerksamkeit auch schneller frißt als sonst. Andererseits beachtet auch der Hund sie plötzlich viel mehr, wenn sie ißt. Wenn sie in ihrem Kinderstuhl am Tisch sitzt, sitzt der Hund neben ihr. Was denken Sie, warum? Sie läßt Brotstückchen fallen und sieht zu, wie sie in seinem Maul verschwinden.« (Laura, 31. Woche)

Versteht Ihr Baby kurze Sätze und Gebärden?

Ihr Baby kann jetzt den Zusammenhang zwischen einem kurzen Satz und dessen Bedeutung und einer Gebärde und ihrer Bedeutung verstehen. Außerdem kann es jetzt auch den Zusammenhang zwischen einem Wort und einer Gebärde begreifen. Es versteht sich von selbst, daß Ihr Baby diese Dinge nur in seiner eigenen Umgebung und innerhalb seiner täglichen Routine versteht. Würden Sie dieselben Sätze in einer unbekannten Situation auf einem Kassettenrecorder abspielen, würde Ihr Baby nichts davon verstehen. Diese Fähigkeit kommt erst viel später.
Doch bereits jetzt kann Ihr Baby – mit seinen noch begrenzten Möglichkeiten – viele neue Dinge lernen. Wenn es sich gern mit Wörtern und Gesten beschäftigt: Gehen Sie auf seine Interessen ein. Ermuntern Sie Ihr Baby, zu verstehen, was Sie sagen. Bilden Sie kurze Sätze, unterstreichen Sie diese mit deutlichen Gebärden. Erklären Sie viel. Lassen Sie es sehen, fühlen, riechen und schmecken, was Sie sagen. Es versteht mehr, als Sie denken.

***

»Ich habe einmal gesagt, daß er zu dem Kaninchen (einem Wasserspeier) im Teich gucken sollte (da sprudelt dann Wasser raus), und er wußte gleich, was das bedeutet. Er hört bei so etwas immer ganz aufmerksam zu.« (Peter, 26. Woche)

***

»Ich habe das Gefühl, daß er es versteht, wenn ich ihm etwas erkläre oder vorschlage. Etwa: ›Wollen wir ein bißchen nach draußen gehen?‹ oder ›Ich glaube, es ist Schlafenszeit‹. Letzteres hört er deutlich weniger gern.« (Daniel, 30. Woche)

***

»Wenn wir sagen: ›Klatsch mal in die Händchen‹, dann tut sie das. Und wenn wir sagen: ›Hüpf‹, dann knickt sie mit den Knien ein und springt hoch. Sie kommt mit den Füßchen jedoch noch nicht vom Boden.« (Julia, 32. Woche)

***

»Wenn ich sage: ›Tschüß, mach mal Tschühüß‹, während ich Papa nachwinke, der aus dem Haus geht, dann macht sie das. Aber sie guckt immer zu meiner Hand.« (Anna, 32. Woche)

Fängt Ihr Baby an, mit »Worten« oder Gebärden zu sprechen?

Es kann jetzt den Zusammenhang zwischen einem Geräusch (oder Wort) und einem »Ereignis« verstehen. Bums, zum Beispiel, gehört zu einem Fall. Überdies kann es den Zusammenhang zwischen einer Gebärde und einem »Ereignis« erlernen. Aber es kann noch mehr. Es kann auch lernen, sie selbst zu gebrauchen. Wenn Ihr Baby mit Worten oder Gesten etwas »sagt« oder »fragt«, dann sollten Sie ihm ganz deutlich zeigen, daß Sie unheimlich begeistert davon sind, daß es das kann. Antworten Sie ihm darauf – mit Worten oder Gesten. Am besten lernt Ihr Baby sprechen, wenn Sie selbst viel mit ihm sprechen, Alltägliches benennen, Fragen stellen (etwa »Möchtest du ein Butterbrot?«, wenn Sie seinen Teller abstellen), ihm Gedichte aufsagen und Singspiele mit ihm spielen. Kurzum, daß Sie das Sprechen für Ihr Baby attraktiv machen.

***

»Wenn er etwas tun will, legt er die Hand drauf und schaut mich an. Als würde er fragen ›Darf ich?‹. Auch ›Nein‹ versteht er. Auch wenn er's immer wieder versucht, er weiß, daß ›Nein‹ ›Nein‹ heißt.« (Daniel, 32. Woche)

***

»Vorige Woche sagte sie zum ersten Mal ›Bu‹ (=Bums), als sie hinfiel, und ganz deutlich ›Ei‹, als sie unsere Katze streichelte. Uns fiel auch auf, daß sie alle möglichen Laute von uns übernahm, also haben wir angefangen, ihr das Sprechen beizubringen. Sie fängt jetzt an, mit Lauten sogenannte Wörter zu bilden. Beispielsweise ›Baba‹ = Papa, ›Pu‹ = Pummel, unser Hund, ›Be‹ = Bert aus der Sesamstraße.« (Julia, 29. Woche)

***

»Sie ist eine richtige Quasselstrippe. Sie plappert vor allem beim Krabbeln, wenn sie jemanden oder etwas wiedererkennt. Sie spricht mit ihren Stofftieren, und wenn sie auf dem Schoß sitzt, redet sie mit uns. Das hört sich so an, als würde sie ganze Geschichten erzählen. Sie benutzt alle möglichen Vokale und Konsonanten und variiert sie endlos.« (Susanne, 29. Woche)

***

»Er schüttelt den Kopf für ›Nein‹ und macht ein Geräusch dabei. Wenn ich das nachmache, muß er furchtbar lachen.« (Peter, 28. Woche)

Das erste »Wort«

Wenn Ihr Baby die Fähigkeit erworben hat, »Zusammenhänge« wahrzunehmen und mit ihnen zu spielen, könnte es seine ersten »Wörter« sagen. Das heißt nicht, daß es das auch tut. Das Alter, in dem Babys anfangen, »Wörter« zu benutzen, kann sehr unterschiedlich sein. Machen Sie sich also keine Sorgen, wenn Ihr Baby das Sprechen noch ein paar Monate zurückstellt.

Schaut Ihr Baby gerne Bücher an?

Wenn Ihr Baby sich gerne unterhält, schaut es sich meist auch gerne Bilder in Büchern an. Gehen Sie darauf ein. Lassen Sie es ein Buch aussuchen. Es hat sehr oft bestimmte Vorlieben. Einige Babys lesen Bücher, um das Auf- und Zuklappen zu üben, andere, um die Bilder anzuschauen.

****

»Er nimmt oft ein Plastik-Bilderbuch, schlägt es immer wieder auf und zu und sieht sich mit gespitzten Lippen die Bilder an.« (Peter, 29. Woche)

***

»Sie holt sich selbst ein Buch, das sie interessant findet, und betrachtet ganz andächtig die Bilder. Sie blättert auch selbst um.« (Julia, 27. Woche)

***

»Am meisten Spaß hat sie, wenn ich die Geräusche mache, die zu dem Tier gehören, das sie gerade anschaut.« (Nina, 30. Woche)

Tanzt und singt Ihr Baby schon?

Wenn Ihr Baby auf Musik reagiert: Singen Sie häufig mit ihm, am besten Lieder, zu denen es tanzen oder klatschen kann. Auf diese Weise übt Ihr Baby Worte und Gebärden.

***

»Als wir beim Babyschwimmen Lieder sangen, sang sie auf einmal mit.« (Anna, 30. Woche)

***

»Wenn sie Musik hört oder wenn ich singe, fängt sie auf einmal an, auf ihren Beinchen oder mit ihrem Bauch zu wippen.« (Eva, 32. Woche)

Setzt sich Ihr Baby aus eigener Kraft auf? Wie ist es um sein Gleichgewicht bestellt?

»Er hat Sitzen gelernt. Erst hat er sich auf eine Pobacke gesetzt, mit beiden Händen auf dem Boden. Dann nahm er eine Hand weg, und jetzt sitzt er, ohne die Hände zu gebrauchen.« (Timo, 25. Woche)

***

»Sie sitzt schon so sicher, daß sie nach Dingen über ihrem Kopf greifen kann, ohne das Gleichgewicht zu verlieren wie vorige Woche. Und manchmal nimmt sie etwas, hält es mit beiden Händen über den Kopf und wirft es dann weg.« (Julia, 28. Woche)

***

»Wenn er sich hinsetzt, rollt er oft weiter. Er fällt auch vorwärts oder rückwärts. Wenn das passiert, lache ich einfach. Oft lacht er dann auch.« (Daniel, 26. Woche)

***

Helfen Sie Ihrem Baby, wenn es wacklig sitzt. Probieren Sie aus, ob es etwas sicherer wird, wenn Sie es spielerisch spüren lassen, wie es am stabilsten sitzt und wie es sein Gleichgewicht wieder herstellt, wenn es zu fallen droht.

Zieht sich Ihr Baby selbst zum Stehen hoch? Wie ist es um sein Gleichgewicht bestellt?

»Sie versuchte diese Woche regelmäßig, sich hochzuziehen, und auf einmal gelang es ihr. Sie hatte sich in ihrem Bettchen hochgezogen, und da stand sie nun. Blieb auch stehen. Jetzt kann sie es richtig. Sie

zieht sich an allem hoch: Bett, Laufstall, Tisch, Stuhl und Beine. Und wenn sie vor dem Laufstall steht, holt sie mit einer Hand Spielsachen raus.« (Julia, 28. Woche)

***

»Im Laufstall hat sie sich zum ersten Mal hingestellt, wußte aber nicht zurück. Es war mühsam für sie. Heute stand sie das erste Mal im Bettchen und rief nach mir. Das irritiert mich. Im Bett soll sie schlafen. Ich hoffe, daß das nicht lange so geht und daß sie bald weiß, wie sie wieder runterkommt.« (Stefanie, 31. Woche)

***

»Sie will unbedingt, daß ich sie wieder hinsetze, wenn sie steht. Ihre Schwester darf das nicht tun, obwohl sie sonst sehr viel darf. Sie hat ganz offensichtlich Angst, daß sie es nicht richtig macht.« (Astrid, 32. Woche)

***

»Manchmal stellen wir ihn an den Tisch. Dort steht er dann sehr unsicher, schwankt manchmal wie eine Marionette am Band und droht ständig hinzufallen.« (Stefan, 31. Woche)

***

Helfen Sie Ihrem Baby, wenn es wacklig sitzt oder steht oder wenn es Angst hat, hinzufallen. Spielen Sie mit ihm Gleichgewichtsspiele. Die machen es mit seiner vertikalen Haltung vertraut. Die beliebtesten Gleichgewichtsspiele finden Sie unter »›Zusammenhänge‹: Die Spitzenreiter unter den Spielen«.

Läuft Ihr Baby mit Unterstützung?
Wie ist es um sein Gleichgewicht bestellt?

»Wenn sie – von zwei Händen gehalten – läuft, hält sie prima das Gleichgewicht. Sie überquert die Distanz zwischen Stuhl und Fernseher, wenn sie steht. Sie läuft am Tisch längs, um die Ecken herum. Sie stapft hinter einem Paket Windeln her durchs Zimmer. Gestern rutschte ihr das Paket weg, und sie machte drei Schritte allein.« (Julia, 34. Woche)

* * *

»Ich ärgere mich über seine langsame Motorik. Er krabbelt nicht, zieht sich nicht hoch. Er sitzt einfach nur da.« (Dirk, 29. Woche)

* * *

Helfen Sie Ihrem Baby, wenn Sie merken, daß es laufen will. Halten Sie es gut fest, denn sein Gleichgewicht ist meist schwankend. Spielen Sie mit ihm Spiele, die es mit dem Halten des Gleichgewichts vertraut machen, auch wenn es sein Gewicht von einem Bein aufs andere verlagert. Laufen Sie nicht stundenlang mit ihm. Dadurch lernt es das auch nicht schneller. Ihr Baby läuft erst dann, wenn es so weit ist und sich an die Sache heranwagt.

Nur mit dem richtigen Körperbau kann Ihr Baby laufen lernen

Wenn Ihr Baby die Fähigkeit bekommen hat, »Zusammenhänge« wahrzunehmen und mit ihnen zu spielen, kann es verstehen, was »Laufen« bedeutet. Aber Verstehen reicht nicht aus, um es auch zu tun. Um richtig zu laufen, muß das Baby einen Körper haben, der bestimmte Anforderungen erfüllt. Ihr Baby wird nur dann laufen lernen, wenn die Verhältnisse zwischen Knochenschwere, Muskelmasse und Arm- und Beinlänge in Hinblick auf seinen Rumpf »ideal« sind. Und ideal muß nicht heißen »hübsch«.

Spielt Ihr Baby mit »Zusammenhängen« zwischen Körperteilen?

Ihr Baby kann jetzt zwei Finger in Zusammenhang bringen, etwa Daumen und Zeigefinger. Wenn ihm das gefällt, kann es lernen, nach so winzigen Dingen wie Flusen auf dem Teppich zu greifen. Es kann Grashalme abpflücken. Es kann mit seinem Zeigefinger alle möglichen Oberflächen befühlen. Und kleine Spielsachen untersuchen, weil es die jetzt zwischen zwei Finger nehmen kann, statt sie mit der ganzen Hand anzufassen.

***

»Sie durchkämmt das ganze Wohnzimmer, sieht die kleinsten Unebenheiten und Krümel auf dem Teppich, hebt sie mit Daumen und Zeigefinger auf und steckt sie in den Mund. Ich muß jetzt höllisch aufpassen, daß sie keine seltsamen Sachen ißt. Ich lasse sie jetzt kleine Brothäppchen allein essen. Erst steckte sie immer statt des Brots, das sie zwischen den Fingern hielt, den Daumen in den Mund. Inzwischen klappt es etwas besser.« (Susanne, 32. Woche)

***

Ihr Baby kann jetzt auch begreifen, wie das, was seine eine Hand tut, mit dem zusammenhängt, was die andere macht. Es hat die Bewegungen beider Hände besser unter Kontrolle. Dadurch kann es beide Hände gleichzeitig einsetzen. Ermuntern Sie Ihr Baby, beide Hände gleichzeitig zu benutzen. Geben Sie ihm in jede Hand ein Spielzeug und fordern Sie es auf, sie aneinander zu schlagen. Es kann diese Schlagbewegungen auch ohne Spielzeug machen, also in die Hände klatschen. Probieren Sie es einmal aus. Lassen Sie es mit Spielsachen auf den Boden oder gegen die Wand schlagen. Ermuntern Sie es, Spielzeug mit der einen Hand aus der anderen zu nehmen. Und lassen Sie es zwei Spielsachen gleichzeitig absetzen und wieder aufnehmen.

***

»Sie hat die Schlagkrankheit. Sie schlägt auf alles ein, was nicht niet- und nagelfest ist.« (Julia, 29. Woche)

»Zusammenhänge«: Die Spitzenreiter unter den Spielen

Dies sind Spiele und Übungen, die auf die neue Fähigkeit eingehen und die bei fast allen 26 bis 34 Wochen alten Babys (plus/minus einer bis zwei Wochen) hoch im Kurs stehen.

KUCKUCK- UND VERSTECKSPIELE.

In diesem Alter sind diese Spiele besonders beliebt. Sie können endlos variiert werden.

Kuckuck mit Taschentuch. Legen Sie sich ein Taschentuch über den Kopf und warten Sie ab, ob Ihr Baby es Ihnen herunterzieht. In der Zwischenzeit können Sie fragen: »Wo ist Mama?« Ihr Baby weiß dann, daß Sie noch da sind, schließlich kann es Sie hören. Wenn es keine Anstalten macht, das Tuch wegzuziehen, nehmen Sie seine Hand und ziehen das Taschentuch gemeinsam herunter. Sagen Sie »Kuckuck«, wenn Sie darunter zum Vorschein kommen.

Kuckuck mit Variationen. Bedecken Sie Ihr Gesicht mit den Händen, und nehmen Sie sie wieder weg. Oder ducken Sie sich hinter einer Zeitung oder einem Buch, das Sie zwischen sich und Ihr Baby halten. Dem Baby gefällt es auch, wenn Sie sich hinter einer Pflanze oder unter einem Tisch verbergen und wieder zum Vorschein kommen. Sie verschwinden dabei ja nicht völlig von der Bildfläche.

Verstecken Sie sich einmal. Verstecken Sie sich an einem auffälligen Ort, etwa hinter der Gardine. Das Baby kann dann die Bewegungen der Gardine verfolgen. Sorgen Sie dafür, daß das Baby sieht, wie Sie verschwinden. Kündigen Sie zum Beispiel an, daß Sie sich verstecken werden (bei Nichtkrabblern) oder daß es Sie suchen soll (bei Krabblern). Wenn es nicht zugeschaut hat oder durch etwas anderes abgelenkt war, rufen Sie es beim Namen. Machen Sie das auch einmal, wenn Sie in der Türöffnung stehen. So lernt Ihr Baby, daß auf »Fortgehen« »Zurückkehren« folgt. Belohnen Sie es jedesmal, wenn es Sie gefunden hat. Nehmen Sie es hoch, oder schmusen Sie mit ihm, je nachdem, was ihm am besten gefällt.

Wo ist das Baby? Viele Babys finden heraus, daß sie sich selbst hinter oder unter etwas verstecken können. Meist beginnen sie damit, indem sie nach einem Tuch oder einem Kleidungsstück greifen, während sie gewickelt werden. Gehen Sie immer darauf ein. So lernt es, daß es bei einem Spiel der aktive Teil sein kann.

Spielzeug verstecken. Verstecken Sie auch einmal ein Spielzeug unter einem Taschentuch. Sie müssen dann allerdings eins nehmen, das Ihr Baby schön findet oder an dem es besonders hängt. Lassen Sie es zuschauen, wo und wie Sie es verstecken. Und machen Sie es ihm beim ersten Mal leicht. Sorgen Sie dafür, daß ein kleines Stück vom Spielzeug immer sichtbar bleibt.

Spielzeug in der Badewanne verstecken. Machen Sie Schaum in der Badewanne, und lassen Sie Ihr Baby damit spielen. Verstecken Sie dann auch einmal Spielzeug unter dem Schaum, und laden Sie Ihr Baby ein, danach zu suchen. Wenn es schon pusten kann, pusten Sie einmal mit einem Strohhalm in den Schaum. Geben Sie dann Ihrem Baby den Strohhalm und fordern Sie es auf, es Ihnen nachzumachen.

ZUM SPRECHEN ERMUNTERN

Sie können das Sprechen attraktiv machen, indem Sie viel mit ihm sprechen, ihm zuhören, mit ihm gemeinsam Bücher »lesen« und Flüster-, Sing- und Wortspiele mit ihm spielen.

Gemeinsam Bilderbücher angucken. Nehmen Sie Ihr Baby auf den Schoß, das findet es meist am behaglichsten. Lassen Sie es ein Buch aussuchen, das Sie sich zusammen anschauen. Nennen Sie beim Namen, was Ihr Baby sieht. Wenn Sie ein Tierbuch lesen, dann imitieren Sie auch die Laute, die das betreffende Tier macht. Babys sind fast immer begeistert, wenn sie hören, wie ihre Mutter bellt, muht oder quakt. Das sind übrigens alles Laute, die Ihr Baby auch nachmachen kann. Dann kann es richtig mitmachen. Lassen Sie es selbst umblättern, wenn es das will.

Flüsterspiel. Die meisten Babys finden es toll, wenn ihnen Laute oder Wörter ins Ohr geflüstert werden. Vielleicht, weil Babys jetzt selbst pusten lernen können und daher besonders interessiert sind an kurzen Pustestößen, die im Ohr kitzeln.

SING- UND BEWEGUNGSSPIELE

Diese Spiele können Sie einsetzen, um sowohl zum Sprechen als auch zum Singen zu ermuntern. Auch der Gleichgewichtssinn wird damit trainiert.

Pferdchen lauf Galopp. Nehmen Sie Ihr Baby auf die Knie, so, daß es Sie anschaut. Halten Sie es unter den Achseln fest, und singen Sie:
»Hopp, hopp, hopp,
Pferdchen lauf Galopp.
Über Stock und über Steine,
aber brich dir nicht die Beine.
Hopp, hopp, hopp, hopp, hopp,
Pferdchen lauf Galopp.«
Während Sie singen, lassen Sie das Baby auf Ihren Knien hoppeln, erst langsamer, dann immer schneller, wenn es ganz schnell wird, nehmen Sie das Baby fest in die Arme und knuddeln es.

Hoppe, hoppe, Reiter. Setzen Sie Ihr Baby aufrecht auf Ihre Knie, so, daß es Sie anschaut. Halten Sie es unter seinen Achseln fest, und singen Sie:
»Hoppe, hoppe, Reiter, wenn er fällt, dann schreit er.
Fällt er in den Graben, fressen ihn die Raben,
fällt er in den Sumpf, macht der Reiter 'Plumps'.«
Bis zu dem Wort »Plumps« lassen Sie das Baby im Takt auf Ihren Knien auf und nieder wippen, bei »Plumps« öffnen Sie überraschend die Knie und lassen das Baby etwas nach unten rutschen.

GLEICHGEWICHTSSPIELE

Viele Singspiele sind gleichzeitig Gleichgewichtsspiele.

Sitzspiel. Setzen Sie sich bequem hin. Nehmen Sie Ihr Baby auf die Knie. Fassen Sie seine Hände und bewegen Sie es sanft nach links und nach rechts, so daß es immer nur auf einer Pobacke sitzt. Lassen Sie es sich auch einmal vorsichtig nach vorn und nach hinten neigen. Letzteres finden Babys am spannendsten. Sie können es auch im Kreis bewegen. Also nach links, nach hinten, nach rechts und nach vorn. Passen Sie sich dem Baby an. Es muß gerade noch spannend genug sein. Sie können das Baby auch das Pendel an der Uhr sein lassen. Dann sagen Sie »Bim, bam, bim, bam« bei jedem »Schwung«.

Stehspiel. Knien Sie sich vor Ihr Baby. Fassen Sie seine Hände oder seine Hüften und bewegen Sie es sanft nach links und nach rechts, so daß es immer nur auf einem Bein steht. Machen Sie dasselbe auch einmal vor- und rückwärts. Passen Sie sich Ihrem Baby an. Es muß noch motiviert genug sein, selbst die Balance zu halten.

Fliegen. Nehmen Sie Ihr Baby fest in den Griff und lassen Sie es durchs Zimmer »fliegen«. Lassen Sie es starten und landen. Lassen Sie es Rechts- und Linkskurven fliegen. Lassen Sie es im Kreis und geradeaus fliegen, und auch mal rückwärts. Variieren Sie soviel wie möglich, und variieren Sie auch die Geschwindigkeit. Wenn Ihr Baby das mag, lassen Sie es auch mal vorsichtig »auf dem Kopf« landen. Natürlich begleiten Sie den gesamten Flug mit den unterschiedlichsten Summ-, Brumm- und Quietschgeräuschen.

Kopfstand. Tobespiele kommen bei den meisten körperlich aktiven Babys hervorragend an. Aber es gibt auch Babys, für die der »Kopfstand« zu aufregend ist. Spielen Sie es also nur, wenn Ihr Baby Freude daran hat. Es ist überdies eine gute Gymnastik.

SPIELEN MIT SPIELSACHEN

Die schönsten Spiele sind jetzt Schränke und Regale leerräumen und Spielsachen wegwerfen und fallen lassen.

Babys eigenes Schränkchen. Richten Sie ein Schränkchen für Ihr Baby her und tun Sie all die Sachen hinein, die Ihr Baby besonders attraktiv findet. Das sind meist leere Schachteln, leere Eierkartons, leere Klopapierrollen, Plastikteller und durchsichtige Plastikfläschchen mit etwas darin. Außerdem Dinge, mit denen Krach gemacht werden kann, etwa ein Topf, Holzlöffel und ein alter Schlüsselbund.

Etwas mit Geschepper fallen lassen. Babys hören es gern ordentlich scheppern, wenn sie etwas fallen lassen. Wenn Ihr Baby in dieser Richtung wenig Interesse zeigt, sollten Sie ihm das »Etwas fallen lassen« attraktiver machen. Setzen Sie Ihr Baby in den Kinderstuhl, legen Sie ein Metalltablett auf den Boden. Geben Sie ihm Bauklötze, die es dann gezielt auf das Tablett fallen lassen darf.

Fallen lassen und aufheben. Setzen Sie Ihr Baby in den Kinderstuhl. Binden Sie Spielsachen an eine kurze Schnur. Wenn es das Spielzeug über Bord wirft, dann zeigen Sie ihm, wie es sie wieder hochziehen kann.

GEMEINSAM RADFAHREN

Ihr Baby sitzt gern vorne auf dem Rad. Achten Sie darauf, daß es in einem stabilen Sitz sitzt, damit sein Rücken gestützt wird. Erzählen Sie ihm, was es sieht, und halten Sie kurz an, wenn Sie merken, daß es etwas genauer betrachten möchte. Sie können auch eine Windmühle am Lenker befestigen.

BABYSCHWIMMEN

Viele Babys finden es wunderbar, im Wasser zu spielen. Einige Schwimmbäder haben extra geheizte Babybecken. Oder bestimmte Zeiten, in denen Babyschwimmen auf dem Programm steht.

STREICHELZOO

Ein Besuch im Streichelzoo, im Wildpark oder am Ententeich kann für Ihr Baby ausgesprochen spannend sein. Es sieht dort die Tiere aus seinem Bilderbuch. Es beobachtet gern die verschiedenen Fortbewegungsarten: watscheln, trippeln, springen. Und was es besonders gern tut, ist, die Tiere zu füttern und ihnen beim Essen zuzusehen.

Spielzeug und Hausrat, die Ihr Baby am meisten faszinieren

Dies sind Spielsachen und Gegenstände, die auf die neue Fähigkeit eingehen und die bei fast allen 26 bis 34 Wochen alten Babys (plus/minus einer bis zwei Wochen) gut ankommen:

- eigener Schrank oder eigenes Regalbrett,
- Türen,
- Pappschachteln in allen möglichen Formaten, denken Sie auch an leere Eierkartons;
- Holzlöffel,
- (runde) Stapelbecher,
- Holzklötze,
- Duplo-Steine,
- Ball, der so leicht ist, daß es ihn rollen kann;
- Bilderbücher,
- Fotoalben,
- Musikkassette,
- Bade-Utensilien: Dinge zum Füllen und Ausgießen, etwa Plastikfläschchen und -becher, Plastiksieb, Trichter;
- Auto mit Rädern, die sich drehen, und Türen, die man öffnen kann;
- Kuscheltier, das Geräusche macht, wenn man es auf den Kopf stellt;
- Quietschtiere,
- (Spielzeug-)Klavier,
- (Spielzeug-)Telefon.

Achtung! Wegstellen oder sichern!

- Steckdosen,
- Stecker,
- Schnüre,

- Schlüsselbunde,
- Ausgüsse,
- Treppen,
- Flaschen (Parfüm, Nagellack, -entferner),
- Tuben,
- Musikanlagen,
- Fernbedienungen,
- Pflanzen,
- Papierkörbe, Mülleimer,
- Wecker und Uhren.

Konflikte mit Ihrem Baby

Wenn Ihr Baby damit beschäftigt ist, seine Fähigkeit zum Wahrnehmen und Schaffen von »Zusammenhängen« zu vertiefen, kann es auch Verhaltensweisen an den Tag legen, die Sie ärgern.

Übrigens

Auch das Abgewöhnen alter Gewohnheiten und das Angewöhnen neuer Regeln gehören zu den Auswirkungen jeder neuen Fähigkeit. Das, was Ihr Baby jetzt versteht, können Sie auch von ihm verlangen. Nicht mehr und nicht weniger.

Ständig an der Mutter hängen ist lästig. Mütter ärgern sich jetzt mehr und mehr, wenn sie nicht dazu kommen, ihren normalen (Haushalts-) Beschäftigungen nachzugehen. Als ihr Baby 29 Wochen alt war, haben die meisten Mütter versucht, mehr auf Distanz zu gehen, indem sie es ablenkten, kurz schreien ließen oder ins Bett legten. Berücksichtigen Sie, womit Ihr Baby fertig werden muß. Für das Baby kann diese Phase auch angsteinflößend sein.

⁂

»Es macht mich ganz fusselig, wenn er an meinen Beinen hängt, wenn ich kochen muß. Dann scheint er immer ganz besonders lästig zu sein. Ich habe ihn dann ins Bett gelegt.« (Rudolf, 30. Woche)

Irritationen rund um die Mahlzeiten. In diesem Alter kommen Babys darauf, daß das eine Gericht leckerer ist als das andere. Und warum sollte man dann nicht das leckere wählen? Viele Mütter finden es erst niedlich und dann unsäglich, wenn das Baby nicht mehr alles mag. Sie fragen sich, ob ihr Baby wohl genug Nährstoffe zu sich nimmt. Sie lenken den schwierigen Esser ab, um ihm plötzlich und unerwartet den Löffel in den Mund zu stecken. Oder sie rennen den ganzen Tag mit Essen hinter ihm her. Tun Sie das nicht. Babys mit einem starken eigenen Willen wehren sich immer mehr gegen etwas, das man ihnen aufzwingen will. Und eine besorgte Mutter reagiert wiederum darauf. Mahlzeiten werden so zu Kampfzeiten.

Hören Sie auf zu streiten. Ein Baby, das nicht essen will, können Sie nicht zum Schlucken zwingen. Wenn Sie das doch tun, vergrößern Sie damit seine Abneigung gegen alles, was mit Essen zu tun hat. Wechseln Sie lieber über zu einer anderen Taktik und bedienen Sie sich dabei der neuesten Fertigkeiten Ihres Babys. Es kann jetzt etwas zwischen Daumen und Zeigefinger festhalten, braucht dafür aber noch eine Menge Übung. Selbst zu essen ist gut für seine Koordinationsfähigkeit. Es will eigene Entscheidungen

treffen, und wenn es die Freiheit bekommt, selbst zuzugreifen, hat es am Essen mehr Spaß. Gehen Sie darauf ein. Lassen Sie es auch selbst essen, während Sie es füttern. Das kann zunächst ein ziemliches Durcheinander geben, ermutigen Sie es trotzdem. Legen Sie ihm immer zwei Stückchen auf seinen Teller, so daß es selbst auch beschäftigt ist. Meist läßt es sich zwischendurch dann leicht füttern. Sie können für noch mehr Spaß für Ihr Baby sorgen, wenn Sie es vorm Spiegel essen lassen. Es kann dann sehen, wie es sich selbst etwas in den Mund steckt, wie Sie sich etwas in den Mund stecken und wie Sie ihm etwas in den Mund stecken. Machen Sie sich keine Gedanken, wenn es nicht auf Anhieb klappt. Viele Babys gehen durch eine Phase mit Eßproblemen. Und sie kommen da auch wieder raus.
Auch Eßgewohnheiten werden von der einen Mutter mit Ärger aufgenommen, während die andere sie für ganz normal hält.

***

»Was mich maßlos irritiert, ist, daß sie nach jedem Bissen den Daumen in den Mund stecken will. Ich erlaube das nicht! Das ist ein echter Streitpunkt zwischen uns!« (Astrid, 29. Woche)

***

»Ich habe ihn immer an der Brust in den Schlaf gewiegt. Aber inzwischen ärgert mich das. Ich finde, er ist jetzt groß genug, um normal ins Bett zu gehen. Mein Mann will ihn auch schon mal hinlegen, und das geht eben nicht. Man weiß ja nie, ob ihn nicht mal jemand anders hinlegen muß. Ich habe jetzt angefangen, ihn daran zu gewöhnen, daß er einmal am Tag normal ins Bett gelegt wird. Da protestiert er.« (Timo, 31. Woche)

***

Überall drankommen und nicht gehorchen ist lästig. Viele Mütter müssen auf einmal viel häufiger etwas verbieten, wenn das Baby mit der Auswirkung des Sprunges beschäftigt ist. Ein Krabbelkind kommt überall ran.

***

»Ich muß ständig was verbieten. Sie rast vom einen zum anderen. Besondere Anziehungskraft hatten bis jetzt: das Weinregal, der Videorecorder, mein Handarbeitskorb, Schränke, Regale und Schuhe. Andere Hobbys waren Blumentöpfe umwerfen, Pflanzen ausgraben und Katzenfutter essen, Ich bin nur noch am Ermahnen. Neulich habe ich ihr leider tatsächlich einen Klaps gegeben, als es mir reichte.« (Julia, 31. Woche)

***

Ungeduldig sein ist lästig. Babys können vielerlei Gründe zur Ungeduld haben. Sie wollen nicht aufs Essen warten. Sie werden zornig, wenn etwas nicht so klappt, wie sie sich das vorstellen. Wenn etwas verboten wird. Wenn die Mutter nicht schnell genug herbeigeeilt kommt.

***

»Sie wird jetzt oft sehr ungeduldig. Sie will alles haben und wird unglaublich böse, wenn sie an etwas nicht drankommen kann und ich ›Nein‹ sage. Dann fängt sie richtig an zu kreischen. Das irritiert mich, und ich denke dann, sie tut das, weil ich berufstätig bin. Bei der Tagesmutter ist sie viel artiger.« (Laura, 31. Woche)

***

»Diese Woche habe ich sie ins Bett gelegt, als sie während des Fütterns so furchtbar gequengelt und gebrüllt hat. Es geht ihr dann nicht schnell genug, und dann fängt sie nach jedem Bissen an zu kreischen, dreht und windet sich. Als mein Zorn nach fünf Minunten verraucht war, haben wir weitergemacht. Und alle waren ruhiger bei der Sache.« (Astrid, 28. Woche)

DER SPRUNG IST GESCHAFFT

Zwischen der 30. und der 35. Woche beginnt wieder eine unkomplizierte Phase. Dann wird das Baby ein bis drei Wochen lang für seine Fröhlichkeit, seine Selbständigkeit und seine Fortschritte gelobt.

***

»Sie fremdelt immer weniger. Sie lacht viel. Und sie kann sich gut selbst beschäftigen. Sie ist wieder sehr mobil und unternehmungslustig. Eigentlich haben diese Veränderungen schon in der vorigen Woche begonnen, aber es wird immer noch besser.« (Anna, 33. Woche)

***

»Dadurch, daß sie so artig ist, wirkt sie wie ein ganz anderes Kind. Vor kurzem schrie und heulte sie noch oft. Auch die Art und Weise, wie sie Geschichten erzählt, ist jetzt so nett. Sie ist eigentlich schon ein richtiges Kleinkind, wie sie so hinter ihrem Karton durchs Zimmer stapft.« (Julia, 35. Woche)

***

»Dirk ist besonders fröhlich, also ist es nicht schwer, ihn gernzuhaben. Es tut mir auch gut, daß er körperlich etwas aktiver und lebendiger wird. Aber wenn er Menschen beobachten kann, geht es ihm am besten. Er ist auch sehr redselig. Ein richtiger Wonneproppen.« (Dirk, 30. Woche)

***

»Sie ist deutlich größer und vernünftiger geworden. Sie reagiert auf alles, was wir tun. Sie bekommt alles mit. Sie will auch alles haben, was wir haben. Man könnte fast sagen, sie will richtig dazugehören.« (Astrid, 34. Woche)

***

»Wunderbar, etwas Ruhe nach einer langen Zeit voller Veränderungen. Eine wunderbare Woche. Er hat sich wieder verändert. Er schreit weniger, schläft mehr. Es kommt wieder zu einem bestimmten Rhythmus, mal wieder. Ich spreche viel mehr mit ihm. Ich stelle fest, daß ich alles erkläre, was ich mache. Wenn ich sein Fläschchen vorbereite, sage ich ihm das. Wenn er ins Bett geht, sage ich, daß er jetzt schön schlafen geht und daß ich im Wohnzimmer sitze und ihn bald wieder raushole. Ich erkläre ihm, warum er auch mal schlafen muß. Und das Reden tut mir gut. Mit der Krippe klappt es jetzt auch.« (Daniel, 39. Woche)

***

»Mein Kontakt zu ihm ist jetzt ein ganz anderer. Als wäre die Nabelschnur jetzt durchgeschnitten. Das mit der totalen Abhängigkeit ist auch vorbei. Ich tue mich nicht mehr so schwer damit, ihn dem Babysitter anzuvertrauen. Ich merke auch, daß ich ihm mehr Selbständigkeit zugestehe. Ich erdrücke ihn nicht mehr so.« (Daniel, 31. Woche)

***

»Eine entspannte Woche. Er ist fröhlich, kann sich gut allein mit seinen Spielsachen amüsieren. Mit der Krippe klappt es weiterhin gut. Auf andere Kinder reagiert er fröhlich. Ißt prima. Er ist ein lieber kleiner Kerl, eine immer eigenständigere Persönlichkeit.« (Daniel, 32. Woche)

Foto

Nach dem Sprung

Alter: ______________________________________

Was auffällt: ______________________________________

FREUD' UND LEID UM DIE 37. WOCHE

Um die 37. (36. bis 40.) Woche herum beginnen Sie zu merken, daß Ihr Baby eine neue Fähigkeit dazubekommen hat. Sie entdecken, daß es Dinge tut oder tun will, die neu für es sind. Das Baby läßt damit erkennen, daß seine Entwicklung einen Sprung macht. Es selbst hat den Sprung schon eher gespürt.

Um die 35. (32. bis 37.) Woche herum wird Ihr Baby wieder schwieriger, als es die letzten ein bis drei Wochen war. Es merkt, daß seine Welt anders ist, als es dachte, daß es sie anders erlebt, als es gewohnt ist. Es merkt, daß es Dinge sieht, hört, riecht, schmeckt und fühlt, die ihm unbekannt sind. Es ist verstört und klammert sich so gut es kann an den vertrautesten, sichersten Ort, den es kennt: Mama.

Diese schwierige Phase dauert bei den meisten Babys vier Wochen, aber sie kann sich auch über drei bis sechs Wochen erstrecken.

Zur Erinnerung

Wenn Ihr Baby »schwierig« ist: Achten Sie einmal darauf, ob es etwas Neues kann oder übt.

DER SPRUNG KÜNDIGT SICH AN: ZURÜCK ZU MAMA

Alle Babys schreien nun mehr als in den vergangenen Tagen oder Wochen. Man bezeichnet sie als mäkelig, nörglerisch, miesepetrig, quengelig, mißmutig, unzufrieden, rastlos, unruhig und ungeduldig. Eigentlich ganz verständlich.
Die Babys stehen jetzt unter besonderer Anspannung. Seit dem vorangegangenen Sprung begreift ein Baby, daß seine Mutter den Abstand zwischen sich und ihm vergrößert, wenn sie weggeht. Viele Babys hatten anfangs zeitweise Probleme damit, aber über die Wochen haben sie gelernt – auf ihre eigene Art –, damit umzugehen. Und gerade, als es so aussah, als würde es noch leichter werden, streute der neueste Sprung Sand ins Getriebe. Das Baby will »bei Mama bleiben«. Aber ihm ist auch absolut bewußt, daß die Mutter weggehen kann, wenn sie das will. Das verunsichert es zusätzlich und vergrößert die Spannung, unter der es steht. Also ist es besonders rast- und ruhelos und damit nervig.

***

»Die letzten Tage wollte sie nur noch auf dem Schoß sitzen. Übrigens ohne erkennbaren Grund. Wenn ich sie nicht auf den Arm nehme, schreit sie. Wenn wir mit dem Wagen unterwegs sind und sie nur glaubt, daß ich angehalten habe, will sie schon auf den Arm.« (Astrid, 34. Woche)

***

»Sie war mäkelig, schien sich zu langweilen. Alles wurde kurz in die Hand genommen und gleich wieder weggeworfen.« (Laura, 35. Woche)

***

»Wenn sie bei jemandem auf dem Schoß sitzt, ist immer alles in Ordnung. Sonst schreit sie viel. Sie ist ziemlich unruhig, das kenne ich von ihr gar nicht. Ob sie im Laufstall, auf ihrem Stühlchen oder auf dem Boden sitzt – sie hat alles schnell satt.« (Eva, 34. Woche)

***

Alle Babys weinen weniger, wenn sie bei ihrer Mutter sind. Vor allem, wenn die Mutter auch ihre ganze Aufmerksamkeit auf ihr Baby richtet. Das Baby sie also ganz für sich alleine hat.

***

»Er war weinerlich, richtig ungenießbar. Nur wenn ich bei ihm blieb oder ihn auf den Schoß nahm, war es gut. Ein paar Mal habe ich ihn ins Bett gesteckt, als ich genug von ihm hatte.« (Dirk, 36. Woche)

Woran Sie merken, daß Ihr Baby »bei Mama bleiben« will

Hängt es (mehr) an Ihrem Rockzipfel? Nicht-Krabbler, die Angst haben, wenn ihre Mutter herumläuft, können nichts anderes tun, als zu weinen. Für einige Babys ist jeder Schritt, den die Mutter tut, mit echter Panik verbunden. Krabbelbabys können sozusagen aus eigener Kraft bei ihr bleiben. Manchmal klammern sie sich so sehr an ihrer Mutter fest, daß sie kaum einen Schritt tun kann.

»Noch eine anstrengende Woche. Viel Geschrei. Er hängt buchstäblich an meinem Rockzipfel. Gehe ich aus dem Zimmer: nichts wie Gebrüll und hinter mir her. Wenn ich beim Kochen bin, krabbelt er hinter mich, hält sich an meinen Beinen fest und lehnt sich so an mich, daß ich mich nicht mehr vom Fleck rühren kann. Das abendliche Zubettgehen ist auch wieder Theater. Er schläft spät ein. Er spielt nur, wenn ich mit ihm spiele. Ab und zu wird mir das Ganze wieder zuviel.« (Daniel, 38. Woche)

***

»Im Augenblick ist sie ganz auf mich fixiert. Solange sie mich sehen kann, ist alles gut, sonst fängt sie an zu schreien.« (Julia, 38. Woche)

***

»Ich nenne sie ›Klettchen‹, weil sie buchstäblich an mir hängt. Sie will wieder ständig um mich herum, an und auf mir sein.« (Anna, 36. Woche)

***

Fremdelt es? Der Wunsch, in Mamas Nähe zu sein, verstärkt sich, wenn andere dabei sind. Manchmal auch dann, wenn es sich dabei um den Vater oder die Geschwister handelt. Oft darf kein anderer als die Mutter das Baby ansehen oder ansprechen. Und fast immer ist die Mutter der einzige Mensch, der es berühren darf.

***

»Sie fremdelt wieder mehr.« (Susanne, 34. Woche)

***

»Wenn fremde Menschen ihn ansprechen oder anfassen, fängt er unverzüglich an zu heulen.« (Peter, 34. Woche)

***

»Wenn jemand kommt, düst er auf meinen Schoß, Bauch an Bauch, krallt sich fest und guckt erst dann, wer es ist.« (Rudolf, 34. Woche)

***

»Sie fremdelt wieder, oder besser gesagt, sie ist ängstlicher, wenn jemand sie anfassen oder hochnehmen will.« (Anna, 36. Woche)

***

Will es nicht, daß der Körperkontakt abbricht? Manche Babys halten ihre Mutter mit aller Macht fest, wenn sie auf dem Schoß sitzen oder herumgetragen werden. Andere werden wütend, wenn ihre Mutter sie unerwartet absetzt.

***

»Sie wird sauer, wenn ich sie kurz runtersetze. Wenn ich sie dann wieder hochnehme, kneift sie mich immer. Wenn der Hund in der Nähe ist, kneift sie ihn schon, bevor ich sie hochnehme.« (Anna, 35. Woche)

***

»Er hat es gern, herumgetragen zu werden, und krallt sich dann auffallend kräftig an meinem Hals oder meinen Haaren fest.« (Timo, 36. Woche)

***

»Man könnte meinen, mit ihrem Bett stimmt was nicht. Wenn sie fest eingeschlafen ist und ich sie dann ins Bett bringe, braucht sie nur die Matratze zu spüren, und schon stehen die Augen wieder weit offen. Gebrüll!« (Laura, 33. Woche)

***

Will es (mehr) beschäftigt werden? Die meisten Babys verlangen mehr Aufmerksamkeit. Selbst die pflegeleichten Babys sind jetzt nicht immer zufrieden, wenn sie allein sind. Einige Babys sind erst zufrieden, wenn die Mutter sich ganz auf sie konzentriert. So ein Baby will dann, daß seine Mutter sich ausschließlich mit ihm beschäftigt und ohne Unterlaß mit ihm spielt. Es wird prompt lästiger, wenn seine Mutter etwas oder jemand anderem Beachtung schenkt. Man könnte auch sagen: Es ist eifersüchtig.

***

»Wenn ich mit anderen rede, fängt er laut an zu kreischen, damit er beachtet wird.« (Peter, 36. Woche)

***

»Er mag nicht allein im Laufstall liegen. Verlangt jetzt deutlich nach Aufmerksamkeit. Er hat gern Menschen um sich.« (Dirk, 34. Woche)

***

Schläft es schlechter? Die meisten Babys schlafen jetzt weniger. Sie wollen nicht ins Bett, haben Mühe einzuschlafen und wachen früher auf. Einige wollen tagsüber überhaupt nicht schlafen. Andere nachts nicht. Wieder andere sind sowohl in der Nacht als auch am Tag länger wach.

***

»Er wird nachts oft wach. Manchmal ist er um drei Uhr nachts wach und spielt anderthalb Stunden.« (Timo, 33. Woche)

***

»Sie ist abends länger wach, will nicht ins Bett. Sie schläft wenig.« (Susanne, 35. Woche)

»Zur Zeit weint sie sich in den Schlaf.« (Stefanie, 33. Woche)

***

Hat es »Alpträume«? Babys können im Schlaf sehr unruhig sein. Oft können sie so toben, daß die Mutter denkt, sie hätten Alpträume.

***

»Er wird nachts oft wach. Einmal hatte ich den Eindruck, er würde träumen.« (Peter, 37. Woche)

***

»Sie wird abends immer laut schreiend wach. Wenn ich sie aus dem Bett nehme, ist sie wieder ruhig. Dann lege ich sie zurück, und sie schläft weiter.« (Anna, 35. Woche)

***

Ist es übertrieben lieb? In diesem Alter kann man zum ersten Mal beobachten, daß Babys, die schwierig sind, auch eine ganz andere Taktik versuchen, um in der Nähe ihrer Mutter bleiben zu können. Statt zu quengeln und zu schreien, wechseln sie den Kurs und küssen und schmusen ihre Mutter fast zu Tode. Oft wechseln sie ab zwischen lästig sein und lieb sein, wenn sie Aufmerksamkeit wollen. Mütter von Nicht-Schmusebabys finden es meist herrlich, wenn sich ihr Baby endlich mal anschmiegsamer zeigt.

***

»Manchmal gefiel ihr einfach gar nichts. Ein andermal war sie furchtbar ›verschmust‹.« (Astrid, 36. Woche)

***

»Er ist anhänglicher als jemals zuvor. Wenn ich in seine Nähe komme, umarmt er mich ungestüm. Mein Hals hat vom ›Knutschen‹ und ›Klammern‹ lauter rote Flecken. Außerdem ist er jetzt nicht mehr so ›auf dem Sprung‹. Er sitzt jetzt auch mal still, und dann kann ich mit ihm ein Buch lesen. Ich finde das herrlich. Endlich will er auch mal mit mir spielen.« (Timo, 35. Woche)

»Er ist insofern schwierig, als daß er lieber und anhänglicher ist, sich oft schön zu einem setzt, sich ankuschelt und zwischen uns im Bett liegen möchte. Unsere Umgebung findet das ›inzestuös‹, aber solange er das noch will, kosten wir es richtig aus.« (Stefan, 36. Woche)

***

Ist es »stiller«? Manchmal ist das Baby vorübergehend etwas ruhiger. Sie hören es dann seltener »plaudern« oder beobachten, daß es weniger aktiv ist und weniger spielt. Ein andermal hält es kurz mitten im Spiel inne und starrt unverwandt ins Leere.

***

»Er ist stiller, guckt oft verträumt vor sich hin. Ich habe den Eindruck, daß irgend etwas nicht in Ordnung ist. Daß er krank wird oder so.« (Stefan, 36. Woche)

***

»Mir ist, als wäre wieder ein toter Punkt erreicht. Sein Spielzeug liegt schon seit längerer Zeit unberührt in der Ecke. Ich habe das Gefühl, er braucht andere Spielsachen. Spielsachen, die ihn mehr fordern. Ich weiß nur noch nicht, welche.« (Daniel, 37. Woche)

***

Will es nicht saubergemacht werden? Die meisten Babys quengeln, kreischen, winden sich, sind ungeduldig und ruhelos, wenn sie zum Anziehen, Ausziehen oder Wickeln hingelegt werden.

***

»Ausziehen, Anziehen und Windeln wechseln sind eine Katastrophe. Sie kreischt, sobald sie hingelegt wird. Ich kriege das nicht in den Griff. Es ist hoffnungslos.« (Stefanie, 35. Woche)

***

»Sie hat eine Abneigung gegen das Aus- und Anziehen entwickelt. Meistens tobt sie ganz fürchterlich.« (Anna, 36. Woche)

***

Benimmt es sich babyartiger? Einige Mütter entdecken nun zum ersten Mal, wie ein abgelegtes Babyverhalten wieder zum Vorschein kommt. Wenn das Baby älter ist, wird so ein »Rückfall ins Babyalter« immer deutlicher. Mütter sehen so einen Rückfall nicht gern. Er macht sie unsicher. Doch diese Rückfälle sind normal. Sie kommen in allen »schwierigen Phasen« vor.

***

»Sie schläft abends schlecht ein. Sie schreit dann genauso wie damals als Neugeborenes.« (Stefanie, 32. Woche)

»Ich muß ihn wieder jeden Abend in den Schlaf wiegen und singen, genau wie früher.« (Stefan, 35. Woche)

***

Ißt es schlechter? Viele Babys scheinen am Essen und Trinken nun weniger interessiert zu sein. Manche wirken, als hätten sie keinen Hunger, und lassen eine Mahlzeit aus. Andere wollen nur das essen, was sie sich selbst in den Mund stopfen. Wieder andere sind wählerisch, sitzen da, kleckern und spucken. Die meisten brauchen für eine Mahlzeit nun länger. Babys können während der Mahlzeiten auch ruhelos sein. Wenn das Essen auf dem Tisch steht, wollen sie es nicht, aber wenn es weggestellt wird, möchten sie es unbedingt haben. Oder sie wollen an einem Tag viel, am anderen gar nichts essen. Alle Varianten kommen vor.

***

»Er verweigerte drei Tage lang die Brust. Es war furchtbar, ich war kurz vorm Platzen. Gerade als ich mich zu dem Entschluß durchgerungen hatte, daß ich vielleicht doch besser abstillen sollte, besonders, wo die T-Shirt-Saison vor der Tür stand, wollte er wieder den ganzen Tag trinken. Und schon hatte ich wieder Angst, er könnte nicht genug bekommen, er nahm ja nichts anderes zu sich. Aber es scheint gutzugehen. Zumindest macht es den Eindruck.« (Timo, 34. Woche)

Woran Sie merken, daß Ihr Baby kopfsteht

- Es schreit öfter. Ist öfter mißgestimmt, nörgelig, quengelig. ☐
- In einem Moment ist es fröhlich, im nächsten weinerlich. ☐
- Es will mehr beschäftigt werden. ☐
- Es hängt (häufiger) an Ihrem Rockzipfel. ☐
- Es ist »übertrieben« lieb. ☐
- Es kriegt (öfter) Wutanfälle. ☐
- Es fremdelt (häufiger). ☐
- Es protestiert, wenn der Körperkontakt abgebrochen wird. ☐

- Es schläft schlechter. ☐
- Es hat (häufiger) »Alpträume«. ☐
- Es ißt schlechter. ☐
- Es »plaudert« weniger. ☐
- Es bewegt sich weniger. ☐
- Es sitzt manchmal still da und träumt. ☐
- Es will nicht saubergemacht werden. ☐
- Es lutscht (öfter) am Daumen und greift zu einem Kuscheltier. ☐
- Es benimmt sich babyartiger. ☐
- Was Ihnen sonst noch auffällt: ______________________________

  ____

Sorgen[1], Irritationen und Streit

Die Mutter ist verunsichert. Mütter machen sich meist Sorgen, wenn sie merken, daß ihr Baby kopfsteht. Sie wollen dahinterkommen, warum es sich so benimmt, wie es sich benimmt. Wenn Mütter auf eine gute Erklärung gekommen sind, beruhigt sie das. In diesem Alter sind das meist »durchbrechende« Zähne.

***

»Die oberen Zähne machen ihr zu schaffen. Immer will sie, daß ich etwas mit ihr anstelle. Etwa spazierengehen oder spielen.« (Eva, 34. Woche: Der nächste Zahn kam erst in der 42. Woche.)

***

»Er kann sich richtig fürchten. Nachts wacht er schreiend auf. Manchmal sogar dreimal, und dann ist er nicht mehr zu beruhigen. Nur wenn er bei uns im Bett ist, schläft er wieder ein.« (Stefan, 33. Woche)

1) Wenden Sie sich im Zweifel immer an einen Arzt oder eine Beratungsstelle.

Die Mutter ist erschöpft. Mütter von Babys, die viel Aufmerksamkeit fordern und wenig schlafen, sind meist furchtbar abgespannt. Gegen Ende der schwierigen Phase meinen einige, es nicht mehr länger aushalten zu können. Manche Mütter klagen außerdem über Kopf- und Rückenschmerzen und Übelkeit.

***

»Wenn sie bis Mitternacht wach bleibt und dabei auch noch fröhlich spielt, könnte ich verzweifeln. Wenn sie dann endlich schläft, klappe ich zusammen. Fühle mich ausgelaugt und kann keinen klaren Gedanken mehr fassen. Von meinem Mann werde ich kein bißchen unterstützt. Er regt sich auf, daß ich ihr soviel Aufmerksamkeit schenke. Er denkt: Laß sie doch plärren.« (Nina, 37. Woche)

***

»Der Tag ist lang, wenn er so schlechte Laune hat, so viel schreit und schmollt.« (Daniel, 35. Woche)

***

Die Mutter ärgert sich und schreitet zur Tat. Fast alle Mütter ärgern sich in der schwierigen Phase zunehmend über das Verhalten ihres Babys. Sie ärgern sich über das rastlose, ungeduldige Schreien, Quengeln, Jammern und Nölen nach Körperkontakt und Aufmerksamkeit. Sie ärgern sich über das »An-Mama-Klammern«, über die Anstrengung, die es kostet, das Baby zu wickeln oder umzuziehen, und über das »heute ja, morgen nein« bei den Mahlzeiten.

***

»Als sie wieder so einen Anfall hatte, habe ich sie ins Bett gesteckt. Ich war so müde, so durcheinander.« (Julia, 37. Woche)

***

»Beim Anziehen habe ich sie ziemlich grob hingelegt. Ich konnte das Gejammer und Gequengel nicht mehr ertragen. Den ganzen Tag plärrte sie schon herum, im Laufstall, im Stühlchen, im Bett.« (Stefanie, 35. Woche)

***

»Als er beim Wickeln so unruhig war, habe ich ihn in seinem Zimmer auf den Fußboden gesetzt und bin rausgegangen. Da war er auf einmal still. Kurz darauf rief er mich mit Geschrei zurück und war dann etwas williger.« (Rudolf, 37. Woche)

***

»Diese Woche habe ich einmal mit ihm geschimpft. Er war so ungeheuerlich am Kreischen, daß ich plötzlich laut und böse rief: ›Jetzt ist aber Schluß!‹ Meine Güte, hat er sich erschreckt. Erst riß er die Augen weit auf, dann senkte er den Kopf und sah mich an, als würde er sich richtig schämen. Mit so einem niedlichen Ausdruck im Gesicht. Danach war er tatsächlich etwas ruhiger.« (Peter, 37. Woche)

***

»Ich habe beschlossen, daß er am Tag nicht mehr als zweimal an die Brust darf. Ich bin diese Unberechenbarkeit leid. Ein Tag viel, ein Tag nichts. Und zu Hause lulle ich ihn auch nicht mehr an der Brust in den Schlaf. Das klappt jetzt ganz gut. In einer fremden Wohnung tu ich's aber schon noch.« (Timo, 37. Woche)

***

Es gibt Streit. Am Ende jeder schwierigen Phase wollen die meisten stillenden Mütter mit dem Stillen aufhören. Es irritiert sie, daß das Baby mal an die Brust will, mal nicht. Aber auch die quengelnde Art und Weise, mit der das Baby jedesmal seinen Willen durchsetzen möchte, sorgt dafür, daß Mütter das Stillen oft leid sind.

***

»Er will an die Brust, wann es ihm paßt. Und dann unverzüglich. Wenn es mir gerade nicht in den Kram paßt, kriegt er wirklich so etwas wie einen Wutanfall. Ich habe Angst, daß diese Anfälle zur Gewohnheit werden. Deshalb werde ich mit dem Stillen aufhören.« (Stefan, 36. Woche)

***

Zum Krach kann es auch kommen, wenn das Baby und seine Mutter über die Menge an Körperkontakt und Aufmerksamkeit, die das Baby haben und die Mutter geben will, verhandeln.

***

»Das Geklammer und das Gequengel irritieren mich immer mehr. Wenn wir irgendwo zu Besuch sind, will er mich gar nicht mehr loslassen. Am liebsten würde ich ihn dann zur Seite schieben. Tu' ich manchmal auch. Aber dann wird er richtig wütend.« (Rudolf, 37. Woche)

Die neue Fähigkeit bricht durch

»Ich bin wieder an einem toten Punkt angekommen. Sein Spielzeug liegt unangetastet in der Ecke. Und zwar schon länger. Draußen ist er ganz aktiv, da gibt es genug zu sehen. Aber in der Wohnung langweilt er sich.« (Daniel, 37. Woche)

***

Wenn Ihr Baby ungefähr 37 Wochen alt ist, werden Sie entdecken, daß es ruhiger wird. Daß es Dinge probiert oder tut, die neu sind. Sie werden feststellen, daß es anders mit seinen Spielsachen umgeht. Andere Dinge schön findet. Sich etwas besser konzentriert und sich damit beschäftigt, Dinge zu untersuchen. Das kommt daher, daß in diesem Alter die Fähigkeit zum Wahrnehmen und Schaffen von »Kategorien« durchbricht. Man kann diese Fähigkeit vergleichen mit einer neuen Welt, die sich auftut und in der es zum Thema »Kategorien« ungeheuer viel zu entdecken gibt. Ihr Baby trifft je nach seiner Veranlagung, seinen Vorlieben und seinem Temperament seine eigene Wahl. Es kann jetzt wieder ausgiebig auf Entdeckungsreise gehen und sich neue Dinge aneignen. Und Sie als Erwachsene können ihm dabei helfen.

DER SPRUNG: DIE WELT DER »KATEGORIEN«

Nach dem vorigen Sprung begann Ihr Baby, »Zusammenhänge« herzustellen zwischen den Dingen, denen es in seiner Welt begegnete. Zwischen Dingen, die es sah, hörte, roch, schmeckte und fühlte, sowohl in der Außenwelt als auch in und mit seinem Körper. Dadurch lernte es alles besser kennen. Es merkte, daß es genau so ein Wesen ist wie seine Mama, daß es dieselben Bewegungen machen kann wie sie. Daß es sie imitieren kann. Daß es andere Dinge gibt, die sich ebenfalls bewegen, nur auf eine andere Art. Daß es Dinge gibt, die sich nicht von sich aus bewegen können und so weiter.

Wenn das Baby die Fähigkeit bekommen hat, »Kategorien« wahrzunehmen und zu schaffen, wird ihm bewußt, daß es seine Welt in Gruppen einteilen kann. Es dringt zu ihm durch, daß bestimmte »Dinge« einander sehr ähnlich sind. Gleich aussehen, dasselbe Geräusch machen, ähnlich schmecken, riechen oder sich anfühlen. Kurz, es entdeckt, daß mehrere Sachen dieselben Merkmale aufweisen.

So lernt es beispielsweise, was ein »Pferd« ist. Es merkt, daß jedes Pferd zur selben »Kategorie« gehört, sei es nun weiß, braun oder gescheckt. Es merkt auch, daß es keine Rolle spielt, ob das Pferd in natura auf der Weide steht oder ob es auf einem Foto, einem Gemälde oder in einem Bilderbuch zu sehen ist. Ob es ein Pferd aus Ton ist oder ein lebendes. Es ist und bleibt ein Pferd.

Natürlich kann Ihr Baby seine Welt nicht von einem Tag auf den anderen in »Kategorien« einteilen. Um das zu können, muß es erst einmal die Menschen, Tiere und Dinge gut kennenlernen. Es muß

ihm bewußt werden, daß »etwas« bestimmte Anforderungen erfüllen muß, wenn es in eine bestimmte »Kategorie« passen soll. Das Baby muß diese Anforderungen erkennen, und dafür braucht es Erfahrung, Übung und Zeit. Wenn Ihr Baby die Fähigkeit zum Wahrnehmen und Schaffen von »Kategorien« bekommt, beginnt es, damit zu experimentieren. Es fängt an, Menschen, Tiere und Dinge auf eine bestimmte Art zu studieren. Es wird sie betrachten, vergleichen, nach Übereinstimmungen sortieren und dann in einer bestimmten »Kategorie« unterbringen. Seine Vorstellung von einer »Kategorie« resultiert also aus vielen »Forschungsergebnissen«, wobei sich Ihr Baby wie ein echter Forscher an die Arbeit macht. Es betrachtet Übereinstimmungen und Unterschiede, belauscht, befühlt, schmeckt sie und probiert sie aus. Ihr Baby ist ein Schwerstarbeiter.
Wenn Ihr Kind anfängt zu sprechen, werden Sie feststellen, daß es die »Kategorien« von uns Erwachsenen schon lange entdeckt hat und diesen gelegentlich einen eigenen Namen gegeben hat. Beispielsweise: Was das Kind »Tüt-Zug oben« nennt, ist für uns ein Flugzeug, sein »Stapelhaus« nennen wir Hochhaus, und was das Kind als »Federpflanze« bezeichnet, kennen wir als Farn. Es ist also selbst damit beschäftigt gewesen, »Kategorien« zu schaffen. Am Namen, die das Kind den Dingen gibt, erkennen Sie die Eigenschaften wieder, die für das Kind am meisten kennzeichnend waren.
Gleich nachdem Ihr Baby die Fähigkeit erwirbt, seine Welt in »Kategorien« einzuteilen, macht es sich ans Werk. Es testet nicht nur, was etwas zum »Pferd«, »Hund« oder »Teddy«, sondern auch, was etwas »groß«, »klein«, »schwer«, »leicht«, »rund«, »weich« oder »klebrig« macht. Und auch, wie etwas ist, wenn es »traurig«, »fröhlich«, »lieb« oder »ungezogen« ist.
Untersuchungen mit Babys haben klar erwiesen, daß Babys von diesem Alter an anders reagieren. Daraus schloß man zunächst, daß »Intelligenz« in diesem Alter »entsteht«. Der Eindruck mag sich vielleicht aufdrängen, aber das soll nicht heißen, daß ein Baby

nicht schon auch vorher »gedacht« hat. Nur tat es das in einer Weise, die zu seinem Alter paßte, die wir Erwachsenen aber nicht mehr verstehen. Wenn Ihr Baby die Fähigkeit bekommt, »Kategorien« zu schaffen, wird seine »Denke« der unseren, der der Erwachsenen, ähnlicher. Es beginnt dann, so zu denken wie wir. Und darum können wir anfangen, es zu verstehen.

Wenn Ihr Baby »Kategorien« wahrnimmt und selbst schafft, tut es das so, wie ein 37 Wochen altes Baby das eben tut. Es bedient sich der Fähigkeiten, die ihm seit den vorangegangenen Entwicklungssprüngen zur Verfügung stehen. Fähigkeiten, die es erst mit den nächsten Entwicklungssprüngen bekommen wird, kann es selbstverständlich jetzt noch nicht einsetzen. Um die 37. Woche herum kann Ihr Baby also lernen, »Muster«, »fließende Übergänge«, »Ereignisse« und/oder »Zusammenhänge« in »Kategorien« einzuteilen.

Das Baby denkt auf einmal »wie ein Erwachsener«

Durch das Verwenden von »Kategorien« – wie wir Erwachsenen das tun – zeigen wir, wie wir denken. Ihr Baby kann diese Art des Denkens nun auch begreifen und benutzen. Und dadurch können Sie einander besser verstehen.

Diese Fähigkeit zum Wahrnehmen und Schaffen von »Kategorien« beeinflußt das Verhalten Ihres Babys. Sie wirkt sich auf alles aus, was Ihr Baby tut. Es muß seine gesamte Erlebniswelt revidieren. Es merkt, daß es Menschen, Tiere, Dinge und Gefühle nach dem, was sie gemeinsam haben, in Gruppen einteilen kann. Und die bekommen einen Namen.

Können Sie sich vorstellen, daß Ihr Baby kopfsteht, wenn das alles auf es einbricht? Für uns als Erwachsene sind Kategorien etwas ganz Normales. Unser Denken und unsere Sprache sind davon durchdrungen. Mehr noch: Sie sind davon abhängig. Ihr Baby macht hier zum ersten Mal Bekanntschaft damit. Zum ersten Mal kann es das, was seine Sinne wahrnehmen, in »Kategorien« zusammenfassen. Das bedeutet, daß es nun zum ersten Mal so denken kann wie wir. Und uns etwas »mitteilen« kann, was wir verstehen.

Kopfarbeit

Die Hirnstromkurven Ihres Babys zeigen um den achten Monat herum wieder drastische Veränderungen und sein Kopfumfang nimmt in erstaunlichem Maß zu. Außerdem ändert sich der Glukose-Stoffwechsel im Gehirn.

Die Welt der »Kategorien«

Der Bereich »Erkennen von Tieren und Dingen«:

- Es läßt merken, daß es zum Beispiel »Flugzeug«, »Auto«, »Fisch«, »Ente«, »Katze«, »Vogel« oder »Pferd« wiedererkennt. Egal ob in natura, als Foto oder im Bilderbuch. ☐
- Es zeigt, daß es beispielsweise »rund« von anderen Formen unterscheiden kann, indem es immer die runden Teile aussortiert. ☐
- Es zeigt, daß es etwas »eklig« findet. ☐
- Es zeigt, daß es etwas »schön« oder »lecker« findet. Etwa, indem es ein bestimmtes Geräusch oder eine bestimmte Bewegung macht. ☐
- Es begreift Namen von Tieren oder Dingen, etwa »Schäfchen«, »Kätzchen« oder »Entchen«, »Zahnbürste« oder »Zwieback«. Wenn Sie fragen: »Wo ist … ?«, schaut es dorthin. Wenn Sie sagen: »Hol dein …«, holt es das. ☐
- Es spricht Wörter nach. ☐
- Es betrachtet alles durch ein Sandkastensieb, durch ein Fliegengitter, durch Glas. ☐
- Was Ihnen sonst noch auffällt: ______________________________

  ____

Der Bereich »Erkennen von Menschen als Menschen«:

- Es beginnt, sich deutlicher mit Lauten und Gebärden an andere Menschen zu wenden. ☐
- Es macht auffallend oft andere Menschen nach. Imitiert, was sie tun. ☐

- Es will deutlich häufiger mit anderen spielen. ☐
- Es ruft nach Familienmitgliedern. Jedes wird mit einem anderen Laut bedacht. ☐
- Was Ihnen sonst noch auffällt: ______________________________

____

Der Bereich »Erkennen von einzelnen Menschen in unterschiedlichen Situationen«:

- Es erkennt Menschen, wenn es sie in einer völlig anderen Situation wiedersieht. ☐
- Es erkennt Menschen im Spiegel, sucht beispielsweise ihr Spiegelbild, wenn sie irgendwo im Zimmer sind. ☐
- Es läßt merken, daß es sich selbst auf einem Foto oder im Spiegel erkennt. Es schneidet seinem Spiegelbild zum Beispiel alberne Grimassen, streckt die Zunge heraus und lacht darüber. ☐
- Was Ihnen sonst noch auffällt: ______________________________

____

Der Bereich »Erkennen von Gefühlen«:

- Es ist zum ersten Mal eifersüchtig, wenn ein anderes Kind Aufmerksamkeit bekommt. Ist nicht eifersüchtig, wenn seine Mutter auf ein anderes Kind böse ist. ☐
- Es tröstet zum Beispiel seinen Teddy, wenn er auf den Boden gefallen ist, aber auch, wenn es ihn selbst absichtlich dorthin geworfen hat. ☐
- Es ist besonders lieb, wenn es etwas erreichen will. ☐
- Es zeigt seine Stimmung in übertriebener Form. Spielt »Theater«, um klarzumachen, wie es sich fühlt. ☐
- Es ist empfindsamer gegenüber Stimmungen anderer, beispielsweise weint es mit, wenn ein anderes Kind weint. ☐
- Was Ihnen sonst noch auffällt: ______________________________

____

Der Bereich »Die Mutterrolle übernehmen«:

- Es kann die Rollen vertauschen und von sich aus ein Spiel beginnen. ☐
- Es spielt Kuckuck mit einem jüngeren Baby. ☐

- Es gibt seiner Mutter das Fläschchen. ☐
- Es fordert dazu auf, ein Lied zu singen. Klatscht dann in die Hände. ☐
- Es fordert dazu auf, Versteck zu spielen, indem es selbst hinter etwas kriecht. ☐
- Es fordert dazu auf, Bauklötze aufeinander zu stapeln, indem es Ihnen seine Klötzchen reicht. ☐
- Was Ihnen sonst noch auffällt: ______________________________

____

Denken Sie stets daran, daß Ihr Baby in der neuen Welt nicht alles auf einmal entdecken kann. Mit 37 Wochen bekommt es zum ersten Mal Zugang zu dieser Welt. Aber wann es sich etwas aneignet, hängt vom Interesse des Babys ab und davon, wieviel Gelegenheit es dazu erhält. Die meisten Fertigkeiten entwickelt das Baby erst Monate, manchmal sogar erst viele Monate später!

Wofür entscheidet sich Ihr Baby: ein Schlüssel zu seiner Persönlichkeit

Alle Babys haben diese Fähigkeit zum Wahrnehmen und Schaffen von »Kategorien« mitbekommen. Die neue Welt steht allen offen und ist angefüllt mit neuen Möglichkeiten. Ihr Baby trifft dabei seine eigene Wahl. Es nimmt sich das, was am besten zu seiner Veranlagung, seinen Interessen, seinem Körperbau und seinem Gewicht paßt. Vergleichen Sie deshalb Ihr Baby nicht mit anderen. Jedes Baby ist einzigartig.

Beobachten Sie Ihr Baby genau. Finden Sie heraus, wofür es sich interessiert. Im Kasten »Die Welt der ›Kategorien‹« ist Platz gelassen, um festzuhalten, für welche Dinge sich Ihr Baby entscheidet. Zwischen der 37. und 42. Woche wird es die Fertigkeiten auswählen, die es in dieser Welt am meisten ansprechen. Respektieren Sie seine Wahl. Denn so finden Sie heraus, was es ist, das Ihr Baby einzigartig macht! Und wenn Sie auf seine Interessen eingehen, helfen Sie ihm am besten beim Spielen und Lernen.

Die Auswirkungen des Sprungs: Helfen Sie Ihrem Baby beim Lernen

Jedes Baby braucht Zeit und Hilfe, um zu verstehen, warum etwas in eine bestimmte Kategorie fällt. Als Mutter können Sie ihm helfen. Sie können ihm Gelegenheit und Zeit geben, so zu experimentieren und zu spielen, daß es begreift, warum etwas einer bestimmten Kategorie zuzuordnen ist. Sie können Ihr Baby, wenn nötig, ermutigen und trösten. Sie können es auf neue Ideen bringen.

Geben Sie Ihrem Baby Gelegenheit, seinen Begriff von »Kategorien« zu erweitern. Es ist unwichtig, welche »Kategorien« Ihr Baby zuerst untersucht. Wenn ihm erst einmal bewußt geworden ist, was eine »Kategorie« ausmacht, kann es dies später leicht auch auf andere »Kategorien« anwenden. Das eine Baby beginnt lieber mit »Dinge erkennen«, das andere mit »Menschen erkennen«. Lassen Sie sich von Ihrem Baby leiten. Es kann nun einmal nicht alles gleichzeitig tun.

Lassen Sie es »Kategorien« entdecken

Wenn Ihr Baby seine Fähigkeit, Kategorien wahrzunehmen und zu schaffen, ausarbeitet, werden Sie merken, daß es eigentlich damit beschäftigt ist, eine ganze Reihe von Erkennungsmerkmalen zu untersuchen und zu vergleichen. Sie sehen also, daß es mit »Zusammenhängen« spielt. Dadurch lernt es die wichtigsten Erkennungsmerkmale dessen, was es untersucht, kennen. Es entdeckt, ob etwas springt oder nicht, ob es leicht oder schwer, groß oder klein, rund oder eckig ist, wie es sich anfühlt und so weiter. Es betrachtet etwas von allen Seiten, dreht und wendet es und hält seinen Kopf schräg. Bewegt es langsam und schnell. Nur mit diesem »Vorgehen« kommt es zu Entdeckungen wie »Das ist ein Ball, das nicht« oder »Dieser Bauklotz ist rund, der andere nicht«. Haben Sie schon einmal gesehen, daß Ihr Baby etwas aus der Entfernung betrachtet? Oft bewegt es dabei seinen Kopf hin und her. Das hat einen Grund. Es merkt, daß Dinge ihre Größe und ihr Aussehen behalten, wenn es selbst sich bewegt. Mit dieser Entdeckung spielt es. Finden Sie heraus, was Ihrem Baby gefällt, und lassen Sie es gewähren.

***

»In der Badewanne will er den Strahl greifen, der aus dem Wasserhahn kommt. Er kneift ins Wasser, und wenn er dann die Hand wieder öffnet, ist nichts drin. Das kommt ihm komisch vor. Aber er kann sich ewig damit beschäftigen.« (Peter, 43. Woche)

***

Lassen Sie Ihr Baby mit den Begriffen »eines« und »mehr als eines« spielen. Bauen Sie einmal einen Turm für Ihr Baby, so daß es die Klötzchen nacheinander herunterholen kann. Dasselbe können Sie mit Ringen um eine Pyramide tun. Geben Sie ihm auch mal einen Stapel mit Zeitschriften, die es dann eine nach der anderen weglegen kann. Und achten Sie darauf, welche Spiele mit »eines« und »mehr als eines« Ihr Baby sich selbst ausdenkt.

»Er nimmt eine durchsichtige runde Dose, tut eine Perle rein, schüttelt. Dann tut er mehr Perlen rein und schüttelt wieder. Jedesmal lauscht er konzentriert auf das Geräusch und unterhält sich blendend dabei.« (Jan, 41. Woche)

***

Lassen Sie es mit den Begriffen »geben« und »bekommen« spielen. Manchen Babys gefällt es sehr gut, andauernd etwas zu bekommen oder zu geben. Ganz egal, was. Wenn sie nur geben und empfangen können. Das Letztgenannte lieber als das erste. Wenn das Baby etwas hergibt, bedeutet das natürlich, daß es das gleich zurückhaben möchte. Oft versteht es auch »Gib mir... » oder »Bitte«. Sie können das Geben-nehmen-Spiel mit Sprache verbinden und so das Verständnis Ihres Babys dafür vergrößern.

Lassen Sie Ihr Baby mit den Begriffen »grob« und »vorsichtig« spielen. Manche Babys probieren aus, was geschieht, wenn sie einen Menschen, ein Tier oder eine Sache grob statt vorsichtig behandeln. Wenn Sie merken, daß Ihr Baby das tut, können Sie ihm sagen, daß es weh tut oder daß etwas kaputtgehen kann. Dann wird ihm klar, was es da tut.

***

»Immer wieder beißt er mich oder geht grob mit seinem Spielzeug oder anderen Sachen um. Aber er kann sich auch übertrieben vorsichtig anstellen: Er streichelt mit einem Finger Blumen und Ameisen – um sie anschließend zu zerquetschen. Wenn ich dann sage ›Na, nicht so doll‹, nimmt er zum Fühlen wieder ganz sachte den Finger.« (Daniel, 40. Woche)

***

»Als wir in der Badewanne saßen, untersuchte er eine meiner Brustwarzen. Erst ganz vorsichtig mit einem Finger, dann drückte er drauf,

quetschte sie und zog daran. Danach war sein Pimmelchen dran. Damit ging er allerdings vorsichtiger um.« (Timo, 41. Woche)

***

»Erst untersucht sie mit einem Zeigefinger meine Augen, meine Ohren, meine Nase, kitzelt und wird dann immer wilder. Sie piekst in meine Augen, bohrt in meinen Ohren, zieht an meiner Nase und steckt ihren Finger in meine Nasenlöcher.« (Nina, 39. Woche)

***

Lassen Sie Ihr Baby mit unterschiedlichen Formen spielen. Manche Babys sind besonders an unterschiedlichen Formen interessiert, etwa rund, eckig oder gezackt. Sie betrachten die Form und ziehen den Umriß mit einem Finger nach. Danach tun sie dasselbe mit etwas, das eine andere Form hat. Sie vergleichen sozusagen die Formen. Bei Bauklötzen werden runde Formen oft als erste herausgeholt und erkannt. Wenn Ihr Baby von Formen fasziniert ist, geben Sie ihm Bauklötze, die alle unterschiedliche Formen haben. Sie sollten auch dafür sorgen, daß Ihr Baby in der Wohnung genug Sachen vorfindet, deren Form ihm gefällt.

Lassen Sie Ihr Baby Einzelheiten entdecken. Viele Babys untersuchen Dinge gern in allen Einzelheiten. Man sieht sie dann meist nacheinander an allen Seiten von etwas lutschen. Oder auf die Oberseite, die Mitte oder die Unterseite von etwas drücken. Aber ihre Forschungsreisen können auch viel weiter gehen.

***

»Er fummelt gern an Schrank- und Türschlüsseln. Selbst wenn der Schlüssel quer im Schloß steckt, findet er noch eine Möglichkeit, ihn rauszuholen.« (Jan, 37. Woche)

***

»Er ist ganz verrückt nach ›Knöpfen‹. Diese Woche untersuchte er den Staubsauger in allen Einzelheiten. Ging auch an die Knöpfe. Drückte aus Versehen den richtigen, und der Staubsauger ging an. Er hat sich furchtbar erschreckt.« (Daniel, 38. Woche)

***

Lassen Sie es mit dem Thema »Wie sich was anfühlt« spielen. Manche Babys finden es toll, mit den Händen zu spüren, wie sich etwas anfühlt. So testen sie Härte, Klebrigkeit, Rauhheit, Wärme, Glibbrigkeit und so weiter. Lassen Sie Ihr Baby gewähren.

***

»Er spielt jetzt viel konzentrierter. Manchmal untersucht er sogar zwei Dinge gleichzeitig. Er kann sich zum Beispiel eine ganze Zeit damit beschäftigen, in der einen Hand ein Stück Banane und in der anderen ein Stück Apfel zu zerquetschen. Dabei guckt er von einer Hand zur anderen.« (Dirk, 42. Woche)

***

»Er befühlt Sand, Wasser, Steine und Zucker. Er nimmt sie in die Hand und fühlt. Erst viel später wandern sie in seinen Mund.« (Daniel, 40. Woche)

***

Manchmal findet ein Baby es auch toll, mit anderen Körperteilen über Materialien zu streichen. Oder es nimmt etwas und reibt damit über seinen Körper. Es will also mit allen Fasern seines Körpers spüren, wie sich etwas anfühlt. So lernt es das, was es untersucht, besser kennen. Geben Sie Ihrem Baby auch Gelegenheit dazu.

***

»Ich habe ihm eine Schaukel in den Türrahmen gehängt. Unter dem Sitz ist ein Knopf. Und der hat es ihm nun angetan. Er setzt sich unter die Schaukel und hält sich so am Türrahmen fest, daß er etwas hochkommen kann, wenn der Knopf über seine Haare streicht. Er sitzt dann da und fühlt, wie sich das anfühlt.« (Daniel, 39. Woche)

***

Lassen Sie es mit den Begriffen »schwer« und »leicht« spielen. Vergleicht Ihr Baby das Gewicht von Spielsachen und anderen Dingen? Geben Sie ihm dann Gelegenheit, das auch zu tun, natürlich nur, soweit die Einrichtung Ihrer Wohnung das zuläßt.

***

»Sie läuft überall entlang und nimmt alles hoch.« (Julia, 41. Woche)

***

Lassen Sie es mit den Begriffen »hoch« und »niedrig«, »groß« und »klein« spielen. Ihr Baby macht das mit seinem Körper. Es klettert überall drauf, drunter und drüber. Es geht dabei bedächtig, prüfend und kontrolliert vor. Als ob es überlegt, wie es das zu tun hat.

***

»Er versucht, überall untendurch zu krabbeln. Guckt erst ein Weilchen und legt dann los. Gestern hat er sich dabei unter der untersten Treppenstufe eingeklemmt. Panik!«
(Jan, 40. Woche)

Verschaffen Sie ihm Platz

Die Behendigkeit und Sicherheit beim Sitzen, Stehen, Krabbeln und Laufen nimmt nun zu. Dann kann das Baby auch variieren. Es kann in die Hocke gehen, hochkrabbeln oder auch -klettern und sich auf die Zehenspitzen stellen, wenn es an etwas herankommen will.

***

»Er steht jetzt viel besser. Er kann jetzt die Füße umsetzen, wenn sie seltsam stehen. Er schaut dann auf seine Füße und guckt, was passiert, wenn er sie umsetzt.« (Rudolf, 39. Woche)

***

»Sie läuft sicherer. Sie fällt weniger hin und steigt leichter über oder auf Erhöhungen.« (Julia, 38. Woche)

***

Von diesem Alter an wird es meist sehr wichtig, daß Sie Ihrem Baby Platz schaffen. Lassen Sie es auch einmal durch die ganze Wohnung krabbeln, überall draufklettern und sich an allem hochziehen. Befestigen Sie zum Beispiel die Treppensicherung an der zweiten oder dritten Stufe, und lassen Sie Ihr Baby Treppensteigen üben. Legen Sie dann aber eine Matratze an die Treppe, damit es sich nicht verletzen kann. Auch draußen kann das Baby viel lernen. Schaffen Sie ihm auch dort Platz. Etwa im Wald, am Strand, am Meer, in der Sandkiste und im Park. Lassen Sie Ihr Baby keinen Moment aus den Augen.

***

»Er erklettert alles, sogar glatte Wände.« (Jan, 42. Woche)

***

»Sie sitzt im Kinderstuhl am Tisch, und ehe ich mich's versehe, sitzt sie auf dem Tisch. Ich müßte sogar im Rücken Augen haben. Sie ist auch schon mal mit einem Stuhl hintenüber gefallen. Glücklicherweise ist sie mit dem Schrecken davongekommen.« (Anna, 42. Woche)

Machen Sie Ihre Umgebung babysicher

Sorgen Sie dafür, daß der Raum, in dem Ihr Baby rumwuselt, sicher ist. Aber lassen Sie es trotzdem niemals aus den Augen. Es kann immer noch etwas finden, das gefährlich ist und woran Sie nicht gedacht haben.

Zeigen Sie Verständnis für »seltsame« Ängste

Wenn Ihr Baby dabei ist, die neue Fähigkeit, die es bekommen hat, auszuarbeiten, stößt es auch auf Dinge oder Situationen, die es nicht begreift. Und manche Babys ängstigen sich dann. Sie sehen Gefahren, die für sie bis dahin noch nicht bestanden. Es bekommt beispielsweise »Höhenangst«. Zeigen Sie Mitgefühl, wenn Ihr Baby plötzlich verängstigt ist.

***

»Sie ist immer gern gelaufen, wenn ich mit ihr geübt habe. Nun auf einmal nicht mehr. Sie wirkt ängstlich. Wenn sie nur glaubt, ich könnte eine Hand loslassen, setzt sie sich schon hin.« (Astrid, 46. Woche)

***

»Er erträgt es nicht, in seiner Bewegungsfähigkeit eingeschränkt zu sein. Wenn er im Kindersitz sitzt, wird er völlig hysterisch.« (Peter, 40. Woche)

Lassen Sie es in die Haut eines anderen schlüpfen

Manche Babys können jetzt die Rolle übernehmen, die normalerweise die Mutter oder ein älteres Kind innehat. Und das kann es, weil ihm nun bewußt ist, daß es genau so ein Mensch wie all die anderen ist und daher auch dasselbe tun kann. Es kann sich, wie seine Mutter, verstecken und sich von ihr suchen lassen. Es kann selbst mit Spielsachen ankommen, um jemanden zum Mitspielen zu animieren. Gehen Sie immer auf diese Initiativen ein, auch wenn es nur kurz ist. Es lernt dann, daß es verstanden wird und wichtig ist.

***

»Diese Woche war ein ungefähr ein Jahr altes Kind zu Besuch. Beide hatten ein Fläschchen. Irgendwann steckte das Kind meinem Kind sein Fläschchen in den Mund und ließ es daraus trinken. Die ganze Zeit hielt sie das Fläschchen fest. Am nächsten Tag hatte ich ihn zum Trinken auf dem Schoß (die einzige Möglichkeit, ihn überhaupt mal auf den Schoß zu bekommen), und auf einmal steckte er mir das Fläschchen in den Mund, fing an zu lachen, trank wieder selbst, dann war ich wieder dran. Ich war total erstaunt. Vorher hatte er das noch nie gemacht.« (Peter, 41. Woche)

»Sie stand an dem Wagen, in dem der Nachbarjunge lag, und spielte von sich aus Kuckuck. Beide haben sich königlich amüsiert.« (Anna, 40. Woche)

Von nun an besteht die Gefahr, daß Sie Ihr Baby verwöhnen

Wenn Ihr Baby sozial sehr geschickt ist, kann es von nun an so tun, als wäre es traurig, lieb oder säße in der Klemme. Das bedeutet: Von nun an kann es »manipulieren«, kann Sie vor seinen Karren spannen. Die meisten Mütter fallen kurz darauf rein. Einige können sich nicht vorstellen, daß ihr Kind, immerhin noch ein Baby, zu so etwas fähig ist. Andere sind eigentlich ein wenig stolz darauf. Wenn Sie merken, daß Ihr Baby Ihnen Theater vorspielt, gönnen Sie ihm, wenn möglich, die Genugtuung darüber, daß es Sie überlistet hat. Aber lassen Sie es gleichzeitig merken, daß Sie es durchschaut haben. So lernt es, daß der Einsatz von Emotionen wichtig ist, daß es aber nicht damit manipulieren kann.

***

»Tagsüber ist sie sehr anstrengend, ganz furchtbar, aber wenn sie abends ins Bett soll, ist sie ganz scheinheilig am Spielen, als würde sie denken: Wenn ich jetzt stillhalte, muß ich noch nicht ins Bett. Es hat auch keinen Sinn, sie ins Bett zu legen, wenn sie nicht müde ist. Dann denkt sie nämlich gar nicht dran, liegen zu bleiben. Letzten Freitag war sie erst um halb elf im Bett.« (Julia, 37. Woche)

***

»Wenn ich mit jemandem rede, braucht er prompt Hilfe oder hat sich weh getan.« (Timo, 39. Woche)

Übrigens

Auch das Abgewöhnen alter Gewohnheiten und das Gewöhnen an neue Regeln gehören zu den Auswirkungen jeder neuen Fähigkeit, die Ihr Baby erworben hat. Das, was Ihr Baby jetzt zum ersten Mal versteht, können Sie auch von ihm verlangen. Nicht mehr und nicht weniger.

Seien Sie konsequent

Mütter sind immer stolz auf die Fähigkeiten und Künste, die ihre Sprößlinge zum ersten Mal zeigen. Sie reagieren meist freudig überrascht. So ist beispielsweise etwas »Ungezogenes« meist auch ein Fortschritt oder einfach niedlich, wenn es zum ersten Mal geschieht. Und natürlich reagiert die Mutter darauf genauso überrascht wie das Baby. Aber für das Baby klingt das nach Applaus. Es denkt, daß das, was es getan hat, gut war, und wiederholt es nun Mal um Mal. Oft auch noch, wenn die Mutter »Nein« sagt.

***

»Sie wird immer witziger, weil sie anfängt, ungezogen zu werden. Sagt ›Brrr‹, wenn sie den Mund voll Brei hat, so daß ich alles abkriege. Macht Schränke auf, an die sie nicht ran darf, verteilt das Trinkwasser von der Katze in der Küche und so weiter.« (Laura, 38. Woche)

***

»Sie gehorcht mir nicht. Wenn ich ›Nein‹ sage, fängt sie an zu lachen. Wenn der Babysitter ›Nein‹ sagt, weint sie. Ich frage mich immer wieder, ob es daran liegt, daß ich berufstätig bin. Ich lasse ihr vielleicht zuviel durchgehen, wenn ich zu Hause bin, aus so einer Art Schuldgefühl heraus.« (Laura, 39. Woche)

Was Sie beachten sollten

Ihr Baby braucht jetzt eine konsequente Hand. Wenn etwas einmal nicht erlaubt ist, sollten Sie es auch beim nächsten Mal nicht für gut heißen. Ihr Baby findet es toll, Sie auf die Probe zu stellen.

»Kategorien«: Die Spitzenreiter unter den Spielen

Dies sind Spiele und Übungen, die auf die neue Fähigkeit eingehen und die bei fast allen 36 bis etwa 42 Wochen alten Babys hoch im Kurs stehen.

GEMEINSAM ENTDECKEN

Einige Dinge üben auf Ihr Baby eine magische Anziehungskraft aus. Aber alles auf eigene Faust zu untersuchen ist gefährlich oder unmöglich. Helfen Sie ihm also dabei.

Klingeln und Lichtschalter. Lassen Sie Ihr Baby einmal auf Ihren Klingelknopf drücken. Es hört dann gleich, was es tut. Sie können es auch im Aufzug auf einen Knopf drücken lassen. Dann fühlt es, was es tut. Lassen Sie es auch einmal selbst das Licht anmachen, wenn es recht dunkel ist, damit es sieht, was es tut. Oder lassen Sie es einmal auf den Knopf im Bus oder an der Ampel drücken, und erklären sie ihm, was dann geschieht und wonach es gucken muß. So lernt es etwas über den Zusammenhang zwischen dem, was es tut, und dem, was daraufhin dann geschieht.

Zusammen radfahren. In diesem Alter kann ein Baby nicht genug davon bekommen, sich draußen umzuschauen. Es lernt auch viel daraus. Entdeckt Neues. Kann Dinge aus größerer Entfernung anschauen. Halten Sie ab und zu an, damit Ihr Baby etwas besser betrachten, belauschen oder befühlen kann.

Zeigen Sie ihm, wie es an- und ausgezogen wird. Viele Babys scheinen fürs An- und Ausziehen keine Zeit zu haben. Sie sind viel zu beschäftigt. Aber sie sehen sich gern selbst und finden sich noch interessanter, wenn etwas mit ihnen geschieht. Nutzen Sie das aus. Trocknen Sie Ihr Baby einmal vor dem Spiegel ab oder ziehen Sie es vor dem Spiegel an und aus.

SPRECHSPIELE

Ihr Baby versteht meist mehr, als Sie glauben. Und genießt es, das zu zeigen. Es vergrößert jetzt eifrig die Zahl der Wörter, die es bereits versteht.

Dinge benennen. Nennen Sie die Dinge, die es anschaut oder anhört, beim Namen. Und wenn Ihr Baby durch Gebärden zu erkennen gibt, was es will, fassen Sie das, was es möchte, in Worte. Es lernt dann, daß es mit Worten deutlich machen kann, was es will.

Bilder in Büchern benennen. Holen Sie sich Ihr Baby auf den Schoß oder setzen Sie es neben sich. Lassen Sie es ein Büchlein aussuchen, und geben Sie es ihm. Es kann dann selbst umblättern. Zeigen Sie auf die Bilder, die es betrachtet, und benennen Sie, was darauf zu sehen ist. Sie können auch ein Geräusch von sich geben, das zu dem Tier oder der Sache paßt, auf die Sie zeigen. Fordern Sie Ihr Baby auch einmal auf, das Wort oder das Geräusch nachzumachen. Hören Sie auf, wenn Ihr Baby keine Lust mehr hat. Manche Babys brauchen nach jeder Seite eine kurze Schmuse- oder Kitzelpause, um bei der Sache zu bleiben.

Spiele mit kurzen, einfachen Aufträgen. Bitten Sie Ihr Baby, Ihnen das, was es in der Hand hat, zu geben, etwa so: »Gib das mal der Mama.« Fragen Sie es auch einmal, ob es dem Papa etwas geben will. Sie können es auch bitten, etwas für Sie zu holen, etwa: »Hol deine Zahnbürste« oder »Such deinen Ball«. Rufen Sie es auch einmal, wenn Sie nicht zu sehen sind: »Wo bist du?«, und lassen Sie es antworten. Oder bitten Sie es, zu Ihnen zu kommen: »Komm mal her.« Loben Sie es, wenn es mitmacht, und machen Sie nur so lange weiter, wie es Ihr Baby schön findet.

NACHAHMUNGS-SPIELE

Viele Babys studieren voller Interesse andere Menschen und machen mit Vergnügen nach, was sie andere tun sehen. Gehen Sie darauf ein, wenn Ihr Baby das auch macht.

Vormachen und Nachmachen. Fordern Sie Ihr Baby auf, das, was Sie tun, nachzumachen, und machen Sie dann wiederum Ihr Baby nach. Es mag oft gar nicht aufhören, das ständig zu wiederholen. Bauen Sie auch zwischendurch Varianten ein. Machen Sie die Gebärden mal schneller, mal langsamer. Machen Sie sie mit der anderen Hand oder mit beiden, mal mit, mal ohne Geräusche und so weiter. Machen Sie dieses Spiel auch einmal vor einem Spiegel. Manche Babys finden es herrlich, vor dem Spiegel Gebärden zu wiederholen und dabei selbst zu sehen, wie's geht.

Vor dem Spiegel »sprechen«. Wenn Ihr Baby Interesse an Lippenstellungen zeigt, üben Sie die einmal vor einem Spiegel. Machen Sie ein Spiel daraus. Setzen Sie sich mit dem Baby vor den Spiegel und »spielen« Sie mit Vokalen, Konsonanten und Wörtern. Ganz, wie es Ihrem Baby am besten gefällt. Geben Sie ihm Zeit zum Zusehen und Nachmachen. Vielen Babys gefällt es auch, sich selbst dabei zuzusehen, wie sie Gebärden wie Kopf- und Handbewegungen imitieren. Versuchen Sie das auch einmal. Wenn Ihr Baby sich selbst dabei zuschaut, sieht es gleich, ob es das genauso macht wie Sie.

Bei einem Sing- oder Bewegungsspiel mitmachen. Nehmen Sie Ihr Baby auf den Schoß, so, daß es Sie ansehen kann. Singen Sie:
»Backe, backe Kuchen,
Mehl in den Kuchen,
Butter in ein Wännchen,
back dem Kind ein Männchen.
Soooo groß!«
Lassen Sie Ihr Baby die Gebärden fühlen, die zu dem Lied gehören. Greifen Sie dazu seine Händchen, und klatschen Sie sie bei jeder Silbe zusammen. Zum Schluß beide Arme hochhalten. Manchmal ahmt ein Baby von sich aus das Mitklatschen nach. Oder es hält die Hände in die Höhe. Alle Gebärden nacheinander mitmachen kann es in diesem Alter allerdings noch nicht. Was nicht heißt, daß es nicht trotzdem viel Spaß hat.

SPIELE, BEI DENEN DIE ROLLEN GETAUSCHT WERDEN KÖNNEN

Jetzt hab' ich dich! Dies ist sozusagen das erste Fangspiel. Es kann laufend oder krabbelnd gespielt werden. Spielen Sie es auch einmal umgekehrt: Laufen oder krabbeln Sie weg und zeigen Sie deutlich, daß Sie erwarten, daß Ihr Baby versucht, Sie zu fangen. Flüchten Sie auch, wenn es Anstalten macht, nach Ihnen zu greifen. Wenn Ihr Baby Sie gekriegt hat oder Sie es gefangen haben, knuddeln Sie es oder heben Sie es hoch in die Luft.

Wo ist denn ...? Verstecken Sie sich so, daß Ihr Baby Sie verschwinden sieht, und lassen Sie sich von ihm suchen. Tun Sie auch einmal so, als hätten Sie es verloren und würden es suchen. Manchmal versteckt sich ein Baby dann schnell und setzt sich ganz still hinter sein Bett oder in eine Ecke. Meist wählt es den Platz aus, wo seine Mutter gerade noch gesessen hat, oder einen, der am Vortag ein Riesenerfolg war. Reagieren Sie mit Begeisterung, wenn Sie einander gefunden haben.

Spielzeug und Hausrat, die Ihr Baby am meisten faszinieren

Das sind Spielsachen und Dinge, die auf die neue Fähigkeit eingehen und die bei fast allen 36 bis etwa 42 Wochen alten Babys gut ankommen:

- große und kleine Türen und Klappen, kurz, alles, was auf- und zugeht;
- Pfannen mit Deckel,
- Türklingeln, Aufzugknöpfe, Ampelknöpfe und Fahrradglocken,
- Fön,
- Wecker,
- Wäscheklammern,
- Zeitschriften und Tageszeitungen zum Zerreißen,
- Geschirr und Besteck,
- Dinge, die größer sind als das Baby, zum Beispiel Kisten und Eimer;
- Kissen und Decken für Balgereien,
- Dosen, Töpfe oder Flaschen, besonders wenn sie rund sind;
- alles, was es bewegen kann, wie Türgriffe, Riegel oder Drehknöpfe;
- alles, was sich selbst bewegt, wie Schatten, sich bewegende Zweige oder Blumen, flackernde Lichter oder auf der Leine flatternde Wäsche;

- Bälle: vom Tischtennis- bis zum Wasserball,
- Brummkreisel,
- Puppe mit naturgetreuem Gesicht,
- Bauklötze in vielen Formen, die nicht zu klein sind;
- Planschbecken im Garten,
- Sand, Wasser, Steine und eine kleine Schaufel;
- Schaukel,
- Bilderbuch mit ein oder zwei großen, klaren Abbildungen auf jeder Seite;
- Poster mit mehreren deutlich erkennbaren Bildern;
- Spielzeugautos.

Achtung! Wenn möglich, sichern!

- Steckdosen, Schalter, Lichtschalter;
- Waschmaschine, Spülmaschine, Staubsauger, alle Elektrogeräte;
- Treppen.

DER SPRUNG IST GESCHAFFT

»Im Moment ist er ein Schatz. Er lacht den ganzen Tag. Kann sich manchmal eine gute Stunde lang allein beschäftigen und ganz brav spielen. Seit der letzten Woche ist er wie ausgewechselt. Er sieht nicht mehr so aufgedunsen aus, und seine Haut fühlt sich ganz glatt an. Er war immer etwas träge. Jetzt ist er viel lebendiger, aktiver und unternehmungslustiger.« (Dirk, 42. Woche)

***

»Er versteht viel mehr. Deshalb kriegt er jetzt ein anderes ›Plätzchen‹. Mehr im Mittelpunkt. Ich muß leichter mit ihm reden können. Am Tisch zum Beispiel muß er einen Platz haben, von dem aus er leichter kommunizieren kann. Wir müssen in Redeabstand sitzen. Das ist jetzt wichtig. Außer Haus geht er viel mehr auf andere Menschen zu. Er nimmt auch gleich von sich aus Kontakt auf. Er macht dann Spuckeblasen, bestimmte ›Ruflaute‹ oder legt fragend sein Köpfchen auf die Seite.« (Daniel, 40. Woche)

***

Zwischen der 40. und der 45. Woche beginnt wieder eine unkomplizierte Phase, und ein bis drei Wochen lang werden viele Babys für ihre Selbständigkeit und Fröhlichkeit gelobt. Sie finden jetzt alles interessant, von Menschen über Pferde, Blumen bis zu Mücken. Viele Kinder sind jetzt lieber draußen als drinnen. Andere Menschen spielen auf einmal eine viel größere Rolle: Die Babys nehmen häufiger Kontakt mit ihnen auf und sind eher bereit, mit ihnen zu spielen. Der Horizont eines Babys ist jetzt weiter als je zuvor.

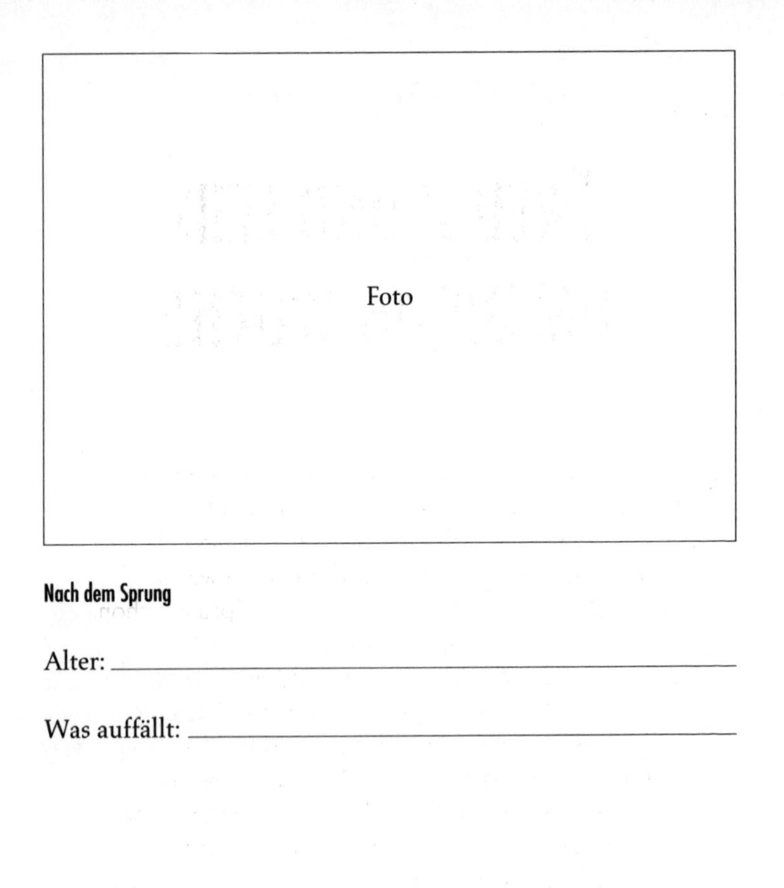

Nach dem Sprung

Alter: __________________________________

Was auffällt: ______________________________

Freud' und Leid um die 46. Woche

Um die 46. (44. bis 48.) Woche merken Sie, daß Ihr Baby wieder eine neue Fähigkeit dazubekommen hat. Sie merken, daß es Dinge tut oder tun will, die neu sind. Es zeigt damit, daß seine Entwicklung einen Sprung macht. Doch es hat den Sprung schon eher gespürt.

Um die 42. (40. bis 44.) Woche herum wird Ihr Baby wieder schwieriger, als es in den letzten ein bis drei Wochen war. Es merkt, daß seine Welt anders ist, als es dachte, daß es sie anders erlebt, als es gewohnt ist. Es merkt, daß es Dinge sieht, hört, riecht, schmeckt und fühlt, die ihm unbekannt sind. Dadurch ist es verstört und klammert sich so gut es kann an das Vertrauteste, das es hat: Mama.

Diese schwierige Phase dauert bei den meisten Babys fünf Wochen, sie kann sich aber auch über drei bis sieben Wochen erstrecken.

Zur Erinnerung

Wenn Ihr Baby »schwierig« wird: Achten Sie einmal darauf, ob es etwas Neues kann oder übt.

Der Sprung kündigt sich an: Zurück zu Mama

Alle Babys sind weinerlicher, als sie es in den letzten Tagen oder Wochen waren. Ihre Mütter nennen sie lustlos, mäkelig, nörgelig, quengelig, launisch, ungeduldig und unruhig. Sie tun alles, um häufiger auf, an und um Mama zu kommen und zu bleiben. Einige sind den ganzen Tag damit beschäftigt, andere nur einen Teil davon. Das eine Baby ist überdies viel fanatischer als das andere. Es gibt Babys, denen jedes Mittel recht ist, um bei Mama zu bleiben.

* * *

»Wenn sein Bruder auch nur ein bißchen in seine Nähe kommt und ihn anfaßt, fängt er schon zu schreien an, weil er weiß, daß Schreien bei mir eine Reaktion hervorruft.« (Rudolf, 41. Woche)

* * *

Alle Babys schreien weniger, wenn sie bei ihrer Mutter sind. Und sie quengeln noch weniger, wenn sie darüber hinaus auch die ungeteilte Aufmerksamkeit ihrer Mutter haben.

* * *

»Weil ich das Gemecker so weit wie möglich stoppen will, machen wir alles gemeinsam. Meine Hausarbeit mache ich mit ihr auf der Hüfte oder auf dem Arm, denn wenn sie an meinen Beinen hängt, kann ich keinen Fuß vor den anderen setzen. Ich sage ihr, was ich tue, wie ich Kaffee aufsetze, die Filtertüte nehme und so weiter. Wir gehen auch meistens zusammen auf die Toilette. Und wenn ich allein gehe, lasse ich die Tür offen. Einerseits, weil ich dann sehen kann, ob sie

etwas anstellt, andererseits, weil sie mich dann sehen und mir nach Belieben folgen kann. Und das passiert dann auch immer. Nur wenn ich es auf diese Weise mache, haben wir beide unsere ›Ruhe‹.« (Anna, 43. Woche)

Woran Sie merken, daß Ihr Baby »bei Mama bleiben« will

Hängt es häufiger an Ihrem Rockzipfel? Manche Babys scheuen keine Mühe, um ihrer Mutter so nahe wie möglich zu sein. Sie klammern sich buchstäblich an ihr fest, auch wenn keine »Fremden« in der Nähe sind. Und es gibt Babys, die nicht direkt an ihrer Mutter hängen, aber die doch auffallend mehr in ihrer Nähe sein wollen. Sie behalten sie jetzt etwas mehr im Auge als sonst. Es gibt auch welche, die immer wieder kurz zu ihrer Mutter zurückgehen, als ob sie mal eben »Mama tanken« müssen, um danach wieder ruhigen Herzens weggehen zu können.

***

»Er will den ganzen Tag auf den Schoß, auf den Arm, über mich hinwegkrabbeln, auf mir sitzen und an meinen Beinen hängen. Er ist wie ein Parasit, der sich an einem Fisch festgesaugt hat. Und wenn ich ihn runtersetze, bricht er in Tränen aus.« (Daniel, 41. Woche)

***

»Sie setzt sich auf meinen Schuh und klammert sich an meinem Bein fest. Und wenn sie da erst mal hängt, geht sie auch nicht mehr von selber weg. Dann muß ich sie mit einem richtigen Ablenkungsmanöver absetzen, und das mißlingt fast immer.« (Anna, 43. Woche)

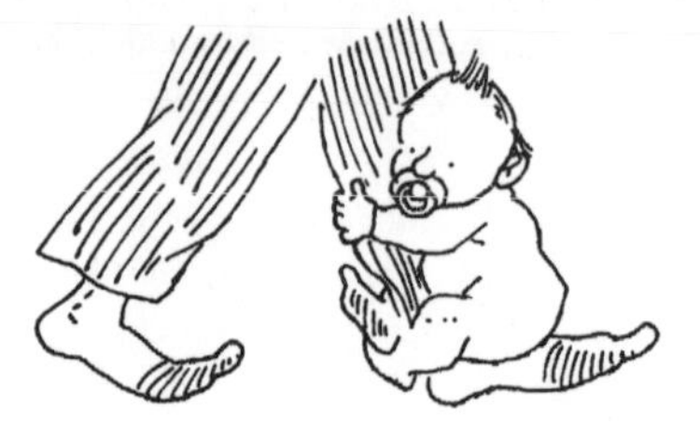

»Sie ist momentan viel in meiner Nähe, aber sie geht doch ihrer eigenen Wege. Eigentlich umkreist sie mich, wie ein Planet die Erde. Wenn ich im Wohnzimmer bin, beschäftigt sie sich in meiner Nähe, und wenn ich in die Küche gehe, dann räumt sie neben mir einen Schrank aus.« (Julia, 47. Woche)

***

»Oft kommt er für eine kurze Umarmung und rennt dann wieder weg. Das fällt mir besonders auf, wenn ich irgendwo sitze oder hocke. Ich nenne das ›Mama tanken›.« (Timo, 41. Woche)

***

Fremdelt es? Wenn Fremde in der Nähe sind, das Baby anschauen, mit ihm reden oder, schlimmer noch, die Hand nach ihm ausstrecken, zeigen viele Babys ihren Müttern gegenüber noch mehr »Anhänglichkeit«, als sie es oft ohnehin schon tun.

***

»Diese Woche fiel mir auf, daß sie sich etwas zuviel an mich hängt. Wenn jetzt ein ›Fremder‹ die Arme nach ihr ausstreckt, krallt sie sich an mir fest. Aber wenn man ihr ein wenig Zeit läßt, geht sie doch auch wieder oft selbst auf die anderen zu. Sie dürfen sie nur nicht zu schnell hochnehmen.« (Astrid, 47. Woche)

***

»Er ist etwas verlegen. Wenn er neue Menschen sieht oder jemand plötzlich hereinkommt (selbst sein Vater!), verbirgt er sich an meinem Hals. Das geht aber schnell vorbei. Er muß sich eben erst an die anderen gewöhnen.« (Timo, 42. Woche)

***

»Er fremdelt mehr als jemals zuvor. Selbst Opa darf ihn nicht einmal ansehen.« (Rudolf, 43. Woche)

***

Will es nicht, daß der Körperkontakt abbricht? Einige Babys klammern sich extrem fest, wenn sie ihre Mutter zu fassen kriegen oder auf ihrem Schoß sitzen. Als wenn sie ihr keine Gelegenheit geben wollen, den Kontakt abzubrechen. Es gibt auch Babys, die richtig böse werden, wenn sie runtergesetzt werden oder wenn ihre Mutter etwas weiter ins Zimmer hineingeht, um etwas zu holen oder zu tun.

***

»Wenn wir kurz auseinandergehen, schreit sie böse und ›aggressiv‹. Und wenn ich dann zurück bin, schlägt, kratzt, kneift und piekst sie mich immer erst mal. Ist der Hund in der Nähe, packt sie ihn sofort. Sie hat schon einmal ein Barthaar von ihm in der Hand gehabt.« (Anna, 43. Woche)

***

Will es mehr beschäftigt werden? Die meisten Babys verlangen mehr Aufmerksamkeit. Auch pflegeleichte Babys tun jetzt lieber etwas gemeinsam mit ihrer Mutter. Anspruchsvolle Babys wollen das am liebsten Tag und Nacht. Manche sind erst dann zufrieden, wenn ihre Mutter sich voll und ganz auf sie konzentriert. Sie darf dann nur mit ihm spielen und sich mit keinem anderen beschäftigen.

***

»Er kommt immer schnell mal ein Buch lesen und bleibt dann auch ›geduldiger‹ sitzen. Es ist herrlich! Er ist immer so eifrig zugange. Wenn er dann mal bei mir sein will, hole ich alles Versäumte nach.« (Peter, 44. Woche)

***

»Er ist insgesamt weniger aktiv. Die motorische Entwicklung stoppt etwas. Dafür hat er jetzt weniger übrig. Auch sein Spielzeug reizt ihn nicht. Selbst wenn ich mitspiele, ist sein Interesse nur von kurzer Dauer. Lieber nimmt er mich als Spielzeug.« (Daniel, 41. Woche)

* * *

»Wenn er an der Brust liegt, darf ich nichts tun, mit niemandem sprechen, sondern muß ihn ansehen, an ihm rumfummeln oder ihn streicheln. Sobald ich kurz damit aufhöre, windet er sich ungeduldig und tritt wütend, als wollte er sagen: ›Hier bin ich!‹« (Timo, 43. Woche)

* * *

Ist es eifersüchtig? Es ist besonders launisch, ungezogen oder übertrieben lieb, wenn seine Mutter etwas oder jemandem ihre Aufmerksamkeit schenkt. Mütter fragen sich dann oft, ob es eifersüchtig sein könnte. Die Entdeckung überrascht sie.

* * *

»Ich habe ein Pflegekind von vier Monaten im Haus, dem ich die Flasche geben muß. Er findet das immer hochinteressant. Aber diese Woche war er ungenießbar. Er tat lauter Sachen, die er normalerweise nicht tut. Er war richtig lästig, schrecklich. Meiner Ansicht nach war er eifersüchtig. Eigentlich rührend.« (Jan, 44. Woche)

* * *

Ist es launisch? So ein Baby ist an einem Tag ganz fröhlich und am folgenden das genaue Gegenteil. Außerdem kann seine Stimmung auf einmal umschlagen. Einen Moment beschäftigt es sich gut gelaunt mit etwas, um im nächsten dann zu quengeln und zu nörgeln. Und das, ohne daß seine Mutter einen richtigen Grund dafür erkennen könnte. Das macht sie manchmal unsicher.

* * *

»Sie war sehr schwierig und weinerlich, und dann wieder quietschvergnügt. Heute so, morgen so. Man weiß dann nicht mehr, was man tun soll. Ob sie etwa Schmerzen hat?« (Nina, 43. Woche)

***

Schläft es schlechter? Die meisten Babys schlafen weniger. Sie wollen nicht ins Bett, schlafen schwerer ein und wachen eher auf. Einige wollen tagsüber nicht ins Bett, andere nachts nicht. Wieder andere gehen sowohl am Tag als auch abends nur unter Protest schlafen.

***

»Sie braucht weniger Schlaf. Sie ist abends stundenlang wach und spielt fröhlich.« (Susanne, 43. Woche)

***

»Sie wird nachts gut zwei-, dreimal wach und schläft auch mittags schlecht. Manchmal bin ich noch um drei dabei, sie zum Schlafen zu bewegen.« (Julia, 48. Woche)

***

»Sie will einfach nicht ins Bett. Reagiert mit Geschrei.« (Stefanie, 42. Woche)

***

»Er ist unruhiger. Wird nachts ein paarmal wach. Wenn er ins Bett geht, muß man ihn zur Ruhe zwingen.« (Dirk, 45. Woche)

***

»Er hat sonst so schön ausgeschlafen. Tut das leider nicht mehr.« (Timo, 41. Woche)

***

Hat es »Alpträume«? Manchmal schläft ein Baby sehr unruhig. Es kann so toben, daß seine Mutter denkt, es hätte einen Alptraum.

***

»Sie wacht laut kreischend auf. Dasselbe Kreischen, das sie hören läßt, wenn sie wütend ist. Also muß sie etwas geträumt haben, das ihr nicht gefallen hat.« (Anna, 45. Woche)

***

Ist es stiller? Manche Babys sind zeitweise etwas ruhiger. Sie sind weniger aktiv und »plaudern« weniger. Manchmal tun sie für kurze Zeit überhaupt nichts mehr und starren vor sich hin. Letzteres sehen Mütter nicht gern. Sie finden es »anormal« und versuchen, den Träumer zu aktivieren.

***

»Sie ist nicht mehr so aktiv. Sie sitzt regelmäßig mit großen Augen da und guckt in die Gegend.« (Susanne, 45. Woche)

***

»Ab und zu sitzt er eine Minute lang da und starrt vor sich hin. Früher war er eigentlich immer mit irgend etwas beschäftigt.« (Timo, 43. Woche)

***

»Er ist passiver, stiller. Manchmal starrt er einen Moment in die Ferne. Ich finde das immer gruselig. So als wäre er nicht ›normal‹.« (Daniel, 41. Woche)

***

Will es nicht saubergemacht werden? Viele Babys sind ungeduldig oder unruhig, wenn sie angezogen, ausgezogen oder saubergemacht werden. Sie quengeln, kreischen und winden sich. Manchmal sind die Mütter irritiert, manchmal besorgt.

***

»Er liegt nicht einen Moment still. Ab und zu ist es der reinste Ringkampf, bis er die Windel umhat. Ich finde es toll, daß er etwas aktiver ist, aber er könnte auch mal kurz stilliegen.« (Dirk, 43. Woche)

***

»Ausziehen, Anziehen und Wickeln waren eine Katastrophe. War vor einiger Zeit schon mal der Fall. Darum dachte ich, daß sie vielleicht Probleme mit ihrem Rücken hätte. Ich wurde immer besorgter. Da bin ich zum Kinderarzt gegangen, aber ihrem Rücken fehlte überhaupt nichts. Der Arzt wußte auch nicht, was los war. Jetzt ist es von selbst vorbei gegangen.« (Stefanie, 46. Woche)

***

Ißt es schlechter? Viele Babys scheinen am Essen und Trinken nun weniger interessiert zu sein. Sie nehmen nur etwas zu sich, wenn sie Lust haben. Mütter finden es immer besorgniserregend und ärgerlich, wenn ihr Baby schlecht ißt.

***

»Er ißt schlecht. Allerdings will er tagsüber immer mal zwischendurch an die Brust. Dann fängt er an, zu quengeln und an meiner Bluse zu zerren. Auch nachts wird er oft wach und will nur gestillt werden. Ich frage mich dann immer wieder, ob er soviel zu sich nimmt, wie er braucht.« (Timo, 43. Woche)

***

Benimmt es sich babyartiger? Manchmal kommt ein scheinbar verschwundenes Babyverhalten wieder an die Oberfläche. Mütter sehen es nicht gern, wenn ihr Baby sich wie ein jüngeres benimmt. Sie denken, daß so etwas nicht normal ist, und wollen diese Sache so schnell wie möglich beenden. Doch ein Rückschritt während schwieriger Phasen ist völlig normal. Er bedeutet, daß ein Fortschritt im Anzug ist.

***

»Sie ist in dieser Woche auffällig mehr gekrabbelt. Hoffentlich kommt das nicht von den Hüften, weil sie so früh gelaufen ist.« (Julia, 44. Woche)

***

»Er will das Fläschchen nicht mehr selbst halten, sondern am liebsten lang ausgestreckt in meinen Armen liegen und auf diese Weise trinken. Vor kurzem wollte er noch unbedingt selbst die Flasche halten. Ich spürte, daß der Rückfall mir auf den Wecker ging. Ich dachte: Hör auf, du Wicht, das kannst du doch selber. Ein paarmal habe ich seine Hände um das Fläschchen gelegt, aber das wollte er nicht.« (Daniel, 41. Woche)

***

»Ich mußte ihn wieder oft in den Schlaf wiegen.« (Stefan, 41. Woche)

***

»Er will nicht mehr stehen, ihm knicken richtig die Knie ein. Was die Aktivität angeht, da ist er doch ein ganzes Stück fauler geworden.« (Daniel, 41. Woche)

***

Ist es übertrieben lieb? Babys, die schwierig sind, können auch auf freundliche Art nach mehr Körperkontakt oder Aufmerksamkeit verlangen. Das kommt jetzt immer häufiger und verfeinerter vor. Sie kommen mit Büchern oder Spielsachen an, um gemeinsam mit der Mutter damit zu spielen. Sie legen ihrer Mutter eine Hand auf den Schoß. Kuscheln sich an sie. Oder lehnen das Köpfchen an sie und lachen sie freundlich an. Oft wechseln sie ab zwischen lästig sein und lieb sein, wenn sie Aufmerksamkeit wollen. Babys probieren oft einfach aus, was in dem Moment, in der Situation am besten funktioniert. Mütter von Nicht-Schmusebabys finden es meist herrlich, endlich mal wieder schön mit ihnen zu schmusen.

***

»Ab und zu kam sie mal eben zum Schmusen. Setzte sich auch schön zu mir, wenn ich mich mit jemandem unterhielt. Diese Woche hatte sie wirklich ein sehr gewinnendes Wesen.« (Astrid, 46. Woche)

***

»Sie kam auffallend oft, um ein bißchen geherzt zu werden.« (Julia, 45. Woche)

***

»Er war sehr verschmust und hing an mir wie eine Klette.« (Timo, 42. Woche)

***

»Er lehnt oft sein Köpfchen an mich und lacht mich an.« (Daniel, 43. Woche)

***

»Wenn er im Fahrradsitz oder im Wagen sitzt, dreht er sich immer um, guckt, ob ich noch da bin, und gibt mir dann die Hand.« (Peter, 44. Woche)

***

»Sie kommt öfter mit einem Buch an und will auf meinen Schoß. Dann lehnt sie sich richtig schön an mich.« (Julia, 47. Woche)

***

»Sie krabbelt immer hinter mir her. Wenn sie dann um die Ecke von der Tür guckt, schenkt sie mir ein breites Lächeln und krabbelt dann energisch in die andere Richtung. Wir beide finden, daß das ein wunderbares Spiel ist.« (Astrid, 43. Woche)

***

Ist es auffallend ungezogen? Manchen Müttern fällt auf, daß ihr Baby ungezogener ist als sonst. Es scheint genau das zu tun, was es nicht darf. Es ist vor allem dann ungezogen, wenn seine Mutter schnell etwas erledigen will und deshalb sehr beschäftigt ist.

»Wir dürfen uns nicht mit unseren eigenen Sachen beschäftigen. Alles was verboten ist, ist dann auf einmal sehr interessant, etwa das Telefon oder Nadel und Knöpfe am Plattenspieler. Wir müssen ständig aufpassen.« (Julia, 47. Woche)

***

»Sie kriecht mir immer hinterher. Ich finde das wunderbar. Aber wenn sie das nicht tut, stellt sie das ganze Haus auf den Kopf. Sie holt die Bücher aus dem Regal und die Erde aus den Blumentöpfen. Und das immer wieder.« (Astrid, 43. Woche)

***

»Genau dann, wenn ich im Streß bin, krabbelt sie zu allem Verbotenen hin.« (Nina, 43. Woche)

Woran Sie merken, daß Ihr Baby kopfsteht

- Es weint öfter. Ist häufiger launisch, nörgelig, quengelig. ☐
- Es ist einen Moment fröhlich, im nächsten weinerlich. ☐
- Es will mehr beschäftigt werden. ☐
- Es hängt häufiger an Ihrem Rockzipfel und will mehr in Ihrer Nähe bleiben. ☐
- Es ist »übertrieben« lieb. ☐
- Es ist »übertrieben« ungezogen. ☐
- Es kriegt (häufiger) Wutanfälle. ☐
- Es ist eifersüchtig. ☐
- Es fremdelt (häufiger). ☐
- Es protestiert, wenn der Körperkontakt abbricht. ☐
- Es schläft schlechter. ☐
- Es hat (öfter) Alpträume. ☐
- Es ißt schlechter. ☐
- Es »plaudert« weniger. ☐
- Es bewegt sich weniger. ☐
- Es sitzt manchmal still da und träumt vor sich hin. ☐
- Es will nicht saubergemacht werden. ☐
- Es lutscht (häufiger) am Daumen. ☐
- Es greift (häufiger) zu einem Kuscheltier. ☐
- Es verhält sich babyartiger. ☐
- Was Ihnen sonst noch auffällt: ______________________________

  ____

Sorgen[1], Irritationen und Streit

Die Mutter ist verunsichert. Mütter machen sich meist Sorgen, wenn ihr Kind erkennen läßt, daß es durcheinander ist. Sie suchen überdies nach einer Erklärung für das häufigere Weinen, die sie beruhigen könnte. In diesem Alter sind das meist die »Backenzähne, die durchbrechen«.

[1] Wenden Sie sich im Zweifel immer an einen Arzt oder eine Beratungsstelle.

»Er ist nicht mehr so pflegeleicht wie sonst. Ich glaube, daß er Probleme mit seinem Mund hat.« (Jan, 43. Woche)

***

»Er schrie mehr, war auf die eine oder andere Art nicht ausgeschlafen.« (Dirk, 43. Woche)

***

»Sie ist ›miesepetrig‹, hängt in meiner Nähe rum, wenn ich zu tun habe. Vielleicht kommt sie mit den anderen zwei Mädels weniger gut aus.« (Stefanie, 42. Woche)

***

Die Mutter ist erschöpft. Mütter von Babys, die viel Aufmerksamkeit verlangen und dabei wenig schlafen, sind am Ende einer schwierigen Phase ungeheuer müde. Einige klagen über Rückenschmerzen, Kopfschmerzen, Übelkeit und Konzentrationsstörungen.

***

»Ich bin völlig erledigt, weil ich weder auf Unterstützung noch auf Verständnis stoße. Wenn ich nur mal einen Abend Ruhe hätte! Abends renne ich ständig rauf und runter, oft bis Mitternacht. Ich finde, das ist bis jetzt das schwierigste Alter. Selbst dieser Brief blieb die ganze Zeit liegen. Konnte mich nicht darauf konzentrieren und habe ihn immer wieder zur Seite gelegt. Ein echter Zusammenbruch.« (Anna, 46. Woche)

***

Die Mutter ärgert sich und schreitet zur Tat. Gegen Ende dieser schwierigen Phase ärgern sich Mütter immer häufiger über das schwierige Verhalten ihres Babys. Sie ärgern sich darüber, daß sie von ihm vollständig mit Beschlag belegt werden und kein eigenes Leben mehr führen können.

***

»Ich finde es mühsam, mich buchstäblich nicht mehr vom Fleck bewegen zu können. Und dieses ›Beachtest du mich nicht, schreie ich‹ irritiert mich zusehends. Manchmal beschleicht mich das Gefühl, daß ich nur noch nach seiner Pfeife tanze, und dann fühle ich Widerstand in mir aufsteigen. Ich habe es dann ziemlich satt. Ich bin mehr und mehr im Zweifel, ob ich ihn nicht doch wieder in die Krippe bringen soll. Ich hatte ihn jetzt ein paar Wochen zu Hause. Anfänglich hatte ich ein besseres Gefühl dabei, aber nun merke ich, daß ich wieder aggressiver werde.« (Daniel, 46. Woche)

***

»Ich habe viel zu tun und kann es nicht mehr ausstehen, wenn sie an meinen Beinen hängt oder vor der Spüle sitzt, wenn ich abwasche. Wenn ich genug davon habe, kommt sie ins Bett.« (Stefanie, 45. Woche)

***

»Sicher, ich habe das pflegeleichteste Baby der Welt, aber als er einmal so brüllte, merkte ich doch, daß ich etwas ungeduldig wurde und wünschte, er wäre in seinem Bett.« (Jan, 43. Woche)

***

Manchmal ärgern Mütter sich, weil sie eigentlich schon spüren, daß ihr Baby mehr kann, als es zeigt, und sich für sein Alter zu babyartig verhält. Sie finden, es wird jetzt langsam Zeit, daß es mehr Selbständigkeit an den Tag legt.

***

»Wenn ich ihn aufs Sofa lege, um ihn zu wickeln, schreit er immer aus vollem Hals. Auch wenn ich ihm saubere Sachen anziehen will. Das ärgert mich mehr und mehr. Ich finde ihn eigentlich zu groß dafür. Er sollte eigentlich anfangen können, ein wenig mitzuarbeiten.« (Daniel, 47. Woche)

***

Es gibt Streit. Es fällt immer wieder auf, daß Mütter, die stillen, am Ende jeder schwierigen Phase mit dem Stillen aufhören wollen. Ein Grund dafür ist, daß das Baby den ganzen Tag an die Brust will. Die Mutter irritiert das, und sie beginnt, die Brust zu verweigern. Das läßt sich das Baby nicht gefallen – und schon gibt es Krach.

* * *

»Ich ärgere mich immer mehr und immer öfter darüber, daß ich ihn wieder ständig an der Brust in den Schlaf lullen muß. Ich hatte wieder damit angefangen, als er so schlecht einschlafen konnte. Jetzt wird es zur Gewohnheit. Er will immerzu gestillt werden und krakeelt herum, wenn es nicht nach seiner Mütze geht. Ich habe die Nase voll!« (Timo. 47. Woche)

* * *

Wenn Mütter doch weiter stillen, stellt sich der normale Trinkrhythmus unmittelbar nach der schwierigen Phase wieder ein. Und die Irritationen sind prompt wieder vergessen! Zum Krach kann es auch dann kommen, wenn über die Themen »Körperkontakt« und »Aufmerksamkeit« verhandelt wird.

* * *

»Ich ärgere mich über dieses ewige Gequengel, das er an den Tag legt, um auf meinen Schoß zu kommen. Und ich werde stinksauer, wenn er mich beißt, weil ich nicht schnell genug reagiere. Es tut so weh, daß ich ihn automatisch wegstoße. Einmal ist er dabei fast mit dem Kopf gegen die Heizung geknallt. Das hatte ich nicht gewollt, es war furchtbar, aber ich war wirklich außer mir. Daß er ständig wie eine Klette an mir hängt, geht mir übrigens auch auf den Wecker. Besonders, wenn andere dabei sind.« (Rudolf, 44. Woche)

Die neue Fähigkeit bricht durch

Um die 46. Woche stellen Sie fest, daß Ihr Baby sich wieder beruhigt. Daß es Dinge ausprobiert oder tut, die wieder gänzlich neu sind. Sie merken, daß es mit seinen Spielsachen anders umgeht. Daß ihm andere Dinge gefallen. Daß es genauer ist als zuvor. Daß es noch mehr auf Details achtet. Diese Veränderungen können Sie sehen, weil in diesem Alter bei jedem Baby die Fähigkeit zum Wahrnehmen und Schaffen von »Reihenfolgen« durchbricht. Man kann diese Fähigkeit vergleichen mit einer neuen Welt, die sich auftut und in der es zum Thema »Reihenfolgen« ungeheuer viel zu entdecken gibt. Ihr Baby trifft dabei je nach seiner Veranlagung, seinen Vorlieben und seinem Temperament seine eigene Wahl. Es kann ausgiebig auf Entdeckungsreise gehen und sich neue Dinge aneignen. Und Sie als Erwachsene können ihm dabei helfen.

Der Sprung: Die Welt der »Reihenfolgen«

Seit dem vorangegangenen Sprung ist Ihrem Baby bewußt, daß einige Dinge soviel gemeinsam haben, daß sie sich einer Gruppe oder auch »Kategorie« zuordnen lassen. Damals war zu beobachten, daß es Dinge untersuchte, indem es sie »abbrach«, auseinandernahm. So baute es zum Beispiel einen Turm aus Bauklötzen Stein für Stein ab. Vielleicht holte es auch einen Schlüssel aus dem Schloß oder lockerte einen Hebel.
Wenn die Fähigkeit zum Wahrnehmen und Schaffen von »Reihenfolgen« durchbricht, beschäftigt sich Ihr Baby eher mit »Aufbau«, Instandsetzung oder Vermittlung. Es kann nun beispielsweise einen Schlüssel vom Tisch nehmen und ihn anschließend in das Schloß an der Schranktür stecken. Es kann erst Sand auf die Schaufel tun und ihn danach in den Eimer schütten. Wenn es mit Ihrer Hilfe oder auch ohne Sie hinter einem Ball herrennt, zielt es erst und tritt dann gegen den Ball. Beim Singen eines Liedes kann es nacheinander verschiedene Gebärden machen, ohne daß Sie ihm diese vormachen müssen. Es kann nun zum ersten Mal Essen auf seinen Löffel schieben und diesen anschließend in den Mund stecken. Es kann versuchen, seine Schuhe anzuziehen, indem es sie erst holt und danach an seinem Fuß reibt. Es greift nach dem Pulli, den Sie gerade auf den Boden haben fallenlassen, und steckt ihn danach in den Wäschekorb (wo er hingehört!).
Ihrem Baby wird jetzt bewußt, daß es jede Handlung immer in einer bestimmten Reihenfolge machen müßte, um den größten Erfolg zu erzielen. Sie werden jetzt beobachten können, daß Ihr Baby zuerst schaut, welche Dinge wie zueinander passen, bevor es

versucht, sie in-, an- oder aufeinander zu tun. Es wird beispielsweise erst gut maßnehmen, bevor es den einen Bauklotz auf den anderen setzen will. Es steckt einen Baustein erst dann durch das Loch im Schachteldeckel, nachdem es die Form des Steins mit der der Öffnung verglichen hat und den richtigen ausgewählt hat. Es wird Ihnen überdies auffallen, daß sich Ihr Baby nun »bewußter« als jemals zuvor mit etwas beschäftigt. Daß es jetzt weiß, was es tut.

Sie können auch an den Reaktionen Ihres Babys merken, daß ihm jetzt bewußt wird, wie bestimmte »Ereignisse« normalerweise aufeinander folgen. Es weiß, welches der nächste Schritt in der »Reihenfolge« ist.

***

»Wenn die Kassette zu Ende ist, guckt er hoch zum Kassettenrecorder, nicht mehr zum Lautsprecher. Er weiß jetzt, daß ich daran etwas tun muß, wenn er weiter zuhören will.« (Daniel, 48. Woche)

***

Ihr Baby zeigt und benennt jetzt nacheinander verschiedene Menschen, Tiere und Dinge. Wenn es das ganz auf sich gestellt tut, sagt es noch »Da« anstelle des richtigen Wortes. Wenn es das mit Ihnen gemeinsam macht, zeigt es auf etwas und will, daß Sie es

benennen. Oder daß Sie das Geräusch machen, das zu dem Tier oder der Sache gehört, auf die es zeigt. Andererseits will es auch gern, daß Sie auf etwas zeigen, was es dann auf seine Weise benennen kann. Und natürlich wird es nicht protestieren, wenn Sie sowohl zeigen als auch benennen. Jetzt werden Sie auch feststellen können, daß Ihr Baby, wenn Sie es auf dem Arm haben, in die Richtung zeigt, in die Sie seiner Meinung nach laufen sollen.
Das aktive Benennen von Menschen, Tieren, Dingen und auch deren Einzelteilen tritt in diesem Alter zum ersten Mal auf. Es kann gesehen werden als das Verbinden eines gesprochenen Wortes oder Geräusches mit einem Menschen, Tier oder Ding. Und dann ist es auch eine Reihenfolge.
Jetzt, wo das Baby Reihenfolgen wahrnehmen und schaffen kann, hat es auch die Wahl, das Gegenteil zu tun, also eine Sache zu vermeiden. Ein Baby benutzte zum Beispiel das Wort »Bä« nicht nur für alles, was dreckig war, sondern auch für alles, womit es vorsichtig umgehen mußte.

Die Welt der »Reihenfolgen«

Der Bereich »Das Zeigen und das Verbinden eines Wortes oder Geräusches mit einem Menschen, Tier, Ding oder einem Teil davon«:

- Es deutet nacheinander auf einem großen Bild oder Poster oder in natura auf Menschen, Tiere oder Dinge, die Sie benennen. ☐
- Es deutet nacheinander von sich aus auf Menschen, Tiere oder Dinge und will, daß Sie diese benennen. ☐
- Es deutet nacheinander von sich aus auf Menschen, Tiere oder Dinge und benennt sie selbst. ☐
- Es blättert bewußt in einem Buch und macht allerlei Geräusche zu den Abbildungen. ☐
- Wenn Sie fragen »Wo ist deine Nase?«, zeigt es auf seine Nase. ☐
- Es zeigt beispielsweise auf seine oder Ihre Nase und will, daß Sie diese benennen. ☐
- Es imitiert die Laute des Tieres, das Sie nennen. Sagt zum Beispiel »Miau«, wenn Sie fragen: »Wie macht die Katze?« ☐

- Wenn Sie fragen: »Wie groß bist du?«, reckt es die Arme in die Höhe. ☐
- Es macht »Happ«, wenn es den nächsten Bissen will. ☐
- Es sagt »Nein, nein«, wenn es etwas nicht tun oder nehmen will. ☐
- Es benutzt in verschiedenen Situationen dasselbe Wort. Ein Beispiel: Sagt »Bä«, wenn etwas schmutzig ist, aber auch, wenn es aufpassen oder vorsichtig sein muß. »Bä« hat für das Baby die Bedeutung »Hände weg«. ☐
- Was Ihnen sonst noch auffällt: ______________________________

  ____

Der Bereich »Wissen, was ›zueinander‹ gehört und was ›nacheinander‹ getan werden muß«:

- Es weiß, daß es einen runden Bauklotz durch eine runde Öffnung stecken kann. Es wählt, ohne fehlzugreifen, den runden Klotz aus einem Haufen Klötze heraus und steckt ihn durch die runde Öffnung in der Bauklotzschachtel. ☐
- Es kann ein einfaches dreiteiliges Puzzle zusammensetzen. ☐
- Es kann Münzen in eine Spardose stecken. ☐
- Es versucht, verschieden große Schachteln ineinander zu stellen. ☐
- Es nimmt einen Schlüssel vom Tisch und steckt ihn in das Schlüsselloch der Schranktür. ☐
- Es guckt und greift zum Licht, wenn Sie auf den Lichtschalter drücken. ☐
- Es weiß, daß zum Läuten des Telefons »Reden« gehört. ☐
- Es steckt beispielsweise Bausteine in eine Schachtel, tut den Deckel drauf, nimmt den Deckel wieder ab, holt die Steine aus der Schachtel und fängt wieder von vorne an. ☐
- Es legt Ringe um eine Pyramide. ☐
- Es läßt Autos fahren und macht dabei »Brrrm«. ☐
- Es schippt Sand auf die Schaufel und in den Eimer. ☐
- Es füllt, wenn es in der Badewanne sitzt, eine kleine Gießkanne mit Wasser und gießt es wieder aus. ☐
- Es betrachtet zwei Duplo-Steine sorgfältig und versucht dann, sie aneinander festzumachen. ☐
- Es versucht, mit einem Bleistift auf Papier zu kritzeln. ☐

- Was Ihnen sonst noch auffällt: ______________________

____

Der Bereich »Hantieren mit Gegenständen«:

- Es findet selbst ein Objekt, das es als Laufhilfe benutzt. ☐
- Es zieht eine Schublade auf und benutzt sie als Tritt, um auf die Kommode zu klettern. ☐
- Es zeigt oft, wenn es bei seiner Mutter auf dem Arm ist, mit dem Finger in die Richtung, in die es will, und erwartet, daß seine Mutter diese dann auch einschlägt. ☐
- Was Ihnen sonst noch auffällt: ______________________

____

Der Bereich »Motorik«:

- Es kriecht rückwärts die Treppe, das Sofa oder einen Stuhl hinunter. ☐
- Es stellt sich auf den Kopf, ehe es mit Ihrer Hilfe einen Purzelbaum schlägt. ☐
- Es knickt in den Knien ein und streckt danach mit Kraft die Beine, so daß es mit den Füßen vom Boden springt. ☐
- Es rennt (mit oder ohne Hilfe) hinter einem Ball her, zielt und schießt den Ball dann fort. ☐
- Es vergewissert sich, ob es innerhalb der Anzahl Schritte, die es alleine laufen kann, ein anderes Objekt zum Stützen erreichen kann. ☐
- Was Ihnen sonst noch auffällt: ______________________

____

Der Bereich »Aufforderung zum Spiel«:

- Es spielt richtig mit Ihnen. Macht deutlich, welche Spiele es spielen will, indem es mit dem betreffenden Spiel anfängt und Sie dann erwartungsvoll anschaut. ☐
- Es wiederholt ein Spiel. ☐
- Es fordert Sie zum Helfen auf. Tut so, als ob es Hilfe braucht. ☐
- Was Ihnen sonst noch auffällt: ______________________

____

Der Bereich »Suchen und Verstecken«:

- Es sucht etwas, das Sie immer wieder woanders verstecken. Das kann Spielzeug sein oder etwas, von dem Sie nicht wollen, daß das Baby drankommt. ☐
- Es versteckt selbst etwas, das jemand anderem gehört, wartet und lacht, wenn der andere es findet. ☐
- Was Ihnen sonst noch auffällt: ____________________

____

Der Bereich »Nachahmen einer Reihe von Gebärden«:

- Es imitiert zwei oder mehrere Gebärden, die Sie nacheinander machen. ☐
- Es schaut sich an, wie dieselbe Gebärde in Wirklichkeit und im Spiegel aussieht. ☐
- Es macht die verschiedenen Gebärden mit, wenn Sie ein Lied mit ihm singen. ☐
- Was Ihnen sonst noch auffällt: ____________________

____

Der Bereich »Helfen im Haushalt«:

- Es reicht Ihnen Dinge, die Sie in den Schrank tun wollen. Etwa seine Windeln. Gibt sie mit Vorliebe einzeln weiter. ☐
- Es geht und holt einfache Dinge, wenn Sie es darum bitten oder zu beschäftigt sind, etwa eine Haarbürste. ☐
- Es nimmt den Pulli, den Sie gerade ausgezogen haben, und steckt ihn in den Wäschekorb. ☐
- Es nimmt sein eigenes Eimerchen mit »Puppenwäsche« und steckt sie in die Waschmaschine. ☐
- Es nimmt den Handfeger oder den Staubsauger und »fegt« damit den Boden. ☐
- Es nimmt ein Tuch und »wischt Staub«. ☐
- Es »rührt« ebenfalls in einer Schüssel, wenn Sie Kuchen backen. ☐
- Was Ihnen sonst noch auffällt: ____________________

____

Der Bereich »Selbst anziehen und pflegen«:

- Es versucht, sich auszuziehen. Will den Strumpf ausziehen und zieht an den Zehen. Versucht, sein Hemd auszuziehen. ☐
- Es versucht, seine Socken/Schuhe anzuziehen. Es hält zum Beispiel Socke/Schuh und Fuß fest und reibt sie aneinander. ☐
- Es kann mithelfen, wenn Sie es anziehen. Sich mitbewegen, wenn Sie ihm einen Pulli an- und ausziehen. Eventuell einen Arm ausstrecken, der durch den Ärmel muß. Seinen Fuß hinhalten, wenn Sie mit dem Schuh oder der Socke kommen. ☐
- Es »bürstet« seine Haare. ☐
- Es »putzt« seine Zähne. ☐
- Es geht gelegentlich aufs Töpfchen. ☐
- Was Ihnen sonst noch auffällt: ______________________________

  ____

Der Bereich »Selbst essen und andere füttern«:

- Es bietet beim Essen und Trinken anderen einen Bissen oder einen Schluck an. ☐
- Es pustet sein Essen kalt, bevor es einen Bissen nimmt. ☐
- Es spießt mit einer kleinen Gabel ein Stückchen Brot auf und ißt es. ☐
- Es kann Essen auf den Löffel tun und anschließend in den Mund stecken. ☐
- Was Ihnen sonst noch auffällt: ______________________________

  ____

Denken Sie stets daran, daß Ihr Baby in der neuen Welt nicht alles auf einmal entdecken kann. Mit 46 Wochen bekommt es zum ersten Mal Zugang zu dieser Welt. Aber wann es sich etwas aneignet, hängt vom Interesse des Babys ab und davon, wieviel Gelegenheit es dazu bekommt. Die meisten Fertigkeiten entwickelt das Baby erst Monate, manchmal sogar erst viele Monate später!

Wofür entscheidet sich Ihr Baby: ein Schlüssel zu seiner Persönlichkeit

Alle Babys haben diese Fähigkeit zum Wahrnehmen und Schaffen von »Reihenfolgen« mitbekommen. Die neue Welt steht allen offen und ist angefüllt mit neuen Möglichkeiten. Ihr Baby trifft dabei seine eigene Wahl. Es nimmt sich das, was am besten zu seiner Veranlagung, seinen Interessen, seinem Körperbau und seinem Gewicht paßt. Vergleichen Sie deshalb Ihr Baby nicht mit anderen Babys. Jedes Baby ist einzigartig.
Beobachten Sie Ihr Baby genau. Finden Sie heraus, wofür es sich interessiert. Im Kasten »Die Welt der ›Reihenfolgen‹« ist Platz gelassen, um festzuhalten, für welche Dinge sich Ihr Baby entscheidet. Zwischen der 46. und 51. Woche wird es die Fertigkeiten auswählen, die es in dieser Welt am meisten ansprechen. Wenn Sie seine Wahl respektieren, werden Sie herausfinden, was Ihr Baby einzigartig macht! Wenn Sie auf seine Interessen eingehen, helfen Sie ihm am besten beim Spielen und Lernen.

So sind Babys nun mal

Alles, was neu ist, findet Ihr Baby am schönsten. Reagieren Sie darum immer und ganz besonders auf neue Fertigkeiten und Interessen, die Ihr Baby zeigt. Es lernt dann besser, leichter, schneller und mehr.

DIE AUSWIRKUNGEN DES SPRUNGS: HELFEN SIE IHREM BABY BEIM LERNEN

Jedes Baby braucht Zeit und Hilfe, um die neue Fähigkeit so gut wie möglich zu Fertigkeiten auszubauen, die es immer besser beherrscht. Als Mutter können Sie ihm dabei helfen. Sie können ihm Gelegenheit und Zeit geben, mit »Reihenfolgen« zu spielen. Sie können es, wenn nötig, ermutigen und trösten. Sie können es auf neue Ideen bringen.

Geben Sie Ihrem Baby soviel Gelegenheit wie möglich, mit »Reihenfolgen« in Berührung zu kommen. Lassen Sie es diese sehen, hören, fühlen, riechen und schmecken, ganz, wie es ihm am besten gefällt. Je mehr es damit in Berührung kommt, damit spielt, desto besser versteht es sie. Es ist ohne Bedeutung, ob Ihr Baby dieses Verstehen am liebsten auf dem Gebiet des Beobachtens, des Hantierens mit Spielzeug, der Sprache, des Geräuschemachens, der Musik oder der Motorik lernt. Es wird dieses Verstehen später leicht auch auf andere Gebiete anwenden können. Es kann nun einmal nicht alles auf einmal tun.

Will Ihr Baby alles »selber machen«?

Viele Babys wollen nicht, daß man ihnen hilft, und widersetzen sich jeder Form von Einmischung. Alles, was so ein Baby zu können glaubt, will es auch selber tun. Will Ihr Baby das auch? Will es selber essen? Selbst seine Haare bürsten? Sich selbst einseifen? Versuchen, alleine zu laufen? Will es allein die Treppe hinauf- oder hinunterklettern? Und will es dabei auch absolut keine Unterstützung mehr? Versuchen Sie dann, soviel Verständnis wie möglich für derartige Wünsche aufzubringen. Sie gehören zu diesem Alter.

***

»Er fand es immer toll, mit mir das Laufen zu üben. Aber wenn ich ihn jetzt bei den Händen nehme, setzt er sich sofort hin. Wenn ich dann fortgehe, probiert er es allein. Und bei jedem Laufversuch, der gelingt, schaut er mich triumphierend an.« (Peter, 46. Woche)

***

»Er versucht, mit einem Bleistift etwas aufs Papier zu malen, genau wie sein Bruder das tut. Aber wenn sein Bruder seine Hand nimmt, um ihm zu zeigen, wie es gehört, zieht er die Hand zurück.« (Rudolf, 48. Woche)

***

»Wenn wir zusammen Formen in die Bauklotzschachtel stecken, wirft er damit. Aber wenn er allein spielt, versucht er das nachzumachen. Eigentlich ärgert mich das.« (Peter, 53. Woche)

»Sie ißt nur, wenn sie sich selbst ein Stück Brot in den Mund stecken kann. Wenn ich das für sie mache, holt sie es wieder heraus.« (Laura, 43. Woche)

Experimentiert es mit dem Thema »Selbermachen«? Dann aufgepaßt!

Probiert Ihr Baby aus, ob Dinge auch anders gehen? Versucht es etwa auf unterschiedliche Weise die Treppe hoch oder runter zu kommen? Probiert es aus, ob etwas mit der linken Hand genauso gut geht wie mit der rechten? Steckt es die verschiedensten Dinge irgendwo rein, obwohl es genau weiß, daß sie dort nicht hingehören? Wenn Ihr Baby das tut, stellt es ganz normale Versuche an. Es schaut, was geschieht, wenn man die »Reihenfolge« ändert. Denn warum muß Wäsche unbedingt in den Wäschekorb und nicht in den Mülleimer oder die Toilette? Da paßt sie schließlich auch rein. Passen Sie deshalb immer auf. Ihr Baby hat noch keinen Sinn für Gefahren.

* * *

»Er zieht Stecker aus der Steckdose und versucht dann, sie in die Wand zu drücken. Und er versucht, Dinge mit zwei Stöpseln in die Steckdose zu stecken. Ich muß also noch mehr aufpassen.« (Daniel, 48. Woche)

* * *

»Wenn sie auf den Nachttisch klettern will, zieht sie erst eine Schublade auf, stellt sich drauf und klettert dann auf den Nachttisch. Wenn sie die Schublade sehr weit aufzieht, wackelt der Nachttisch.« (Julia, 49. Woche)

* * *

»Er will unbedingt allein die Treppe hoch, aber wie er das macht, ist gefährlich. Er krabbelt auf den Knien auf die nächste Stufe, stellt sich hin, dann wieder auf den Knien höher, wieder stehen und so weiter. Ich finde das furchtbar und muß jetzt ziemlich aufpassen.« (Stefan, 45. Woche)

Zeigen Sie Verständnis für Babys Frustrationen

Viele Mütter empfinden ihr Baby jetzt als »widerspenstig«. Aber eigentlich ist es das gar nicht. Ihr Baby will einfach mehr alleine machen. Ihm wird ja jetzt erst so richtig bewußt, was zusammengehört und in welcher Abfolge Dinge getan werden müssen. Und auch wenn es noch eine Menge lernen muß – es selbst glaubt, alles zu wissen und zu können. Es will nicht länger, daß Sie ihm Dinge abnehmen oder ihm sagen, wie etwas gehört. Es will das jetzt alles alleine machen. Aber als Mutter sind Sie das eigentlich nicht gewohnt. Automatisch helfen Sie ihm, so wie Sie es die ganze Zeit über getan haben. Und Sie wissen auch, daß Ihr Baby das, was es tun will, eigentlich noch nicht so recht kann. Und deshalb auch alles durcheinanderbringt.
Die Interessen von Baby und Mutter gehen hier also auseinander, und das mit allen Folgen. Das Baby findet seine Mutter lästig, und die Mutter findet ihr Baby lästig. Jeder weiß, daß Pubertierende durch eine schwierige Phase gehen, aber Babys kennen ganz ähnliche Gefühle.

Fordert es Sie heraus?

Haben Sie manchmal das Gefühl, daß Sie stundenlang damit beschäftigt sind, Ihrem Baby Dinge zu verbieten oder wegzunehmen? Dann beobachten Sie Ihr Baby einmal genau. Ist es einfach nur ungezogen – oder will es die Dinge nur »selber tun« oder »selbst entscheiden«? Und denkt es, wenn ihm etwas nicht gelingt oder verboten wird, man wäre ihm nicht wohl gesonnen?

***

»Sie nervt richtig. Will ständig ihren Willen durchsetzen. Wird wütend, wenn ich ihr etwas verweigere, das sie haben oder tun will. Todmüde wird man davon.« (Julia, 50. Woche)

***

»Er versucht mit Gebrüll und mit Zornesausbrüchen etwas zu erreichen.« (Timo, 46. Woche)

***

»Wenn ich meckere, kreischt sie und kneift jeden um sie herum oder reißt eine Pflanze aus dem Topf. Da ärgere ich mich furchtbar drüber. Beim Babysitter ist sie viel braver.« (Laura, 49. Woche)

***

»Wir stecken gerade mitten in der Phase: ›Nein, Finger weg‹, und: ›Nein, laß das‹. Aber er weiß, was er will, und kann außerordentlich sauer werden, wenn etwas nicht so geht, wie er sich das vorstellt. Neulich war er so sauer, daß er nicht einmal gemerkt hat, daß er aus eigener Kraft stehen konnte.« (Dirk, 49. Woche)

Sagen Sie ihm, was es »falsch« macht

In diesem Alter beginnen Babys auszuprobieren, wie weit sie gehen können, bevor sie von jemandem gestoppt werden. Aber wenn sie etwas »Falsches«, »Böses« oder »Gefährliches« tun, muß man ihnen das unbedingt sagen.

Übrigens

Auch das Abgewöhnen alter Gewohnheiten und das Gewöhnen an neue Regeln gehören zu den Auswirkungen jeder neuen Fähigkeit, die Ihr Baby bekommt. Das, was Ihr Baby jetzt zum ersten Mal versteht, können Sie auch von ihm verlangen. Nicht mehr und nicht weniger.

Sagen Sie ihm, was es »richtig« macht

Loben Sie es, wenn es etwas richtig macht. Es lernt dann, was »richtig« und was »falsch« bedeutet. Die meisten Babys bitten übrigens selbst darum. Wenn sie etwas richtig machen, wollen sie dauernd Komplimente hören. Sie sehen Sie an und lachen voller

Stolz oder verlangen nach Aufmerksamkeit. Sie können eine Sache viele Male wiederholen, nur weil sie immer wieder gelobt werden wollen.

***

»Jedes Mal, wenn sie einen Ring um die Pyramide gelegt hatte, guckte sie mich mit einem breiten Grinsen an und klatschte in die Hände.« (Eva, 49. Woche)

Lenken Sie es durch etwas ab, das ihm gefällt

Wenn Ihr Baby frustriert ist, weil es etwas nicht darf oder kann, können Sie es ganz leicht ablenken durch etwas, das es besonders interessant findet. Natürlich ist das bei jedem Baby etwas anderes.

***

»Diese Woche fand er es toll, Fußball zu spielen. Er trat dann ganz kräftig gegen den Ball, und wir liefen dann (wobei ich ihn an den Händen festhielt) schnell hinterher. Darüber mußte er so lachen, daß er sich ab und zu auf den Boden legen mußte, um sich wieder zu beruhigen.« (Peter, 48. Woche)

***

»Er will immer helfen. Findet das wunderbar. Strahlt übers ganze Gesicht. Es kostet mich aber ziemlich viel Zeit. Um einen Stapel Windeln in den Schrank zu legen, brauche ich jetzt bald zehnmal so lange. Er reicht mir jede Windel einzeln. Und bevor ich sie kriege, legt er jede Windel auf seine Schulter und streicht mit der Wange drüber.« (Timo, 48. Woche)

Spielt Ihr Baby mit Wörtern?

Nach diesem Sprung kann Ihr Baby bewußt seine ersten Wörter sagen. Gehen Sie darauf ein, wenn Sie merken, daß Ihr Baby das auch tut. Hören Sie ihm zu und lassen Sie erkennen, daß Sie es

ganz großartig finden, daß es spricht, und daß Sie seine Worte verstehen. Versuchen Sie nicht, seine Aussprache zu verbessern. Dadurch verliert Ihr Baby nur den Spaß am Sprechen.
Benutzen Sie selbst immer das richtige Wort. Ihr Baby lernt dann auf Dauer automatisch die richtige Aussprache.

***

»Sie sagt Wörter und zeigt auf das, was sie sagt. Im Augenblick ist sie verliebt in Pferde. Wenn sie irgendwo ein Pferd sieht, zeigt sie darauf und sagt ›Fehd‹. Gestern im Park wurde sie von einer Dogge überholt. Das war auch ein ›Fehd‹. (Susanne, 48. Woche)

***

»Zu einer Plüschkatze sagt er auf einmal ›Nana‹. Das haben wir noch nie gesagt. Er hat viele Spielzeugtiere. Wenn ich dann frage ›Wo ist Nana‹, zeigt er stets auf das Kätzchen.« (Peter, 48. Woche)

Versucht Ihr Baby, Ihnen etwas zu erzählen?

Manche Babys »erzählen« mit Körpersprache und Lauten, daß sie sich an eine bestimmte Situation erinnern. Oder daß sie bestimmte Menschen schon vorher gesehen haben. Gehen Sie darauf ein, wenn Sie merken, daß Ihr Baby das kann und tut. Sprechen Sie viel mit ihm, sagen Sie, was Sie sehen, und hören Sie sich an, was es Ihnen später darüber »erzählt«.

***

»Wir gehen jede Woche zum Schwimmen. Meist sind immer dieselben Leute da. Auf der Straße begegneten wir einmal einer Mutter und einmal einem anderen Kind. Auf einmal rief er ›O, o‹ und zeigte auf sie, als würde er sie erkennen. Im Schwimmbad sah er einmal ein Mädchen, das bei uns in der Nachbarschaft wohnt und das er

ein paarmal gesehen hatte, und da reagierte er genauso.« (Peter, 49. Woche)

***

»Auf dem Weg zum Einkaufen sahen wir einen großen Haufen Steine. Ich sagte: ›Guck mal, so viele Steine.‹ Er sah aufmerksam hin. Am nächsten Tag zeigte er schon von weitem auf die Steine, sah mich an und rief: ›Da, da!‹« (Stefan, 51. Woche)

Zwingen Sie Ihr Baby zu nichts

Hören Sie auf, wenn Sie merken, daß Ihr Baby kein Interesse mehr hat. Es ist dann mit anderem beschäftigt. Mit Dingen, die es in dem Moment spannender findet.

***

»Ich bin eifrig dabei, mit ihm ›Papa‹ zu üben und ›Wo ist dein Näschen‹ und ›Wie groß ist mein Schätzchen‹ zu spielen. Aber bis jetzt mit wenig Erfolg. Er lacht und springt nur, um mir in die Nase zu beißen oder die Haare auszureißen. Aber ich bin schon froh, daß er körperlich so ein Wirbelwind geworden ist.« (Dirk, 49. Woche)

***

»Ich versuche, mit ihm Lieder zu singen, aber ich habe das Gefühl, das bringt noch nichts. Er zeigt auch noch nicht soviel Interesse, ist mehr mit den Dingen um sich herum beschäftigt.« (Jan, 47. Woche)

Zeigen Sie Verständnis für »seltsame« Ängste

Wenn Ihr Baby dabei ist, seine neue Fähigkeit auszuarbeiten, begegnet es auch Dingen oder Situationen, die es nur zur Hälfte versteht. In gewisser Weise entdeckt es neue Gefahren, Gefahren, die es in seiner Vorstellung bis jetzt noch nicht gab.

Wenn es alles besser versteht, verschwindet auch die Angst wieder. Haben Sie also Mitgefühl.

***

»Sie will immer wieder auf den Topf. Auch wenn sie nichts reingemacht hat, läuft sie mit dem Töpfchen zur Toilette, leert es aus und zieht ab. Es geht ihr also ums Abziehen. Aber obwohl sie das Abziehen faszinierend findet, fürchtet sie sich auf die eine oder andere Art auch davor. Sie ist nicht ängstlich, wenn sie selbst abzieht, wohl aber, wenn es ein anderer tut. Dann gefällt es ihr gar nicht.« (Julia, 50. Woche)

***

»Flugzeuge findet sie furchtbar interessant. Sie erkennt sie überall. In der Luft, auf Bildern, in Zeitschriften. Diese Woche fürchtete sie sich auf einmal vor dem Geräusch eines sehr tief fliegenden Flugzeugs, obwohl sie das schon öfter gehört hatte.« (Laura, 46. Woche)

»Reihenfolgen«: Die Spitzenreiter unter den Spielen

Dies sind Spiele und Übungen, die auf die neue Fähigkeit eingehen und die bei fast allen 46 bis 51 Wochen alten Babys (plus/minus zwei Wochen) hoch im Kurs stehen.

HELFEN

Auch Ihr Baby findet es schön, wenn es gebraucht wird. Lassen Sie es deshalb merken, daß Sie seine Hilfe gut gebrauchen können. In diesem Alter ist es noch keine echte Hilfe, aber es versteht die Handlungen (die »Reihenfolgen«). Außerdem stellt das eine gute Vorbereitung für den nächsten Sprung dar.

Im Haushalt helfen. Lassen Sie es zusehen, wie Sie kochen, putzen und aufräumen. Holen Sie es dazu. Und erzählen Sie ihm, was Sie tun. Bitten Sie es, Ihnen Dinge zu reichen. Geben Sie ihm eines Ihrer Staubtücher. Die sind schließlich interessanter als ein eigener Lappen. Und geben Sie ihm eine eigene Rührschüssel und einen Löffel, wenn Sie Kuchen backen.

Mithelfen beim Anziehen. Das ist am schönsten vor einem Spiegel. Ziehen Sie es aus, trocknen Sie es ab und ziehen Sie es einmal an, während es sich selbst betrachten kann. Benennen Sie die Körperteile, die Sie abtrocknen. Bitten Sie es um Mithilfe, wenn Sie merken, daß es schon mitarbeitet. Bitten Sie es, seinen Arm oder sein Bein auszustrecken, wenn Sie ihm einen Pulli oder einen Strumpf anziehen wollen. Und loben Sie es, wenn es das auch tut.

Selbst »pflegen«. Lassen Sie Ihr Baby auch einmal selbst etwas tun. Das ist am schönsten vor einem Spiegel. Das Baby sieht dann, was es tut. Es lernt dann schneller und hat mehr davon. Bürsten Sie einmal seine Haare vor dem Spiegel und lassen Sie es dann selbst versuchen. Dasselbe können Sie mit dem Zähneputzen machen. Sie können auch ausprobieren, ob es sich selbst »waschen« möchte. Geben Sie ihm, wenn es in der Wanne sitzt, einen Waschlappen und sagen Sie beispielsweise: »Wasch mal dein Gesicht.« Reagieren Sie bei jedem Versuch begeistert. Sie werden merken, wie stolz es dann auf sich selbst ist.

Selber »essen« mit einem Löffel. Lassen Sie Ihr Baby einmal allein mit einem Löffel essen. Oder geben Sie ihm eine kleine Gabel, mit der es selbst Brothäppchen oder Obst aufspießen kann. Legen Sie ein großes Stück Plastik unter seinen Stuhl, damit Sie das danebengegangene Essen leichter wegräumen können.

ZEIG- UND BENENNSPIELE

Ihr Baby versteht oft sehr viel mehr, als Sie denken, und ist glücklich, wenn es das zeigen kann.

»Das ist dein Näschen«. Körperteile zu benennen und zu berühren hilft Ihrem Baby beim Entdecken seines eigenen Körpers. Sie können dieses Spiel spielen, wenn Sie es an- oder ausziehen oder wenn es bei Ihnen sitzt. Versuchen Sie auch einmal herauszufinden, ob es weiß, wo Ihre Nase sitzt.

Zeigen und Benennen. Viele Babys lieben alle Formen von Zeigen und Benennen oder zu einer Abbildung das passende Geräusch machen heiß und innig.

Sie können dieses Spiel überall spielen. Auf der Straße, beim Einkaufen, auf dem Wickeltisch und mit einem Bilderbuch. Genießen Sie auch die »Fehler«, die Ihr Baby macht.

SING- UND BEWEGUNGSSPIELE

Dabei wirkt Ihr Baby jetzt aktiv mit. Und es beginnt, alle Bewegungen, die dazugehören, auch selbst zu machen. Hier ein schönes Beispiel:

Klatsche in die Hände. Setzen Sie sich Ihrem Baby gegenüber und singen Sie:
»Klatsche ohne Ende
in die beiden Hände,
so und so und so.«
(Klatschen Sie in die Hände und lassen Sie Ihr Baby nachmachen, was Sie tun.)
»Mit dem Finger klopfe
dreimal auf dem Kopfe,
so und so und so.«
(Jetzt klopfen Sie mit dem Zeigefinger dreimal an Ihrem Kopf an und lassen Ihr Baby auch das nachmachen.)

Zum Schluß rufen Sie »Herein!«, nehmen Ihr Baby in die Arme und knuddeln es kräftig.

VERSTECKSPIELE

Viele Babys haben Spaß daran, ein Spielzeug, das Sie ganz haben verschwinden lassen, wieder hervorzuzaubern.

Ein Paket auspacken. Wickeln Sie ein Spielzeug in hübsches Papier oder in eine schön knisternde Chips-Tüte, während Ihr Baby zusieht, was Sie tun. Geben Sie ihm dann das Päckchen und lassen Sie es das Spielzeug wieder hervorzaubern. Ermuntern Sie es bei jedem Versuch.

Unter welchem Becher liegt es? Legen Sie ein Spielzeug vor Ihr Baby und stülpen Sie einen Becher darüber. Stellen Sie daneben einen ähnlich aussehenden Becher und fragen Sie Ihr Baby, wo das Spielzeug ist. Loben Sie es immer, wenn es das versteckte Spielzeug sucht, auch wenn es das nicht gleich findet. Wenn Ihr Baby das noch etwas schwierig findet, spielen Sie dieses Spiel mit einem Tuch. Dann kann es die Form des Spielzeugs durch das Tuch sehen. Lassen Sie auch umgekehrt Ihr Baby einmal etwas verstecken, das Sie suchen müssen.

Spielzeug und Hausrat, die Ihr Baby am meisten faszinieren

Das sind Spielsachen und Dinge, die auf die neue Fähigkeit eingehen und die bei fast allen 46 bis 51 Wochen alten Babys (plus/minus zwei Wochen) gut ankommen.

- Holzzug mit Bauklötzen,
- Autos,
- Puppe (mit Fläschchen),
- Trommel oder Töpfe und Pfannen zum Drauftrommeln,
- Bücher mit Abbildungen von Tieren,
- Sandkiste mit Eimer und Schaufel,
- Bälle: vom Tischtennis- bis zum Wasserball. Und nicht zu harte. Ein mittelgroßer Ball gefällt besonders Fußballfans;
- große Plastikperlen,

- Wäscheklammern,
- Plüschtier, das Musik macht, wenn man draufdrückt;
- (Kinder-)Lieder,
- Bauklotzschachtel mit Öffnungen im Deckel, durch die unterschiedlich geformte Klötze passen;
- Fahrrad, Auto oder Trecker, auf dem es selbst sitzen kann;
- Duplo-Steine,
- kleine Plastikpüppchen, etwa von Fisher Price oder Lego;
- Spiegel.

Achtung: Wegräumen bzw. Sichern!

- Steckdosen,
- Treppen,
- Stereoanlage, Fernseher, Video;
- Staubsauger,
- Waschmaschine,
- Hunde,
- Kleinkram, wie Steinchen, Nadeln oder bunte Glasscherben.

Der Sprung ist geschafft

Zwischen der 47. und der 52. Woche beginnt wieder eine unkomplizierte Phase. Und bis zu drei Wochen lang wird das Baby nun für seine Fröhlichkeit und Selbständigkeit gelobt. Müttern fällt auf, daß das Baby viel besser zuhört, wenn man mit ihm spricht. Ruhiger und kontrollierter spielt. Wieder gerne allein spielt. Und auffallend älter und klüger wirkt.

***

»Es wird immer schöner mit ihr. Sie unterhält sich immer besser und kann sich jetzt ganz aufmerksam mit einer Sache beschäftigen. Diese Woche habe ich den Laufstall wieder hervorgeholt. Ich war ganz erstaunt, daß es ihr nichts ausmacht, ab und zu mal eine Weile drinzusitzen. Ein paar Wochen vorher schrie sie noch das ganze Haus zusammen, wenn man sie nur darüberhielt. Es sieht so aus, als würde sie ihr Spielzeug neu entdecken und sich im Laufstall ganz wohl damit fühlen.« (Astrid, 52. Woche)

***

»Sie ist für ihre ältere Schwester jetzt ein richtiger Spielkamerad. Sie reagiert auch genau so, wie man es von ihr erwartet. Weinend, lachend. Sie machen viel mehr zusammen. Gehen zusammen in die Wanne. Beiden gefällt das offensichtlich prima.« (Susanne, 47. Woche)

***

»Es waren herrliche Wochen. Er ist wieder mehr wie ein kleiner Kamerad. Mit der Krippe klappt es jetzt prima. Er kommt gutgelaunt heraus und findet es jeden Tag schön, die anderen Kinder wiederzusehen. Er schläft nachts besser. Begreift viel mehr. Spielt fasziniert mit seinen Spielsachen. Krabbelt auch wieder allein in ein anderes Zimmer. Lacht viel. Ich genieße ihn in vollen Zügen.« (Daniel, 51. Woche)

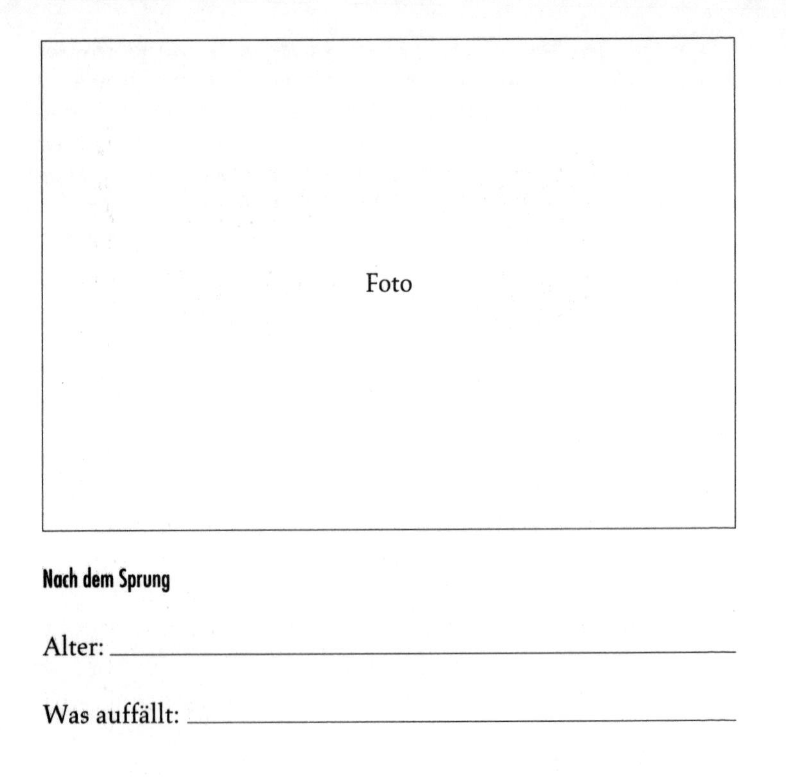

Nach dem Sprung

Alter: ____

Was auffällt: ___________________________________

FREUD' UND LEID UM DIE 55. WOCHE

Um die 55. Woche herum (plus/minus zwei Wochen) merken Sie, daß Ihr Baby wieder eine neue Fähigkeit dazubekommen hat. Sie stellen nun fest, daß es Dinge tut oder zu tun versucht, die neu sind. Es zeigt damit, daß seine Entwicklung einen Sprung macht. Doch es hat den Sprung schon eher gespürt.

Um die 51. Woche herum (plus/minus zwei Wochen) wird Ihr Baby meist wieder schwieriger, als es in den letzten ein bis drei Wochen war. Es merkt, daß seine Welt anders ist als gewohnt, daß es sie anders erlebt. Es merkt, daß es Dinge sieht, hört, riecht, schmeckt und fühlt, die ihm unbekannt sind. Dadurch ist es verstört und klammert sich so gut es kann an das Vertrauteste, das es hat: Mama.

Diese schwierige Phase dauert bei den meisten Kindern vier oder fünf Wochen, sie kann aber auch drei bis sechs Wochen dauern.

Zur Erinnerung

Wenn Ihr Baby »schwierig« wird:
Achten Sie einmal darauf, ob es etwas Neues kann oder übt.

Der Sprung kündigt sich an: Zurück zu Mama

Alle Kinder weinen nun schneller, als ihre Mütter das von ihnen gewohnt sind. Sie wollen auf, an oder um Mama hängen. Mütter halten ihre Kinder jetzt oft für schwierig, mäkelig, launisch, quengelig, ungeduldig und jähzornig. Einige wollen Mama den ganzen Tag so nah wie möglich bei sich haben. Andere verspüren dieses Bedürfnis nur phasenweise. Und das eine Kind ist dabei viel fanatischer als das andere.

***

»Er war manchmal völlig aus dem Tritt. Nicht die ganze Zeit. Eine Weile spielte er allein, und dann auf einmal war der Reiz weg und er verhielt sich ziemlich lange außerordentlich weinerlich. Dann wollte er auf den Arm genommen werden und bei mir sein. Seine Stimmung konnte sich von jetzt auf nachher ändern.« (Daniel, 52. Woche)

***

»Sie schrie wahnsinnig schnell. Auf mein ›Nein‹ folgte umgehend ein ordentliches Gebrüll.« (Eva, 52. Woche)

***

Alle Babys weinen weniger, wenn sie bei ihrer Mutter sind oder wenn die Mutter sich auf die eine oder andere Art mit ihnen beschäftigt, mit ihnen spielt oder nach ihnen schaut.

***

»Ich muß auf dem Sofa sitzen bleiben, während sie sich beschäftigt, und am besten gar nichts tun. Ich hoffe, daß ich jemals wieder dazu komme, in aller Ruhe etwas zu stricken, wenn ich so dasitze.« (Anna, 53. Woche)

***

»In dem Moment, wo ich etwas anfange, will er hochgenommen werden. Aber wenn er einmal auf dem Schoß sitzt, will er schnell wieder runter und ich muß hinterher. Er ist sehr unruhig.« (Dirk, 52. Woche)

Woran Sie merken, daß Ihr Baby »bei Mama bleiben« will

Hängt es häufiger an Ihrem Rockzipfel? Manche Kinder klammern sich wieder häufiger an ihre Mutter. Sie wollen getragen werden oder hängen an ihren Beinen. Andere müssen nicht unbedingt Körperkontakt zu ihrer Mutter haben, aber kommen immer mal kurz in ihre Nähe. Jedes Kind hat seine Art, bei Mama »aufzutanken«.

»Sie ist wieder mehr um mich herum, geht zwischendurch mal kurz spielen und kommt dann wieder zu mir zurück.« (Susanne, 54. Woche)

***

»Solange er wach ist, komme ich zu nichts mehr. Er läuft mir ständig vor die Füße, und wenn ich mich nicht mit ihm beschäftige, fängt er lauthals an zu brüllen.« (Dirk, 55. Woche)

***

»Wenn ich vom Wohnzimmer in die Küche gehe, kommt sie auf einmal hinterher und will auf den Arm genommen werden. Sie macht richtig eine Szene, ganz theatralisch. Als ob etwas Entsetzliches geschieht.« (Anna, 53. Woche)

***

Fremdelt es? Wenn Fremde in der Nähe sind, klammern sich viele Babys noch verbissener an ihrer Mutter fest, als sie es oft eh schon tun. Sie wollen auf einmal wieder weniger von anderen wissen. Manchmal auch nichts von ihrem Vater.

***

»Sie war manchmal plötzlich wie von Sinnen. Sie wollte dann nur noch bei mir sein. Setzte ich sie runter oder gab sie meinem Mann, verfiel sie total in Panik.« (Julia, 56. Woche)

***

»Von Fremden nimmt sie nichts zu essen an, kein Würstchen, keinen Keks.« (Nina, 54. Woche)

***

Es kann auch passieren, daß ein Baby nur noch bei seinem Vater sein will!

***

»Zwei Abende war sie ganz verrückt nach ihrem Vater. Da wollte sie mit mir nichts mehr zu tun haben, obwohl ich ihr nichts getan hatte. Wenn er sie dann nicht gleich hochnahm, war Brüllen angesagt.« (Stefanie, 53. Woche)

***

Will es nicht, daß der Körperkontakt abbricht? Manche Babys klammern sich an der Mutter fest, wenn sie auf ihrem Arm sind. Sie wollen nicht mehr runter. Es gibt auch Babys, denen es außerordentlich gut gefällt, wenn sie runtergesetzt werden, die aber nicht wollen, daß die Mutter danach fortgeht. Wenn jemand fortgehen darf, dann das Baby selbst.

***

»Einmal mußte ich abends fort. Als ich ihn runtersetzte und meine Jacke anzog, fing er an zu schreien, hielt mich fest und zog an meiner Hand, als hätte er etwas dagegen, daß ich gehe.« (Peter, 52. Woche)

***

»Ich muß ziemlich aufpassen, wenn ich sie runtersetze und anschließend nur ein bißchen weiter weg in die Küche gehe, um etwas zu holen. Sie geht sofort auf den Hund los, tut, als würde sie ihn streicheln, und reißt ihm Bart- und andere Haare aus.« (Anna, 53. Woche)

***

Will es mehr beschäftigt werden? Die meisten Babys verlangen nach mehr Aufmerksamkeit. Anspruchsvolle Babys den ganzen Tag lang. Aber auch pflegeleichte, ruhige Babys unternehmen gern etwas mit ihrer Mutter gemeinsam.

***

»Sie holt mich immer zu sich, zieht mich an der Hand mit, um mit mir zu spielen, zum Beispiel mit ihren Bauklötzen oder Puppen, oder um zusammen ein Buch zu lesen.« (Julia, 53. Woche)

***

Ist es eifersüchtig? Manche Babys werden etwas launischer, ungezogener oder wütend, wenn ihre Mutter jemand oder etwas anderem Aufmerksamkeit schenkt. Andere sind übertrieben lieb und anschmiegsam, um von ihrer Mutter beachtet zu werden.

***

»Wenn ich dem Baby, das ich in Pflege habe, etwas gebe, ist er eifersüchtig.« (Timo, 53. Woche)

***

»Meine Freundin war mit ihrem Baby hier. Als ich mit dem nur kurz sprach, kam meines mit übertriebenem Grinsen dazwischen.« (Julia, 54. Woche)

***

Ist es launisch? So ein Baby beschäftigt sich einen Moment ganz brav, um anschließend mürrisch, wütend oder jähzornig zu werden. Ohne daß die Mutter einen Grund dafür erkennen könnte.

***

»Manchmal sitzt er ganz brav da und befühlt und betastet seine Bausteine, und auf einmal wird er furchtbar böse. Gibt ein paar laute Geräusche von sich und schlägt mit den Steinen oder wirft sie durchs Zimmer.« (Stefan, 52. Woche)

***

Schläft es schlechter? Die meisten Kinder schlafen weniger. Sie wollen nicht ins Bett, schlafen schwer ein und wachen früher auf. Manche schlafen vor allem tagsüber weniger, andere nachts. Wieder andere wollen weder tagsüber noch abends ins Bett.

***

»Diese Woche merkte ich zum ersten Mal, daß sie nachts kurz wach ist. Manchmal weint sie ein wenig. Meistens nehme ich sie dann kurz hoch, und daraufhin schläft sie gleich wieder ein.« (Astrid, 54. Woche)

***

»Wir hätten es sehr gern, wenn sie mal wieder ohne Schwierigkeiten einschlafen würde. Jetzt geht das nur mit einem Haufen Geheul und Gebrüll vonstatten, obwohl sie todmüde ist.« (Julia, 52. Woche)

***

Hat es »Alpträume«?

»Er wacht nachts regelmäßig auf und ist dann völlig überdreht. Manchmal dauert es lange, ihn wieder zu beruhigen.« (Daniel, 52. Woche)

***

Sitzt es manchmal still und träumt vor sich hin? Manche Babys können ab und zu dasitzen und nur so vor sich hinstarren. Als wären sie in einer eigenen Welt. Mütter finden dieses Tagträumen meist »schrecklich«. Sie versuchen dann, das Baby dabei zu »stören«.

***

»Manchmal sitzt sie etwas zusammengesunken da, schaukelt auf und ab und starrt Löcher in die Luft. Ich lasse dann prompt alles fallen, um sie wieder wach zu schütteln. Ich habe dann wahnsinnige Angst, daß

sie gestört ist. So ein Verhalten sieht man ja auch bei Kindern, die geistig zurückgeblieben sind.« (Stefanie, 54. Woche)

***

Ißt es schlechter? Viele Babys scheinen nun am Essen und Trinken kaum Interesse zu haben. Mütter finden das fast immer besorgniserregend und ärgerlich. Babys, die noch gestillt werden, wollen oft an die Brust. Allerdings nicht, um zu trinken, sondern weil sie damit so schön nah bei Mama sind.

***

»In der letzten Zeit schenkt sie dem Essen weniger Aufmerksamkeit. Vorher war alles innerhalb von einer Viertelstunde aufgegessen. Sie konnte nicht genug bekommen. Sie hätte alles am liebsten schon roh gegessen. Jetzt sitze ich manchmal eine gute halbe Stunde daneben.« (Astrid, 53. Woche)

***

»Er ›pustet‹ sein ganzes Mittagessen raus. Alles! In den ersten Tagen fand ich das witzig. Jetzt nicht mehr.« (Daniel, 53. Woche)

***

Benimmt es sich babyartiger? Manchmal kommt ein scheinbar abgelegtes Babyverhalten wieder zum Vorschein. Mütter sehen das gar nicht gern. Sie erwarten Fortschritte. Doch Rückfälle sind in schwierigen Phasen völlig normal. Sie zeigen, daß ein Fortschritt im Anzug ist.

***

»Sie ist wieder ein paarmal gekrochen, statt zu laufen, aber wahrscheinlich hat sie das nur getan, um Aufmerksamkeit zu erregen.« (Julia, 55. Woche)

***

»Sie steckt wieder häufiger was in den Mund. Genau wie früher.« (Susanne, 51. Woche)

***

»Er will wieder gefüttert werden. Wenn ich das nicht tue, schiebt er das Essen von sich.« (Rudolf, 53. Woche)

***

Ist es übertrieben lieb? Manche Kinder kommen auf einmal zur Mutter, um sie kurz zu »knuddeln«, und gehen dann wieder.

***

»Er kommt manchmal richtig auf mich zugekrabbelt, um lieb zu mir zu sein. Zum Beispiel legt er dann ganz lieb sein Köpfchen auf meine Knie.« (Daniel, 51. Woche)

***

»Sie kommt oft mal kurz ›schmusen‹. Sagt ›ei‹, und dann wird man auch richtig gestreichelt.« (Astrid, 53. Woche)

***

Greift es häufiger zu einem Kuscheltier? Viele Babys schmusen jetzt mit mehr Begeisterung als früher. Sie tun das vor allem, wenn sie müde sind oder ihre Mutter zu tun hat. Sie schmusen mit Kuscheltieren, Tüchern, Pantoffeln und schmutziger Wäsche. Alles, was weich ist, kann in Frage kommen. Sie streicheln und küssen ihre Kuscheltiere auch. Ihre Mütter finden das ausgesprochen rührend.

***

»Wenn ich zu tun habe, schmust er mit irgendwas. Er nimmt das Ohr von seinem Elefanten in die eine Hand und steckt zwei Finger der anderen Hand in den Mund. Ein herrlicher Anblick.« (Jan, 51. Woche)

***

Ist es auffallend ungezogen? Viele Babys ziehen die Aufmerksamkeit ihrer Mutter auf sich, indem sie ungezogen sind. Sie scheinen das mit Vorliebe dann zu tun, wenn die Mutter sehr beschäftigt ist und eigentlich keine Zeit für sie hat.

***

»Ich muß immer mal wieder etwas verbieten, aber sie tut es trotzdem. Wenn ich nicht reagiere, hört sie von selbst auf. Aber das geht nicht immer, weil das, womit sie hantiert, manchmal kaputtgehen kann.« (Julia, 53. Woche)

***

»Im Moment stellt er ständig etwas an. Überall geht er ran und gehorcht mir nicht. Erst wenn er im Bett liegt, komme ich zu meiner Arbeit.« (Dirk, 55. Woche)

***

»Ich habe das Gefühl, daß er manchmal absichtlich nicht gehorcht.« (Stefan, 51. Woche)

***

Hat es auffallend viele Wutanfälle? Manchmal dreht ein Kind richtig durch, wenn es nicht seinen Willen bekommt. Gelegentlich kann es auch so aussehen, als bekäme es so einen Wutanfall »spontan«. Oft will es dann Dinge, von denen es von vornherein annimmt, daß es sie nicht kriegen soll.

***

»Er will, daß ich ihn wieder auf den Schoß nehme und ihm Saft aus einem Fläschchen gebe. Aber wenn er meint, daß das nicht schnell genug geschieht, wirft er das Fläschchen weg und fängt an zu kreischen, zu schreien und zu trampeln, um es zurückzubekommen.« (Timo, 52. Woche)

***

»Wenn ich nicht sofort reagiere, wenn sie meine Aufmerksamkeit will, wird sie furchtbar sauer. Schreit herum und kneift. Dann nimmt sie ein bißchen Haut zwischen zwei Finger und dreht. Sie zwickt mich also richtig – und zwar kräftig.« (Anna, 53. Woche)

***

»Er will partout nicht ins Bett. Er wird dann so wütend, daß er immer wieder sein Kinn auf den Rand des Bettgestells schlägt. Ich dürfte ihn deshalb eigentlich gar nicht mehr hinlegen.« (Timo, 52. Woche)

***

»Ich war mit ihr irgendwo zu Besuch, saß da und unterhielt mich. Auf einmal nahm sie meine Tasse und schmiß sie mitsamt dem Tee und allem auf den Boden.« (Laura, 55. Woche)

Woran Sie merken, daß Ihr Baby kopfsteht

- Es schreit mehr. Ist häufiger launisch, mäkelig, quengelig. ☐
- Es ist in einem Moment fröhlich und im anderen weinerlich. ☐
- Es will häufiger beschäftigt werden. ☐
- Es hängt öfter an Ihrem Rockzipfel und will mehr in Ihrer Nähe bleiben. ☐
- Es ist »übertrieben« lieb. ☐
- Es ist »übertrieben« ungezogen. ☐
- Es kriegt (häufiger) Wutanfälle. ☐
- Es ist eifersüchtig. ☐

- Es fremdelt (häufiger). ☐
- Es protestiert, wenn der Körperkontakt abbricht. ☐
- Es schläft schlechter. ☐
- Es hat (häufiger) »Alpträume«. ☐
- Es ißt schlechter. ☐
- Es sitzt (häufiger) still da und träumt vor sich hin. ☐
- Es lutscht (öfter) am Daumen. ☐
- Es greift (häufiger) zu einem Kuscheltier. ☐
- Es verhält sich babyartiger. ☐
- Was Ihnen sonst noch auffällt: ______________________

____

Sorgen[1], Irritationen und Streit

Die Mutter ist verunsichert. Zu Beginn der schwierigen Phase macht sich die Mutter meist Sorgen. Sie will verstehen, warum das Baby durcheinander ist. Aber das »sich Sorgen machen« der Mutter geht in diesem Babyalter schnell in ein »sich ärgern« über.
Einige Mütter fragen sich in dieser Phase auch, warum ihr Baby noch nicht so gut läuft, wie sie es erwartet hatten. Sie haben Angst, daß mit ihrem Kind körperlich etwas nicht in Ordnung ist.

* * *

»Ich übe regelmäßig Laufen mit ihr und wundere mich, warum sie es noch nicht allein tut. Sie geht schon so lange an der Hand. Sie müßte es schon längst können. Ich finde übrigens, daß eins ihrer Füßchen nach innen zeigt, und deshalb stolpert sie drüber. Ich habe das auch der Kinderärztin gezeigt. Die sagte mir, daß viele Mütter von Kindern in diesem Alter sich Sorgen über einen ›einwärts gedrehten Fuß‹

[1] Wenden Sie sich im Zweifel immer an einen Arzt oder eine Beratungsstelle.

machen. Und doch – ich werde heilfroh sein, wenn sie läuft.« (Anna, 53. Woche)

***

Die Mutter ärgert sich und schreitet zur Tat. Gegen Ende der schwierigen Phase ärgern sich Mütter zunehmend über das unschöne Verhalten ihres Babys. Außerdem ärgern sie sich darüber, daß es »absichtlich ungezogen« ist und Wutanfälle bekommt, wenn es seinen Willen durchsetzen möchte.

***

»Ich ärgere mich wahnsinnig über diese Wutanfälle, die immer dann auftreten, wenn ich das Zimmer verlasse. Außerdem kann ich es nicht ausstehen, wenn sie gleich hinter mir herkrabbelt, sich an meinem Bein festklammert und sich mitziehen läßt. Wenn ich davon die Nase voll habe, stecke ich sie ins Bett.« (Stefanie, 52. Woche)

***

»Damit ich ihn beachte, geht er andauernd an die große Pflanze. Ablenken nützt nichts. Jetzt schimpfe ich und ziehe ihn da weg, oder er kriegt ganz leicht ein paar auf seinen Hintern.« (Timo, 56. Woche)

***

»Beim geringsten Anlaß wird sie stinksauer, wenn sie etwas nicht darf oder ihr etwas nicht gelingt. Sie schmeißt es dann weg und fängt furchtbar an zu meckern. Ich versuche, darauf nicht weiter zu reagieren. Aber wenn sie mehrere Anfälle hintereinander hat, kommt sie ins Bett. Als sie vor zwei Wochen damit anfing, fand ich es noch komisch. Jetzt ärgere ich mich richtig darüber. Ihre Schwestern lachen sie aus. Wenn sie das merkt, ist der Zornesausbruch sofort vorüber, und sie lacht ein wenig verlegen mit. Meist funktioniert das. Aber nicht immer.« (Astrid, 53. Woche)

***

Es kommt zum Streit. Während dieser schwierigen Phase gibt es meist Ärger wegen der Wutanfälle.

***

»Ich merke, wie die Wut in mir hochsteigt, wenn sie so plärrt, weil sie ihren Willen nicht kriegt. Diese Woche wurde sie furchtbar zornig, als ich nicht gleich mit ihr in die Küche wollte. Ich wurde wütend und wußte nicht, was ich tun sollte. Ich hatte auf einmal die Faxen dicke.« (Julia, 54. Woche)

Während jeder schwierigen Phase wollen Mütter, die stillen, gegen Ende mit dem Stillen aufhören. In dieser Phase kommt es dazu deshalb, weil das Baby – unberechenbar wie es ist – immer wieder an die Brust will. Oder weil das An-die-Brust-Wollen mit Wutanfällen einhergeht.

***

»Jetzt habe ich wirklich aufgehört mit dem Stillen. Unsere ›Beziehung‹ war schwer gestört. Er: nichts wie an meinem Pulli ziehen, trampeln und kreischen. Ich: nichts wie böse werden. Vielleicht verschwinden die Wutanfälle jetzt auch ein bißchen. Das letzte Mal getrunken hat er am Abend seines ersten Geburtstags.« (Timo, 53. Woche)

Die neue Fähigkeit bricht durch

Um die 55. Woche herum werden Sie entdecken, daß Ihr Baby weniger schwierig ist. Und daß es Dinge tut oder versucht zu tun, die wieder total neu sind. Sie stellen fest, daß es »erwachsener« mit Menschen, Spielsachen und Sonstigem umgeht. Daß ihm andere Dinge gefallen. Diese Veränderungen sehen Sie deshalb, weil in diesem Alter bei jedem Baby die Fähigkeit zum Wahrnehmen und Durchführen von »Programmen« durchbricht. Man kann diese Fähigkeit vergleichen mit einer neuen Welt, die sich auftut und in der es zum Thema »Programme« ungeheuer viel zu entdecken gibt. Ihr Baby trifft je nach seiner Veranlagung, seinen Vorlieben und seinem Temperament seine eigene Wahl. Es kann jetzt wieder ausgiebig auf Entdeckungsreise gehen und sich neue Dinge aneignen. Und Sie als Erwachsene können ihm dabei helfen.

DER SPRUNG:
DIE WELT DER »PROGRAMME«

Wenn Ihr Baby »Programme« wahrnehmen und durchführen kann, weiß es um die Bedeutung von solchen Dingen wie beispielsweise »Wäsche waschen«, »Geschirr spülen«, »den Tisch decken«, »Essen«, »Staubwischen«, »Aufräumen«, »Anziehen«, »Kaffee trinken«, »Turm bauen« »Telefonieren« und so weiter. All das sind Programme.

Es ist das Kennzeichen eines »Programms«, daß es nicht in einer vorgeschriebenen Reihenfolge ablaufen muß, sondern flexibel ist. Wenn Sie Staub wischen, muß das nicht unbedingt jedesmal in der gleichen Weise geschehen. Sie können schließlich erst ein Stuhlbein abwischen und dann die Sitzfläche – oder andersherum. Sie können zuerst alle vier Beine abwischen. Vielleicht auch erst den Stuhl und dann den Tisch. Oder andersherum. Immer können Sie die Reihenfolge wählen, die Ihnen für den speziellen Tag, das spezielle Zimmer, den speziellen Stuhl am geeignetsten erscheint. Aber wie Sie es auch machen – das »Programm«, das abläuft, heißt »Staubwischen«. Ein »Programm« ist also ein Netzwerk von möglichen Reihenfolgen, die nicht festgelegt sind und daher frei variiert werden können.

Wenn Ihr Baby sich mit einem »Programm« beschäftigt, kann es innerhalb des »Programms« unterschiedliche Wege beschreiten. Es trifft ja immer wieder auf Knotenpunkte, an denen es entscheiden muß, wie es weitergehen soll. So hat es beim »Essen« nach jedem Bissen die Wahl, ob es einen weiteren Bissen will oder lieber einen Schluck trinken. Oder vielleicht drei Schlucke. Es kann wählen, ob es den folgenden Bissen mit den Fingern essen

will oder mit einem Löffel. Wie es sich auch entscheidet, es ist und bleibt ein »Eßprogramm«.
Ihr Baby »spielt« mit den verschiedenen Wahlmöglichkeiten, die es an jedem Knotenpunkt hat. Es probiert aus. Es muß noch lernen, welche Folgen seine jeweilige Entscheidung an einem Knotenpunkt hat. Es kann sich beispielsweise dafür entscheiden, den vollen Löffel statt in seinem Mund über dem Fußboden umzudrehen. Ihr Baby zieht zweifellos eine ganze Auswahl von möglichen und unmöglichen Entscheidungen in Erwägung.
Es kann nun auch selbst »planen«, mit einem bestimmten »Programm« zu beginnen. Es kann den Besen aus dem Schrank holen und anfangen zu fegen. Es kann seine Jacke holen, um nach draußen oder einkaufen zu gehen. Es kommt allerdings noch sehr leicht zu Mißverständnissen. Das Baby kann ja noch nichts erklären. Die Mutter versteht es nur allzuschnell verkehrt. Das Baby ist dann frustriert und kann einen Wutanfall kriegen. Es kann auch sein, daß die Mutter noch keine Lust hat oder noch nicht so weit ist, um auszugehen. Auch dann ist das Baby schnell frustriert. »Warten« versteht es in diesem Alter noch nicht.
Ihr Baby führt nicht nur »Programme« aus, es kann jetzt auch wahrnehmen, welches »Programm« gerade läuft. Es versteht zum Beispiel, daß Sie dabei sind, Kaffee aufzusetzen, und daß darauf eine Kaffeepause folgt. Mit oder ohne Keks.
Jetzt, wo Ihr Baby »Programme« wahrnehmen und durchführen kann, hat es auch die Wahl, ein bestimmtes »Programm« zu verweigern. Es will beispielsweise nicht, daß Sie tun, was Sie tun, ist frustriert und kriegt manchmal sogar einen Wutanfall deswegen. Für Sie sieht es so aus, als käme dieser Wutanfall aus dem Nichts.

Kopfarbeit

Die Hirnstromkurven Ihres Babys zeigen etwa um den zwölften Monat herum erkennbare Veränderungen. Außerdem nimmt sein Kopfumfang drastisch zu und der Glukose-Stoffwechsel des Gehirns ändert sich.

Die Welt der »Programme«

Der Bereich »Selbst ein Programm starten«:

- Es holt einen Besen oder ein Tuch und fegt oder wischt Staub. ☐
- Es geht zum Klo und putzt mit der Bürste das Becken. ☐
- Es bringt Sachen, die es weggeräumt haben will, zu Ihnen. ☐
- Es holt die Keksdose und erwartet eine Tee- oder Kaffeepause. ☐
- Es kommt mit Jacke, Mütze und Tasche, um zum Einkaufen zu gehen. ☐
- Es holt Jacke, Mütze, Eimer und Schaufel. Damit signalisiert es, daß es bereit ist, zur Sandkiste zu gehen. ☐
- Es nimmt die Hundeleine und will nach draußen. ☐
- Es nimmt seine Kleidung und will sie anziehen. ☐
- Was Ihnen sonst noch auffällt: ______________________________

____

Der Bereich »An einem laufenden Programm teilnehmen«:

- Es wirft schon mal die Kissen vom Stuhl, wenn Sie putzen. ☐
- Es hängt das Geschirrtuch zurück, wenn Sie fertig mit dem Abtrocknen sind. ☐
- Es kann Gegenstände oder Lebensmittel im richtigen Schrank verstauen. ☐
- Es bringt seinen Teller, sein Besteck und sein Set zum Tisch, wenn Sie ihn decken. ☐
- Es gibt klar zu verstehen, daß der Nachtisch zu kommen hat, wenn es das Hauptgericht aufgegessen hat. Sagt beispielsweise »Eis«. ☐
- Es tut die Teelöffel in die Tassen. Rührt schon mal um. ☐
- Es nimmt etwas, was Sie gerade eingekauft haben, und will es tragen. ☐
- Es versucht, selbst etwas anzuziehen, wenn es angekleidet wird. Etwa seine Pantoffeln. Zieht die Hose allein hoch, wenn Sie schon seine Beine in die Hosenbeine gesteckt haben. ☐
- Es sucht eine Platte oder CD aus und hilft beim Auflegen. Weiß beispielsweise genau, wie der Plattenspieler angeht. Auf welchen Knopf man drücken muß. ☐
- Was Ihnen sonst noch auffällt: ______________________________

____

Der Bereich »Ein Programm selbst – mit Anleitung – durchführen«:

- Es steckt unterschiedlich geformte Klötzchen durch die richtigen Öffnungen der Bauklotzschachtel, wenn Sie ihm zeigen, welches wo hineingehört. ☐
- Es macht Pipi ins Töpfchen, wenn Sie fragen und es wirklich muß. Trägt danach das Töpfchen zur Toilette oder hilft dabei (wenn es noch nicht läuft) und zieht ab. ☐
- Es nimmt Stifte und Papier und zeichnet, wenn Sie ihm zeigen, wie man das macht. ☐
- Was Ihnen sonst noch auffällt: ______________________________

____

Der Bereich »Selbständiges Durchführen von Programmen«:

- Es füttert Puppen oder Stofftiere, imitiert dabei sein eigenes Eßprogramm. ☐
- Es badet die Puppe. Imitiert dabei sein eigenes Baderitual. ☐
- Es setzt die Puppe aufs Töpfchen, nachdem es selbst in den Topf gemacht hat. ☐
- Es ißt ohne Hilfe seinen Teller leer. Oft will es dabei ordentlich am Tisch sitzen, wie »große Menschen« das tun. ☐
- Es baut einen Turm von mindestens drei Klötzen. ☐
- Es beginnt und »führt« ein Telefon-»Gespräch«. Dreht manchmal selbst erst an der Wählscheibe. Und sagt ab und zu »Tschüß« am Ende des »Gesprächs«. ☐
- Es kriecht durchs Zimmer. Auf Wegen, die es selbst aussucht. Deutet oft erst in die anvisierte Richtung, bevor es sie einschlägt. Sucht schon krabbelnd und deutend »Wege« unter Stühlen und Tischen hindurch, kriecht durch kleine Tunnel. ☐
- Es krabbelt mit einem Auto oder einer Lok durchs Zimmer und sagt »Brumm, Brumm«. Benutzt unterschiedliche Wege. Unter Stühlen und dem Tisch hindurch, oder zwischen Sofa und Wand. ☐
- Es kann etwas finden, das Sie so versteckt haben, daß es die Sache überhaupt nicht mehr sehen kann. ☐
- Was Ihnen sonst noch auffällt: ______________________________

____

Der Bereich »Zusehen bei Programmen, die andere durchführen«:

- Es verfolgt eine Kindersendung im Fernsehen. Hält aber nur ungefähr drei Minuten durch. ☐
- Es hört sich eine kurze Geschichte im Radio oder auf Band an. Die Geschichte muß einfach und dem Lebensstil des Babys angepaßt sein. Sie darf nicht länger dauern als drei Minuten. ☐
- Es läßt erkennen, daß es eine Abbildung in einem Buch versteht. Sagt zum Beispiel »Happ«, wenn das Kind oder Tier auf dem Bild ißt oder etwas zum Essen angeboten bekommt. ☐
- Es sieht und hört zu, wenn Sie seinen Kuscheltieren oder Puppen ein Häppchen zu essen geben, sie baden, anziehen, sprechen lassen und zurücksprechen. ☐
- Es studiert, wie ältere Kinder mit ihren Spielsachen ein »Programm« spielen. Zum Beispiel, wie sie mit einem Kaffeeservice, einer Garage mit Autos oder einer Puppe mit Bettchen spielen. ☐
- Es studiert Vater, Mutter oder andere, wenn diese mit einem »Programm« beschäftigt sind. Etwa wenn sie sich anziehen, essen, kochen, basteln, tischlern, telefonieren und so weiter. ☐
- Was Ihnen sonst noch auffällt: ______________________________

  ____

Denken Sie stets daran, daß Ihr Baby in der neuen Welt nicht alles auf einmal entdecken kann. Mit 55 Wochen bekommt es zum ersten Mal Zugang zu dieser Welt. Aber wann es sich etwas aneignet, hängt vom Interesse des Babys ab und davon, wieviel Gelegenheit es dazu erhält. Die meisten Fertigkeiten entwickelt das Baby erst Monate, manchmal sogar erst viele Monate später!

Wofür entscheidet sich Ihr Baby: ein Schlüssel zu seiner Persönlichkeit

Alle Babys haben diese Fähigkeit zum Wahrnehmen und Durchführen von »Programmen« mitbekommen. Die neue Welt steht allen offen und ist angefüllt mit neuen Möglichkeiten. Ihr Baby trifft seine eigene Wahl. Es nimmt sich das, was am besten zu seiner Veranlagung, seinen Interessen, seinem Körperbau, seinem Gewicht und seiner Intelligenz paßt. Vergleichen Sie deshalb Ihr Baby nicht mit anderen Babys. Jedes Baby ist einzigartig.
Beobachten Sie Ihr Baby genau. Finden Sie heraus, wofür es sich interessiert. Im Kasten »Die Welt der ›Programme‹« ist Platz gelassen, um festzuhalten, für welche Dinge sich Ihr Baby entschieden hat. Zwischen der 55. und 61. Woche wird es die Fertigkeiten auswählen, die es in dieser Welt am meisten ansprechen. Respektieren Sie seine Wahl. Denn so werden Sie herausfinden, was Ihr Baby einzigartig macht! Wenn Sie auf seine Interessen eingehen, helfen Sie ihm am besten beim Spielen und Lernen.

So sind Babys nun mal

Alles, was neu ist, findet Ihr Baby am schönsten. Reagieren Sie darum immer und ganz besonders auf neue Fertigkeiten und Interessen, die Ihr Baby zeigt. Es lernt dann besser, leichter, schneller und mehr.

Die Auswirkungen des Sprungs: Helfen Sie Ihrem Baby beim Lernen

Geben Sie Ihrem Baby die Gelegenheit, mit »Programmen« zu spielen. Lassen Sie es zuschauen, wenn Sie mit einem »Programm« beschäftigt sind. Lassen Sie sich von ihm helfen, und lassen Sie es sich selbst mit »Programmen« beschäftigen. Nur so kann es richtig verstehen, was ein »Programm« ausmacht.

Spielerisch anziehen und pflegen

Wenn es Ihrem Baby gefällt, sich mit Anziehen, Ausziehen und Pflegen zu beschäftigen, dann lassen Sie es zuschauen, wie Sie es bei sich selbst machen. Erklären Sie ihm auch, was Sie tun und warum Sie es tun. Es versteht mehr, als es sagen kann. Geben Sie ihm auch einmal die Gelegenheit, sich oder jemand anderen zu waschen, abzutrocknen oder anzuziehen. Auch wenn es all diese Dinge noch nicht perfekt beherrscht: Es weiß doch, was sie zu bedeuten haben. Und helfen Sie ihm, wenn Sie merken, daß es ihm gefällt.

***

»Sie versucht, selbst die Hose hochzuziehen oder selbst ihre Hausschuhe anzuziehen, aber das klappt noch nicht. Neulich lief sie auf einmal in meinen Pantoffeln herum.« (Julia, 55. Woche)

***

»Sie findet es toll, mit einer Mütze oder einem Hut auf dem Kopf herumzulaufen. Ob die mir, ihr oder der Puppe gehören, ist egal. Alles kommt ihr gelegen.« (Eva, 57. Woche)

***

»Letzte Woche hat er sich einfach alles auf den Kopf gesetzt. Mal ein Geschirrtuch oder Handtuch, ab und zu eine Unterhose von diesem oder jenem. Er läuft dann stoisch durch die Wohnung, und seine Geschwister lachen sich kaputt.« (Dirk, 59. Woche)

***

»Nach dem Anziehen krabbelt sie zu meinem Frisiertisch und versucht, sich mit Parfum einzusprühen.« (Laura, 57. Woche)

***

»Gestern stand er, übers ganze Gesicht lachend, in seinem Bett, als ich ihn holen wollte. Er hatte sich fast ganz ausgezogen.« (Jan, 58. Woche)

***

»Sie füttert ihre Puppen, bringt sie ins Bad und ins Bett, und wenn sie auf dem Topf gewesen ist, setzt sie die Puppen auch drauf.« (Julia, 56. Woche)

Spielerisch alleine essen

Wenn Ihr Baby alleine essen will, lassen Sie es das einmal versuchen. Behalten Sie aber im Hinterkopf, daß es – kreativ, wie es nun einmal ist – verschiedene Arten des Essens ausprobieren kann, die für ganz schönes Durcheinander sorgen können. Legen Sie darum ein großes Stück Plastikfolie auf den Fußboden unter seinem

Stuhl, damit Sie hinterher alles leicht saubermachen können. Sie ärgern sich dann weniger.

***

»Seit er gelernt hat, seinen Brei oder sein Mittagessen mit einem Löffel zu essen, will er das auch ganz alleine tun. Sonst ißt er gar nichts. Außerdem will er beim Essen unbedingt auf einem Stuhl am Tisch sitzen.« (Rudolf, 57. Woche)

***

»Auf einmal fand sie es toll, mit dem Löffel erst umzurühren und ihn dann in den Mund zu stecken.« (Julia, 56. Woche)

***

»Er ißt mit Begeisterung Rosinen direkt aus dem Paket.« (Timo, 57. Woche)

***

»Sie sagt ›Eis‹, wenn sie das Hauptgericht aufgegessen hat. Sie weiß also, daß noch was kommt. Wenn sie den Nachtisch gegessen hat, will sie runter vom Stuhl.« (Anna, 60. Woche)

Mit »Spielsachen« spielen

Bei vielen Babys erwacht jetzt das Interesse an Spielsachen, mit denen sie ein »Programm« nachspielen können. Das sind zum Beispiel eine Garage mit Autos, eine Holzeisenbahn mit Zubehör, ein Bauernhof mit Tieren, Puppen mit Pflegeartikeln, ein Spielservice mit Töpfen und Pfannen oder ein Kaufmannsladen mit Päckchen und Schachteln. Geben Sie Ihrem Baby Gelegenheit, sich mit diesen Dingen zu beschäftigen. Und helfen Sie ihm ab und zu ein wenig. Es hat noch Mühe damit.

***

»Wenn ich mich zu ihm auf den Boden setze und ihn ermuntere, baut er manchmal Türme aus acht Klötzen.« (Timo, 57. Woche)

»Wenn sie alleine spielt und etwas gelingt nicht, ruft sie mich: ›Mama!‹ Und macht mir dann klar, was ich tun soll.« (Susanne, 55. Woche)

***

»Sie interessiert sich zusehends mehr für Duplo-Steine, besonders für die Püppchen und Autos. Sie fängt schon an, damit zu bauen. Die Steine bleiben auch fest aufeinander stecken. Damit kann sie sich ziemlich lange beschäftigen.« (Anna, 57. Woche)

***

»Er amüsiert sich jetzt viel besser. Erkennt in allem viel mehr Möglichkeiten. Seine Stofftiere, Züge und Autos bekommen viel mehr Leben.« (Daniel, 55. Woche)

***

Lassen Sie Ihr Baby auch »echte Dinge« anschauen. Wenn es gern mit einer Garage spielt, nehmen Sie es mit in ein Parkhaus. Fühlt es sich mehr von Pferden angezogen, dann lassen Sie es eine Reitschule betrachten. Und wenn ein Trecker oder ein Kran sein Favorit ist, wird es sicher gern die »echten« bei der Arbeit sehen.

Mit »echten Dingen« spielen

Taschen, Portemonnaies mit Geld, Fernsehgeräte, Putzsachen, Make-up, all das wollen Babys so benutzen, wie Mama das tut. Manche Babys lassen ihre eigenen Spielsachen tatsächlich lieber in der Ecke liegen. Auch wenn's manchmal schwerfällt – haben Sie Verständnis für das, womit sich Ihr Baby gerade beschäftigt.

***

»Heute sah ich, daß er das erste Mal an der Wählscheibe drehte, den Hörer ans Ohr hielt und dabei tüchtig plapperte. Manchmal sagte er ›Tüß‹, auch vor dem Auflegen.« (Dirk, 56. Woche)

***

»Sie war ans Telefon gegangen, als ich kurz nicht im Zimmer war, und ›unterhielt‹ sich mit Oma!« (Anna, 60. Woche)

***

»Sie weiß genau, welchen Knopf man drücken muß, damit der Kassettenrecorder aufspringt. Und wenn sie mit einer Kinderliederplatte bei mir ankommt, würde sie die am liebsten selbst auflegen.« (Julia, 57. Woche)

***

»Als er einmal das Radio sehr laut stellte, erschrak er.« (Dirk, 56. Woche)

***

»Er ist verrückt nach dem Klo. Wirft alles rein. Macht es mit der Bürste sauber und sorgt dafür, daß das ganze Bad unter Wasser steht.« (Dirk, 56. Woche)

»Er bringt mir ständig Zeitungen, Bierflaschen und Schuhe und will, daß ich sie wegräume.« (Dirk, 56. Woche)

Mit »Geschichten« spielen

Wenn Sie merken, daß Ihr Baby von Geschichten fasziniert ist, können Sie es welche hören und sehen lassen. Sie können es eine Geschichte im Fernsehen anschauen lassen, ein Tonband auflegen oder selbst eine Geschichte erzählen, mit oder ohne Bilderbuch. Achten Sie darauf, daß die Geschichten Bezug haben zu dem, was Ihr Baby selbst erlebt oder wofür es sich interessiert. Bei dem einen Kind sind das Autos, bei dem anderen Blumen, Wasser oder Kuscheltiere. Denken Sie auch daran, daß die meisten Babys sich nicht länger als drei Minuten auf eine Geschichte konzentrieren können. Jede Geschichte muß also kurz und einfach sein.

***

»Er sieht richtig fern. Bei einer Kindersendung kann er ganz hin und weg sein. Witzig. Vor kurzem interessierte ihn das noch nicht.« (Rudolf, 58. Woche)

Geben Sie Ihrem Baby auch einmal die Gelegenheit, selbst eine Geschichte zu erzählen, beispielsweise, wenn Sie zusammen ein Bilderbuch anschauen.

***

»Sie versteht eine Abbildung in einem Buch. Sie sagt, was sie sieht. Sie sieht zum Beispiel, daß auf einem Bild ein Kind dem anderen etwas zu essen gibt, und sagt ›Happ‹.« (Susanne, 57. Woche)

Mit »Unterhaltungen« spielen

Viele Babys sind richtige Plaudertaschen. Sie erzählen ganze Geschichten, komplett mit »Fragen«, »Ausrufen« und Pausen. Aber sie erwarten auch eine Antwort. Versuchen Sie, die Geschichten Ihres Babys ernst zu nehmen, auch wenn Sie noch nicht ganz verstehen, was es sagt. Aber wenn Sie gut zuhören, werden Sie manchmal ein Wort entdecken, das Sie verstehen können.

»Er quatscht einem die Ohren vom Kopf. Er macht richtig Konversation. Manchmal in Frageform. Niedlich anzuhören. Ich wüßte nur gern, was er zu sagen hat.« (Dirk, 58. Woche)

***

»Er redet enorm viel. Unterhält sich richtig. Manchmal hält er kurz den Mund, sieht mich an, bis ich etwas erwidere, und nimmt seine Geschichte dann wieder auf. Neulich war mir, als hätte er ›Tüßchen‹ gesagt, und da gab er mir tatsächlich einen Kuß. Jetzt höre ich zehnmal so interessiert zu. Toll.« (Dirk, 59. Woche)

Mit »Musik« spielen

Viele Babys hören sich gern einfache Kinderlieder an, die nicht länger als drei Minuten dauern. Sie können jetzt auch lernen, alle dazugehörigen Gebärden zu machen.

***

»Sie macht alleine ›Backe, backe Kuchen‹, komplett mit unverständlichem Gesang.« (Julia, 57. Woche)

***

Manche Babys finden es auch herrlich, selbst Musik zu machen. Besonders Trommeln, Klaviere, Orgeln und Flöten sind in dieser Hinsicht sehr angesagt. Die meisten Babys geben selbstverständlich jenen Instrumenten den Vorzug, die für »die Großen« gedacht sind. Aber mit einem Spielzeuginstrument können sie natürlich weniger anstellen.

***

»Sie ist verrückt nach ihrem Spielzeugklavier. Klimpert meist mit einem Finger herum und lauscht. Sie schaut auch gern zu, wenn ihr Vater auf seinem Klavier spielt, läuft dann zu ihrem Klavier hinüber und haut mit beiden Händen in die Tasten.« (Susanne, 58. Woche)

Genießen Sie es, wenn Ihr Baby Ihnen hilft

Wenn Sie merken, daß Ihr Baby Ihnen helfen will, lassen Sie es gewähren. Es versteht, was Sie tun, und kann ein wenig dazu beitragen.

***

»Sie will ständig helfen. Will die Einkäufe tragen. Sie hängt das Geschirrtuch zurück, wenn ich fertig bin. Sie bringt die Sets und ihr eigenes Besteck zum Tisch, wenn ich decke, und so weiter.« (Anna, 62. Woche)

***

»Sie weiß, daß Apfelsaft und Milch im Kühlschrank stehen, und macht schon mal die Tür auf. Wenn sie einen Keks will, geht sie direkt zum Schrank und holt die Dose.« (Julia, 57. Woche)

Bringen Sie Ihrem Baby bei, Rücksicht auf Sie zu nehmen

Viele Babys können jetzt begreifen, daß auch Sie mit einem »Programm« beschäftigt sein können. Etwa wenn Sie dabei sind, Geschirr zu spülen. Wenn Sie merken, daß Ihr Baby so etwas versteht, können Sie von ihm auch verlangen, Rücksicht auf Sie zu nehmen, damit Sie Ihr »Programm« beenden können. Natürlich darf das nicht zu lange dauern.

Übrigens

Auch das Abgewöhnen alter Gewohnheiten und das Gewöhnen an neue Regeln gehören zu den Auswirkungen jeder neuen Fähigkeit, die Ihr Baby erwirbt. Das, was Ihr Baby jetzt zum ersten Mal versteht, können Sie auch von ihm verlangen. Nicht mehr und nicht weniger.

Lassen Sie Ihr Baby nach neuen Lösungen suchen

Lassen Sie es mit den verschiedenen Verhaltensmöglichkeiten innerhalb eines »Programms« spielen. Manchmal weiß ein Baby zwar, wie etwas normalerweise getan wird, findet es aber doch toll, es auch einmal anders zu versuchen. Es probiert aus. Innerhalb desselben »Programms« wählt es dann einen anderen Weg zum selben Ziel. Dadurch lernt es, daß nicht alles immer auf die gleiche Art getan werden muß. Es ändert seine Taktik, wenn es »Nein« gesagt hat. Tut dann beispielsweise dasselbe, nimmt aber diesmal einen Gegenstand zu Hilfe. Es wird erfinderisch.

* * *

»Wenn er mit etwas beschäftigt ist, etwa damit, etwas zu bauen, schüttelt er manchmal den Kopf, sagt ›Nein‹ und macht es dann anders.« (Rudolf, 55. Woche)

* * *

»Sie nimmt ihre Lok, um sich draufzustellen, wenn sie ihre Sachen aus dem Schrank holen will. Vorher hat sie immer ihren Stuhl dafür hergenommen.« (Julia, 56. Woche)

* * *

»Wenn ich frage: ›Mußt du mal‹, dann geht sie, wenn sie wirklich muß. Macht Pipi, trägt das Töpfchen selbst zur Toilette. Manchmal setzt sie sich auch hin, steht dann auf und pinkelt neben den Topf.« (Julia, 54. Woche)

***

»Er legt sich außerhalb meiner Reichweite auf den Boden, wenn er seinen Kopf durchsetzen will. Dann muß ich zu ihm kommen.« (Timo, 56. Woche)

Lassen Sie Ihr Baby »Forscher« spielen

Manche Babys können sich ewig damit beschäftigen, Dinge zu untersuchen. So können sie beispielsweise fünfundzwanzigmal verschiedene Puppen aufheben und auf den Tisch fallen lassen, um das anschließend sechzigmal mit Bausteinen zu wiederholen. Wenn Ihr Baby so zu Werke geht, dann lassen Sie es ruhig gewähren. Es experimentiert auf diese Art ganz systematisch mit den Eigenschaften von Dingen. Es schaut, wie sie runterfallen, kullern und springen. Und diese Informationen kann es später wieder gut gebrauchen, wenn es mitten in einem »Programm« steckt und vor der Wahl steht, etwas so oder so zu tun. Wer denkt, daß sein Kleines nur spielt, der irrt sich. Eigentlich arbeitet es hart und macht Überstunden.

Was Sie wissen sollten

Manche Kinder sind superkreativ, wenn es um das Ausdenken und Ausprobieren verschiedener Wege zum selben Ziel geht. Zum Beispiel hochbegabte Kinder. Es versteht sich von selbst, daß das für die Eltern äußerst anstrengend ist:

- Diese Babys probieren stets, ob es nicht auch anders geht.
- Diese Babys suchen immer eine Lösung, wenn etwas verboten ist oder nicht gelingt.

– Es ist für sie eine Herausforderung, etwas nicht zweimal auf dieselbe Art zu tun. Wiederholungen finden sie öde.

Zeigen Sie Verständnis für »seltsame« Ängste

Wenn Ihr Baby dabei ist, seine neue Fähigkeit auszuarbeiten, stößt es auch auf Dinge oder Situationen, die neu sind und die es nur zur Hälfte versteht. Eigentlich entdeckt es neue Gefahren. Gefahren, die es bis dahin noch nicht kannte. Darüber kann es noch nicht reden. Erst wenn es alles besser versteht, verschwindet auch die Angst. Haben Sie Mitgefühl.

***

»Er hatte Angst vor der leuchtenden Schiffslampe, wahrscheinlich, weil das Licht so grell war.« (Peter, 57. Woche)

***

»Sie fürchtet sich etwas im Dunkeln. Nicht, wenn sie schlafen soll, aber wenn man mit ihr von einem hellen in ein dunkles Zimmer geht.« (Julia, 58. Woche)

***

»Er hat Angst, wenn ich einen Luftballon aufpuste. Das versteht er nicht.« (Timo, 58. Woche)

***

»Sie erschrak, als aus einem Wasserball die Luft entwich.« (Eva, 59. Woche)

***

»Er erschreckt sich furchtbar über laute Geräusche, zum Beispiel Düsenjäger. Aber auch, wenn das Telefon klingelt oder es an der Tür schellt.« (Daniel, 55. Woche)

***

»Sie erschreckt sich vor allem, das schnell näherkommt. Wenn der Wellensittich um ihren Kopf flattert, wenn ihr Bruder sie ›fangen‹ will, oder vor dem ferngesteuerten Auto von einem Freund ihres großen Bruders. Das war ihr zu schnell.« (Anna, 56. Woche)

***

»Er will partout nicht in die große Badewanne. Nur wenn ich ihn in der kleinen Wanne hineinsetze.« (Dirk, 59. Woche)

»Programme«: Die Spitzenreiter unter den Spielen

Dies sind Spiele und Übungen, die auf die neue Fähigkeit eingehen und die bei fast allen 55 bis 60 Wochen alten Babys (plus/minus ein bis zwei Wochen) hoch im Kurs stehen.

SELBST EINE ARBEIT TUN

Viele Babys finden es toll, ganz allein etwas richtig Erwachsenes zu tun. Mit Wasser zu planschen ist besonders beliebt. Darüber hinaus werden die meisten Kinder vom Spielen mit Wasser ruhig, besonders die lebhaften. Versuchen Sie es mal.

Puppe baden. Füllen Sie die Babywanne oder eine große Schüssel mit lauwarmem Wasser. Geben Sie Ihrem Baby einen Waschlappen und ein Stück Seife, und lassen Sie es seine Puppe oder ein Stofftier schön einseifen. Auch Haarewaschen ist meist sehr beliebt. Geben Sie dem Baby das Handtuch erst, wenn es mit dem Waschen fertig ist, sonst landet es auch im Wasser.

Dreirad oder Trecker gründlich putzen. Stellen Sie das Dreirad oder den Trecker an einen Platz, wo Ihr Kind ordentlich mit Wasser planschen kann. Am besten ins Freie. Füllen Sie einen Eimer mit lauwarmem Wasser und Schaum, und geben Sie Ihrem Baby eine Bürste. Sie können ihm auch den Gartenschlauch geben, aus dem nur ein dünner Wasserstrahl fließt. Damit kann es dann den Schaum abspülen.

Geschirr spülen. Stellen Sie Ihr Kind einmal mit einer großen Schürze auf einen Stuhl vor die Spüle. Füllen Sie das Becken mit lauwarmem Wasser, und geben Sie ihm eine Spülbürste und eine Auswahl an babyfreundlichem Geschirr, etwa Plastikteller und -tassen, Eierbecher, Holzlöffel und alle möglichen Siebe und Trichter. Ein schöner Schaumberg vergrößert noch die Arbeitsfreude. Passen Sie auf, daß der Stuhl, auf dem das Kind steht, nicht glitschig wird, wenn er naß wird. Ihr Baby könnte in seinem Überschwang darauf ausrutschen.

BEI WICHTIGEN ARBEITEN MITHELFEN

Die meisten Dinge kann Ihr Baby noch nicht alleine tun, aber es kann Ihnen helfen. Und nichts tut es lieber. Es kann helfen beim Zubereiten der Mahlzeiten, beim Tischdecken und beim Einkaufen. Natürlich ist es für Sie keine große Erleichterung. Es kann Sie sogar manchmal vom Regen in die Traufe bringen. Aber es lernt viel dabei. Und wenn es bei etwas Wichtigem mitmachen darf, fühlt es sich »groß« und zufrieden.

Einkäufe auspacken und verstauen. Bringen Sie erst empfindliche und gefährliche Sachen in Sicherheit, und lassen Sie Ihr Baby dann beim Auspacken helfen. Sie können sich von ihm die Einkäufe nacheinander, seiner Wahl entsprechend, reichen lassen. Oder Sie können bitten: »Gib mir das ... und jetzt die ...«. Sie können ihm auch sagen, wo es etwas verstauen soll. Und zum Schluß kann es die Schranktür zumachen, wenn Sie fertig sind. Zeigen Sie immer, daß Sie sich über die Hilfe freuen, wenn es sein Bestes gegeben hat. Viele Babys finden es toll, nach getaner Arbeit gemeinsam mit ihrer Mutter etwas Leckeres zu essen oder zu trinken.

VERSTECKSPIELE

Diese Art Spiele können Sie jetzt »komplizierter« machen als vorher. Wenn Ihr Baby in Stimmung ist, zeigt es meist freudig seine Künste.

Passen Sie sich Ihrem Baby an. Gestalten Sie das Spiel nicht zu schwierig und nicht zu leicht.

Doppelt verstecken. Stellen Sie zwei Becher vor Ihr Baby und stecken Sie unter einen von den Bechern ein Spielzeug. Vertauschen Sie anschließend die Becher, indem Sie beide auf dem Tisch schieben. Wo Becher A stand, steht nun Becher B und umgekehrt. Achten Sie darauf, daß Ihr Baby zusieht, wie Sie die Becher verschieben. Lassen Sie Ihr Baby auf den Becher zeigen, unter dem es das Spielzeug vermutet. Und loben Sie es für jeden Versuch. Dieses Spiel ist noch sehr schwierig für ein Baby.

Woher kommt das Geräusch? Viele Babys suchen furchtbar gern nach Geräuschen. Nehmen Sie Ihr Baby auf den Schoß und lassen Sie es etwas sehen oder hören, das Musik spielt. Beispielsweise eine Spieluhr. Behalten Sie Ihr Baby auf dem Schoß und lassen Sie jemand anders diese Spieluhr verstecken. Achten Sie darauf, daß das Baby nicht sehen kann, wo sie versteckt wird. Wenn die Spieluhr nicht mehr zu sehen ist, fordern Sie Ihr Baby zum Suchen auf.

Spielzeug und Hausrat, die Ihr Baby am meisten faszinieren

Das sind Spielsachen und Dinge, die auf die neue Fähigkeit eingehen und die bei fast allen 55 bis 60 Wochen alten Babys (plus/minus ein bis zwei Wochen) gut ankommen:

- Puppe (die auch ins Wasser darf), Puppenwagen und Puppenbett;
- Bauernhof mit Tieren und Zäunen,
- Garage und Autos,
- Zug, Schienen, Tunnel;
- unzerbrechliches Kaffeeservice,
- Töpfe, Pfannen und Holzlöffel;
- Telefon,
- Duplo-Steine,
- Dreirad, Auto, Trecker, Pferd oder Lok, auf denen es selbst sitzen kann;
- Schubkarre, in der es alles befördern kann;
- Schaukelpferd, Schaukelstuhl;

- Bauklotzschachtel mit Öffnungen im Deckel, durch die verschieden geformte Klötze passen;
- Stapelbecher,
- Ringpyramide,
- Mop, Bürste, Handfeger und Schaufel;
- viele verschiedene bunte Schwämme zum »Putzen« oder um in der Wanne damit zu spielen;
- große Bogen Papier und dicke Stifte,
- Bücher mit Tieren und ihren Jungen, mit Kindern, die etwas Bekanntes tun, mit Autos, Lkws und Treckern;
- Musikinstrumente wie Trommel, Klavier und Orgel,
- Kassetten mit einfachen, kurzen Geschichten;
- einfache, kurze Fernsehsendungen für die Allerkleinsten, beispielsweise »Die Sendung mit der Maus« oder »Sesamstraße«.

Achtung! Wegräumen bzw. sichern!

- alle Schränke und Schubladen, in denen Dinge aufbewahrt werden, die anderen gehören;
- Knöpfe an Video- und Audiogeräten, an Elektrogeräten und am Gasherd;
- Lampen und Steckdosen.

DER SPRUNG IST GESCHAFFT

Um die 59. Woche sind die meisten Babys wieder etwas pflegeleichter, als sie waren. Manche werden vor allem wegen ihrer geselligen Redekünste gelobt. Andere für ihre Bereitschaft, »den Haushalt zu übernehmen«. Außerdem setzen die meisten Babys nun weniger Wutanfälle ein, wenn sie ihren Willen durchsetzen möchten. Kurz, ihre Selbständigkeit und Fröhlichkeit kommen wieder mehr zum Vorschein. Und doch finden viele Mütter ihr Kind auch weiterhin etwas anstrengend.

***

»Sie ist furchtbar pingelig. Alles hat seinen Platz. Wenn ich etwas verändert habe, merkt sie das sofort und stellt es wieder zurück. Sie hält sich auch nicht mehr fest, wenn sie läuft. Und sie läuft seelenruhig durchs ganze Zimmer. Ich habe mir also grundlos Sorgen gemacht.« (Anna, 60. Woche)

***

»Jetzt, wo er wie ein geölter Blitz durch die ganze Wohnung läuft, tut er oft auch Dinge, die er nicht darf. Er räumt andauernd Tassen, Bierflaschen und Schuhe weg und kann dabei äußerst kreativ sein. Wenn ich nicht aufpasse, landen sie im Mülleimer oder im Klo. Wenn ich ihm dann ein Standpauke halte, ist er ganz unglücklich.« (Dirk, 59. Woche)

***

»Mit ihren Spielsachen spielt sie momentan nicht mehr. Sie schaut sie gar nicht mehr an. Es ist jetzt viel spannender, uns Erwachsenen zuzuschauen, uns nachzuahmen und etwas mit uns zu unternehmen. Sie ergreift jetzt auch oft die Initiative. Holt ihre Jacke und ihre Tasche, wenn sie raus will. Holt den Besen, wenn geputzt werden muß. Sie verhält sich wie eine richtige Große.« (Nina, 58. Woche)

***

»Im Laufstall amüsiert er sich jetzt großartig. Er will da gar nicht mehr raus. Ich brauche auch nicht mehr mit ihm zu spielen. Er beschäftigt sich allein, besonders mit seinen Autos, der Bauklotzschachtel und mit Puzzles. Er ist viel fröhlicher.« (Peter, 60. Woche)

***

»Sie ist wirklich herzig. Beim Spielen ›plappert‹ sie so niedlich vor sich hin. Und sie ist oft so unwahrscheinlich fröhlich, zum Beispiel, wenn sie irgendwo reinkommt. Auch die ärgerlichen Wutanfälle gehören der Vergangenheit an. Toi, toi, toi.« (Astrid, 59. Woche)

Foto

Nach dem Sprung

Alter: ______________________________

Was auffällt: ______________________________

Nachwort

Alle Mütter sitzen hin und wieder mit einem Baby da, das »Mama tanken« will, das weinerlich, launisch, lustlos, einfach nervenaufreibend ist. Mütter, die sich in einer solchen Situation befinden, sind also keine Ausnahme. All ihre »Kolleginnen« saßen und sitzen zur gleichen Zeit mit denselben Sorgen und demselben Ärger da – und jede vergaß und vergißt das schnell und gern wieder, wenn so eine Phase vorüber ist.

Wenn einer Mutter bewußt ist, daß es ein ganz normaler, gesunder Bestandteil der Entwicklung ist, wenn ein Baby zeitweise schwierig ist und Anlaß zu Sorge und Ärger bietet, macht sie das stärker und selbstsicherer. Sie weiß dann eher, was sie tut. Sie weiß, daß zu einem Baby keine Gebrauchsanweisung für seine Erziehung mitgeliefert wird. Jedes Baby geht nach jedem Sprung auf »Entdeckungsreise« und trifft seine eigene Wahl. Das einzige, was seine Mutter tun kann, ist, ihm hierbei zu helfen. Sie weiß überdies, daß nur derjenige, der das Baby am besten kennt, ihm auch am besten helfen kann. Also sie selbst. Sie ist der absolute Experte. Was sie dabei gut gebrauchen kann, ist das Wissen um das, was bei jedem Sprung in ihrem Baby vorgeht. Das haben wir ihr hier gegeben.

Wir haben gezeigt, daß jedes Baby im ersten Lebensjahr achtmal aufs Neue »geboren« wird. Achtmal steht es kopf. Achtmal ist es verstört und tut alles, was es nur kann, um »an seiner Mutter zu hängen«. Achtmal kehrt es zurück zu seiner sicheren Basis. Und achtmal lädt es dort seine Batterien auf (»es tankt Mama«), bevor es jeweils den nächsten Sprung in seiner Entwicklung macht.

Natürlich ist dieser Prozeß nach diesem ersten Jahr noch nicht vollständig abgeschlossen. Bis zum Alter von eineinhalb Jahren macht das Kind noch zwei Sprünge durch: und zwar um die 64. und um die 75. Woche herum. Bevor es auf eigenen Füßen steht, wird sich das noch ein paarmal wiederholen. Es gibt Anzeichen dafür, daß sogar wir Erwachsene noch mit Sprüngen zu kämpfen haben. »Menschen werden nicht endgültig geboren an dem Tag, an dem ihre Mutter sie zur Welt bringt, sondern (...) das Leben zwingt sie, wieder und wieder eine neue Welt zu betreten.« (Frei nach Gabriel García Márquez: »Die Liebe in den Zeiten der Cholera«)

Stichwortverzeichnis

Praxistipps für junge Eltern

Der zuverlässige Ratgeber für alle dringenden Elternfragen

GESCHENK-TIPP

Mit seinem Bestseller „Oje, ich wachse" hat Prof. Frans X. Plooij allen Eltern einen unschätzbaren Wissensschatz an die Hand gegeben. Nun gibt er hilfreiche Ratschläge für den Alltag mit Baby und beantwortet die meistgestellten Fragen. Seine praktischen Tipps und fachkundigen Erklärungen geben Selbstvertrauen und helfen, die Entwicklung des eigenen Babys gelassen und liebevoll zu unterstützen. Mit vielen praktischen Entwicklungsübersichten.

www.mosaik-verlag.de

192 Seiten

978-3-442-39196-7

www.ojeichwachse.de
Wächst mit Ihrem Baby mit!

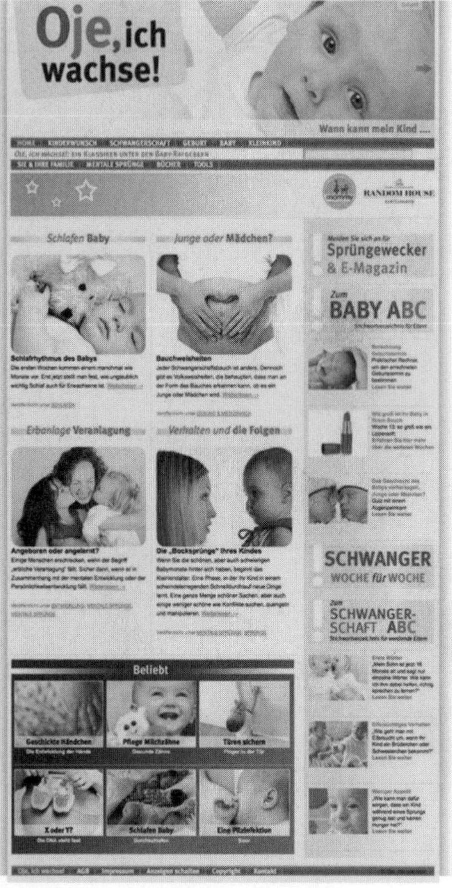

Besuchen Sie die Website von »Oje, ich wachse!« und erfahren Sie mehr über die Entwicklung Ihres Babys.

- Gratis »Sprüngewecker«, der Sie per Email informiert, wann Ihr Kind einen neuen mentalen Sprung macht.
- Gratis Newsletter.

www.ojeichwachse.de